JN059010

ローマン・クルツナリック
松本紹圭＝訳

# THE GOOD ANCESTOR

HOW TO THINK LONG TERM IN A SHORT-TERM WORLD

# グッド・アンセスター

わたしたちは「よき祖先」になれるか

あすなろ書房

# グッド・アンセスター　わたしたちは「よき祖先」になれるか

# はじめに

本書が出版されるのと時を同じくして、新型コロナウイルスが世界に広まった。この恐ろしく、緊急性の高いパンデミックは、危機に立ち向かおうと行動する家族、地域社会、企業、政府を巻き込みながら、否応なく私たちの関心を「今、ここに」に向かわせる。この差し迫った脅威の中にあって、「長期思考」は私たちにどんな洞察をもたらしてくれるだろうか。

明らかなのは、起こりうるパンデミックを想定し、時間をかけて備えてきた国々が、これまでのところ最も効果的にウイルスに対処できているということだ。台湾では、２００３年のＳＡＲＳ発生時の経験から、次なる危機に備えてウイルスの検査・追跡システムを整備していた。一方、米国では、国家安全保障会議のパンデミック専門チームを２０１８年時点で解散していたことが、今回の対応の妨げとなった。同時に、新型コロナウイルスによる壊滅的な社会状況は、さらなるパンデミックの脅威のみならず、気候変動や歯止めの利かない技術開発といった浮上する数々のリスクについて、今この段階で、検討し、見通しを立て、必要な段取りをつけておくべきだということを、はっきりと示している。

ウイルスに対する人類の対応が、今後数十年、長期にわたる影響を及ぼすことは明らかだ。市民監視の強化など、自らに与えた緊急時の権限に各国政府がしがみつこうとすれば、新たな民主主義の可能性を蝕み、独裁主義の痕跡を後世に残すことになるだろう。一方で、パンデミックがもたらした断裂が、これまでの政治、経済、ライフスタイルを根本から見直す余地を与えてくれた側面もある。かつて福祉国家やＷＨＯ（世界保健機関）など、長期的視点をもった先駆的な組織が第二次世界大戦の灰の中から生まれたように、コロナウイルスもまた、私たちが不確実な未来を前にして短期主義の危険に立ち向かい、レジリエンス（回復力）を高めるために必要な、長期思考を取り戻すきっかけとなるかもしれない。

この危機の時代、長期的視点をもった賢い選択をしてはじめて、私たちは未来の世代に相応しいグッド・アンセスター、よき祖先となれるのではないだろうか。

２０２０年３月、オックスフォードにて

# 目次

今、みずからに問いかけなければいけない。
“僕らははたして、よき祖先であろうか”と。
ジョナス・ソーク

AM 3:23
眠れずにいる。
私の孫のまた孫が、夢で私に問いかける。

地球が壊れていこうとしているときに、
あなたは何をしていたの？
ドリュー・デリンジャー

The Good Ancestor
by Roman Krznaric


First published as THE GOOD ANCESTOR in 2020
by WH Allen, an imprint of Ebury Publishing.
Ebury Publishing is part of the Penguin Random House group of companies.

Japanese translation rights arranged with
Ebury Publishing a division of The Random House Group Limited
through Japan UNI Agency, Inc., Tokyo

ブックデザイン／城所潤＋大谷浩介（JUN KIDOKORO DESIGN）

# PART 1

# 時をめぐる綱引き

# 第1章

# 私たちはいかにしてよき祖先となれるか

私たちは皆、過去からのギフトを受け取って生きている。私たちの祖先が残した、膨大な遺産について、じっくり考えてみてほしい。1万年前、メソポタミアの大地に初めて種を蒔いた人々、土地を開拓し、水道を引き、私たちの暮らす都市の礎（いしずえ）を築いた人々、科学的発見を成し遂げ、政治闘争に勝利し、今に受け継がれる素晴らしい芸術を創造した人々の存在を。彼らが私たちの生活にどのような変容をもたらしたのか省（かえり）みられることはほとんどなく、その名前の多くは歴史の中で忘却されていく。だが、そんな中にあってもしっかりと記憶されている一人にアメリカのウイルス学者、ジョナス・ソークがいる。

１９５５年、ソークの研究チームは、10年近くにわたり綿密な実験を重ねた結果、安全なポリオワクチンの開発に成功した。ポリオによる麻痺症状で世界各地で50万人を超える死者が出ていた当時、ワクチンは危機的状況を打開する突破口となった。ソークは時の人として、瞬く間に奇跡の功績者と社会からの称賛を受ける。しかし、本人は名声や富に関心を示さず、ワクチンの特許取得すら求めようとはしなかった。彼の志は「人類にとって何らかの助けとなること」、そして「未来の世代のために正の遺産を残すこと」だった。彼の功績に疑いの余地はない。

後に、ソークは自らの人生哲学を、「私たちはよき祖先であるだろうか」[★1]というシンプルな問いで表した。我々が過去からたくさんの豊かさを受け継いでいるように、我々も子孫へと受け渡さなければならないというのが、彼の信念だった。より長期思考へ、そして自分の人生の時間を超えて私たちの行為が引き起こす結果へとフォーカスするために、時間感覚のラディカルな転換が求められていることを、ソークは確信していた。彼の信念を実現するため、また、人類による自然破壊や核の脅威といった世界的な危機に対峙するためにも、私たちの時間感覚を、数秒、数日、数カ月といったスケールから、数十年、数世紀、数千年というスケールへと拡張する必要がある。そうしてはじめて、次世代を本当の意味で心から敬い、重んずることができるのではないだろうか。

もしかしたらその問いこそが、歴史に対してソークが為した最も偉大な貢献であったのかもしれない。もう少し能動的な言い回しをするなら、「私たちはいかにしてよき祖先となれるか」となろうか。思うに、これはこの時代に最も重要な問いであり、人類文明の進化に希望を与える問いだ。この問いへの挑戦は、本書にインスピレーションを与えただけでなく、あらゆるページを貫いている。この問いは、私たちが未来の世代からどのような評価を受けるのか、正の遺産と負の遺産のどちらを残すのかを考えさせてくれる。今や「よきサマリア人であれ（困難にある人を救い助けよ）」という古い聖書の願いでは十分とはいえない。グッド・アンセスター、

「よき祖先であれ」という21世紀版へとアップデートする時だ。

## 未来は植民地化されている

よき祖先になることは、難易度の高い課題だ。今、地球規模で人類の意識が短期思考と長期思考という対立する力学をめぐってもがいた結果が、その勝算を決めるだろう。

歴史上、今の時代を支配する力学は明らかで、私たちは病的な短期主義の時代を生きている。政治家たちはせいぜい次の選挙、最新の世論調査やツイートしか見ていない。企業は来期の四半期報告書や株主価値を上げるための絶え間ない要求の奴隷と化している。市場はアルゴリズム（コンピュータで課題を解決するための処理手順）がミリ秒単位で操る投機的バブルで暴騰と暴落を繰り返す。地球温暖化により生物が消滅する一方、国々は国際会議のテーブルで目先の利権をめぐって言い争う。インスタントな満足に溢(あふ)れた世界で、私たちはファストフードやメッセンジャーや「今すぐ購入（Buy Now）」ボタンの過剰摂取状態にある。

人類学者のメアリー・キャサリン・ベイトソンは「より長生きになったにもかかわらず、より短期思考になったことは、私たちの時代の大きな皮肉だ」と書いている。[★2] これはまさに「今」による専制時代と言っていい。

短期思考は決して新しい現象ではない。歴史上、17世紀の日本でなされた原生林の浅慮な破壊から（巨大城郭や城下町等の建設にあたって用材供給地としての森林は乱開発された）、1929年の世界恐慌につながる制御不能の投機まで、例の枚挙にいとまがない。それが常に悪というわけではない。怪我をした子供があれば、両親は急いで病院へ連れて行く必要があるし、地震や疫病などの危機が起これば、政府は即座に機動力を発揮して対応する必要がある。しかし日々のニュースをざっと眺めてみれば、やはりそこには多くの有害な短期主義の例が溢れている。[★3] 政府は、犯罪の根本原因となる社会的・経済的な課題に取り組むよりも、刑務所により多くの犯罪者を収監するその場しのぎの解決法を好む。再生可能エネルギーへの転換を支援するのではなく、石炭業界へ補助金を支給する。金融システムを再構築する代わりに、破綻した銀行を倒産後も救済し続ける。その反面、予防医学や子供の貧困、公共住宅への投資を怠っている等々、このリストはどこまでも続く。

短期主義の危険性は公共政策の枠内に留まらず、私たちを危機的な状況に追い込んでいる。その理由としては、第一に「存在に関わるリスク」つまり人類の存続を脅かすリスクが増加傾向にあることによる。新しいテクノロジーによってもたらされる可能性のあるそのリスクは、一般的に確率は低くとも、起こった時のインパクトが大きい。リストの上位には、製造者自身にも制御できない自律型殺傷兵器のような、人工知能システムによる脅威がある。他の可能性としては、地政学的な不安定さが増す時代において、「ならず者国家」が引き起こす核戦争や遺伝子的に操作されたパンデミックが含まれる。リスク学者のニック・ボストロムは、特に分子のナノテクノロジーがもたらす未来への影響を懸念しており、テロリストが自己複製可能なバクテリアサイズのナノボットを手に入れ、それらが制御不能となって、大気を汚染することを懸念している。人類の存在に関わるリスクの専門家の多くによれば、これらの脅威を前に、人類はおよそ6分の1の確率で、生命の壊滅的な損失なしに今世紀の終わりを迎える事ができないという。[★4]

同様に深刻なのは、私たちの幸福、健康といったウェルビーイングあるいは生命そのものが依存している生態系の容赦なき破壊によって、文明社会が崩壊する可能性があることだ。私たちが、深く考えることなく化石燃料を汲み上げたり、海を汚染したり、「六度目の大絶滅（地球は現代の人為的な6度目の絶滅の危機にあると主張する、エリザベス・コルバートのノンフィクションの作品）」に匹敵する勢いで動植物を絶滅に追いやるため、文明社会に壊滅的な影響が生じる可能性がかつてなく大きくなっている。今のハイパーネットワーク時代において、この脅威は世界規模になっているが、地球以外に私たちが避難できる惑星は存在しないのだ。進化生物学者のジャレド・ダイヤモンドによると、人間の歴史を通じてこうした生態系の破壊が文明崩壊の根源となってきたという。「勇気ある長期思考」の欠如と過剰な「短期的意思決定」こそ、その背後にある主な原因だと、彼は主張する。[*5] 私たちは警告を受け続けているのだ。

これらの課題を前にして、私たちは避けがたいパラドックスに向き合わざるを得ない。今すぐ行動が要求される最も緊急性の高い課題として、長期思考を求めねばならない、というパラドックスだ。動物学者であり、環境ドキュメンタリー作家でもあるデイビッド・アッテンボローは2018年の国連気候会議において世界のリーダーたちに向けて次のように発言している。「まさに今、私たちは人間が引き起こした世界規模の災害、つまり数千年来の最も大きな脅威である気候変動に直面している。もし私たちが行動を起こさなければ、私たちの文明の崩壊そして自然界における多くの絶滅は、時間の問題だ」と。自然主義者によると、「今、そしてこれからの数年に起こることが、次の数千年に甚大な影響を与える」[*6] という。

こうしたメッセージを受け止める人の心には、非常警報が鳴り響くことだろう。しかし、それらのメッセージは、目先しか見ようとしない近視眼がもたらす影響をいったい誰が被る(こうむ)のかを、伝え損ねていることが多い。それは、私たちの子供や孫だけでなく、今日生きている人間の数をはるかに超える、今後数世紀の間に生まれてくるはずの数十億の人々なのだ。

真実を認めるべき時がきた。富裕な国々に暮らす人々にとっては特に心かき乱される、この真実を。私たちは未来を植民地化してきたのだ。未来に対し、悪化した生態系、テクノロジーのリスク、核のゴミを押し付け、まるで人のいない遠い植民地の前哨地のごとく、好き勝手に略奪するかのように扱っている。18世紀から19世紀にイギリスがオーストラリアを植民地化した時、あたかもそこに元々の住人など存在しないかのように、もしくは土地への主張などないかのように彼らを扱い、その征服を正当化するために、「テラ・ヌリウス（誰のものでもない土地）」と呼ばれる法原理が用いられた。[★7] ならば今日、未来を住民がいないも同然の手付かずの領土とみなす私たちの社会的態度は、一種の「テンプス・ヌリウス（誰のものでもない時間）」ではないか。そのさまは、まるで帝国の飛び地のように、私たちの望むがままだ。まさにオーストラリアの先住民が、いまだテラ・ヌリウスの後遺症にもがき苦しんでいるのと同じように、未来にはテンプス・ヌリウスの原理に対するもがき苦しみもある。

まだ生まれていない明日の世代が、この植民地主義者による彼らの未来の略奪に対して何もなす術（すべ）がないのは、悲劇としか言いようがない。イギリスの婦人参政権運動家のように王様の馬の前に身を投じて主張することも、公民権活動家のようにアラバマ橋をブロックすることも、ガンジーのように植民地の弾圧者に反抗するため塩の行進に参加することも、彼らにはできない。いかなる政治的権利も代表制も与えられてはいないし、投票箱や市場への影響力もない。最も大きなサイレント・マジョリティ、声なき多数派である未来世代は無力であり、私たちの意識から消されてしまっている。

## 長期思考という概念の危機

これは人類の物語の終わりではない。私たちは潜在的な歴史の転換期にある。多様な力が合流して、私たちを現在時制の中毒から解放し、一歩先んじて長期思考の新しい時代を築く、グローバルなムーブメントが生まれ始めている。

その担い手は、都市デザイナー、気候学者、医師、テック企業のCEOなど様々だ。彼らは、生態系崩壊の脅威、自動化・デジタル化のリスク、世界的な人口移動の増加、福祉の不平等の広がりといった今日の危機の多くが短期主義に由来すると考え、長期思考がその明らかな解決策であると認識し始めている。アメリカの元・副大統領アル・ゴアは「統治機関は長期的な持続可能性よりも短期的な利益に取り付かれた既得権益にそそのかされてきた」と主張する。天体物理学者のマーティン・リースは「少なすぎる計画、少なすぎるホライゾン・スキャニング(将来大きなインパクトをもたらす可能性のある変化の兆候をいち早く捉えることを目的とした将来展望活動の一つ)、少なすぎる長期的リスクへの認識」に満ちた現状を懸念し、私たちは射程の広い政策立案について中国から学ぶべきだと提案する。[*8] 元フェイスブック幹部のチャマス・パリハピティヤは「我々が作り出した、短期的で、ドーパミンを刺激する脳内フィードバックのループが、社会が機能する仕組みを壊している」と認めている。一方、イングランド銀行のチーフエコノミストは、資本市場と企業行動においての「近視眼性の高まり」を公然と批判している。[*9] 同時に、今日の道徳に関する議論や政策決定において、未来の人々の命が脇に置かれるべきではないという、国際的な共通認識の高まりもある。過去25年間、200以上の国連決議が未来の世代の福祉についてはっきりと言及しているし、教皇フランシスコは「世代間の連帯は正義に関する根本的な問題であり、決して後回しにはできない」と公言している。[*10]

このような、長期思考の重要性を文明社会における優先事項とする世論の高まりは、前例がない。とはいえ、こうして溢(あふ)れかえる耳障りの良い言葉たちよりも私たちの心をさらに揺さぶるのは、それを現実化しようと実践しているプロジェクトや取り組みの爆発的な広がりだ。遠く北極圏にある岩盤バンカー内部に建設されたスヴァールバル世界種子貯蔵庫は、６千品種、百万個を超える数の種を、少なくとも千年間は安全に保管することを目指している。ウェールズの「未来世代コミッショナー」や、アラブ首長国連邦ＵＡＥの「内閣担当・未来省」のような、斬新な政治機構もある。これらに続いたのが、若者たちによる運動だ。２００７年に９歳のドイツ人の少年フェリックス・フィンクベイナーが始めた「プラント・フォー・ザ・プラネット」キャンペーンでは、１３０カ国で数千万本もの木が植えられた。クリエイティブ・アートの分野では、１９９９年の大晦日の夜、ロンドンの灯台で響き始めた音楽家ジェム・ファイナー作曲の「ロングプレイヤー」は、一度のくり返しもなく今後何千年も音色を響かせることだろう。

だが、長期思考が支持を得はじめているように見えるとしても、問題はある。長期思考は科学や芸術のコミュニティの一部や、先見性のある企業や政治活動家の間で見出されることはあっても、ヨーロッパや北米だけでなく世界の新興経済大国においては、いまだ主流と呼べるには至っていない。短期思考の束縛に囚われ続ける現代人の精神構造の深いところまで、長期思考が浸透することができているかといえば、否(いな)。これまでのところ成功していない。

その上、長期思考という概念の未熟ぶりは、目を見張るほどだ。地球規模の課題の解決策として長期思考が取り沙汰される話し合いを数えきれないほど重ねる中で気づいたのだが、それが本当の意味でどのようなものか説明できる人は、誰一人いない。インターネットで検索すれば、この言葉は百万件近くヒットするかもしれない。しかし、長期思考という概念が何を意味するのか、どのようにはたらくのか、どんな時間軸で成り立っていて、それを当たり前のものにするために私たちが取るべき手順は何なのか、明確にしてくれるものはほとんど見当たらない。アル・ゴアのような著名な人物がその美徳を擁護しても、それはまだ抽象的で形が定まらず、原理やプログラムを欠いた、毒にも薬にもならない「万能薬」でしかない。このような知性の空白状態を、「長期思考という概念の危機」と呼ばずして何と呼ぼうか。[*11]

もし私たちがグッド・アンセスター、よき祖先になることを目指すならば、私たちの最初の仕事はその空白を埋めることだ。本書の試みは、そのために必要な長期思考を養う６つの目標と実践的な方法論を提供することにある。それは、私たちが「今、ここ」への執着に対抗するのに不可欠な、心の中の工具一式（ツールキット）にもなってくれる。

私がこれらの６つの方法論に焦点を当てるのは、観念（イデア）が重要であるという深い確信に基づいている。未来思想家の中でおそらく最も影響力のある人物、イギリスの作家Ｈ・Ｇ・ウェルズが述べた「人間の歴史は本質的に、観念の歴史である」という意見に、私は同意する。社会の方向性を形づくり、思考可能なものと不可能なものを分かつのは、観念の文化に他ならない。確かに、経済構造や政治制度、テクノロジーといった要素はすべて大事な役割を果たしているが、観念の力を決して過小評価してはいけない。ざっと思い浮かぶところでも、地球は宇宙の中心であるという観念、元来私たちは自己利益によって動かされているという観念、人間は自然から分離しているという観念、男性は女性よりも優れているという観念、神や資本主義や共産主義こそが救済への道であるという観念など、それらが及ぼしてきた影響力は大きい。他の言葉を用いるなら、世界観、心理的枠組み、パラダイム（一時代に支配的な認識の枠組み）、あるいは物の見方（マインドセット）と呼んでもいい。というのも、これらによって文明の道筋が決まってきたからだ。[*12] そして歴史上、「今」が最も重要であると信じるこの短期思考こそ、最も支配的で、かつ緊急に対策を講じなければならない観念の一つだ。

イギリスの音楽家で文化思想家であるブライアン・イーノは、早くも１９７０年代にこの問題の重要性を認識し、「長い今（ロング・ナウ）」の概念を発明した。どれほど多くの人が、秒単位、分単位、日単位で今を捉える「短い今（ショート・ナウ）」の精神性にどっぷり浸かってしまっているか、イーノは気づき始めたのだ。スピードを追い求め、目先のことに走る文化が広まった結果、環境破壊から兵器の拡散といった無数の脅威に直面している未来世代への関心が失われてしまった。「私たちの共感は、はるか先の時代にまでは及ばない」と彼は書き記している。そして、「今」を構成するものに対する私たちの考え方が、数千年とは言わないまでも数百年の時間軸で前後へ拡張し、それとともに私たちの道徳ビジョンが拡大する、そんなところに生まれる「今」に対する、より長い感覚が、その解決法であるというのだ。[*13] 本書は、未来の世代を現代の世代に隷属させるという植民地的な精神構造（メンタリティ）を克服する「長い今による文明」を創造するための基礎となる。

この10年余り、私は共感についての研究や執筆を行ってきたが、その中では、今日の世界において異なる社会的背景を持った人々の立場に立ち、彼らの気持ちや考え方を理解するにはどうしたら良いかということに焦点を当ててきた（専門的には「認知的共感」や「視点取得による共感」と呼ばれる）。しかし、私はさらに大きな課題と長年格闘してきた。それは、私たちが会うことができず、その人生をほとんど想像することもできない未来の世代と、どのようにして共感を伴う個人的なつながりを作ることができるかということだ。言い換えれば、空間だけでなく時間を超えて共感するにはどうすればよいのか、ということになる。この本では、その方法を探求する。この本を執筆した3年間で、私は、共感だけが、私たちの道徳的ビジョンを未来へと拡張するために必要な架け橋なのではなく、世代間の公正や地球環境の保全に対する先住民の視点といった、関連する他の概念も重要な役割を果たすことができるという認識に至った。その結果生まれたのが、道徳哲学や人類学から、最新の神経科学研究やコンセプチュアル・アート（作家の着想、制作過程を作品より重視する前衛的芸術）そして政治学まで、さまざまな領域を学際的に旅するこの一冊だ。しかし、社会的、経済的、文化的な視点をできるだけ幅広く考慮するよう試みるものの、本書での分析が私自身の社会的地位によって制限されることは避けられない。したがって、本書に登場する「私たち」とは、特に注釈のない場合、西欧先進国（ときに「グローバル・ノース」と呼ばれる）に暮らす経済的に安定した住民を指すことを、言い添えておく。

## 時をめぐる綱引き

20世紀の民族解放闘争は、銃を用いた戦いだった。21世紀の世代間の解放闘争は、時をめぐる巨人の綱引きのような思想闘争だ（左図参照）。一方では、短期主義へとドライブする6つの原動力が、私たちを文明崩壊の淵に引きずり込もうとしている。しかしもう一方では、「長期思考の6つの方法」が、より長い時間軸で人類の未来に責任を持つ文化へと、私たちを導く。

PART 2で見ていく「長期思考の6つの方法」は、基礎的な態度、信念、理想という、よき祖先になるための中核となる認知的スキルセットだ。それらは3つのクラスターに分類される。1つ目は想像力。「ディープタイムの慎み」と、「超目標」による未来世代への思いやりを育み根付かせること。2つ目はケア。「レガシー・マインドセット」と「世代間の公正」の感覚を未来のために気にかけること。3つ目は計画。すなわち私たちが生きている時間を超えた「大聖堂思考」と「全体論的（ホリスティック）な未来予測」から立ち現れる未来の計画を立てること。これら3つのうちどれか1つだけでは、長きにわたる革命を人間の意識にもたらすには、十分ではない。しかし、これらが組み合わさって相乗効果を生み、必要な数の人々や組織に実践されること

# 時をめぐる綱引き

## 短期主義に引きずり込む6つの力

**時計の専制**
中世以来の時間の加速

**デジタル・ディストラクション**
テクノロジーに乗っ取られる
注意散漫な意識

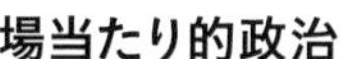

**場当たり的政治**
次の選挙ばかり
気にかける近視眼

**投機的資本主義**
景気の浮き沈みの大きい
金融市場

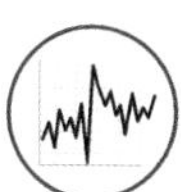

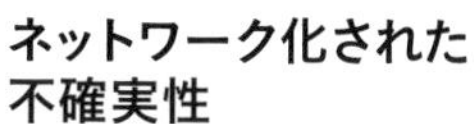

**ネットワーク化された不確実性**
世界的リスクや汚染の上昇

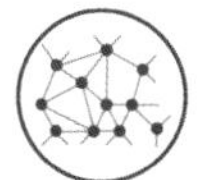

**永遠の進歩**
終わりのない経済成長の追求

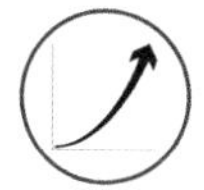

Graphic: Nigel Hawtin

## 長期思考の6つの方法

**ディープタイムの慎み**
宇宙時間における
瞬きの存在である自覚を持つ

**レガシー・マインドセット**
後世によく語り継がれる

**世代間の公正**
7世代先まで考える

**大聖堂思考**
人間の寿命を超えた
プロジェクトを計画する

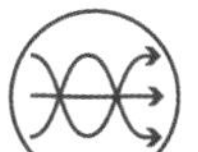

**全体論的（ホリスティック）な未来予測**
文明のための複数の道筋を描く

**超目標**
かけがえのない地球の
繁栄のために努力する

で、長期思考の新しい時代が生まれる可能性がある。

この本を通じて登場する短期主義の力が手強い（てごわ）ことは確かだが、それが「時の綱引き」において勝利するとはかぎらない。大方の意見に反して、長期思考は人類の最も偉大な隠れた才能の一つかもしれないのだ。心理学者のダニエル・カーネマンが教えてくれたように、私たちは思考のスピードを上げたり下げたりできるだけでなく、思考の時間軸を短くしたり長くしたりすることもできる。長期スパンで考えて計画を立てる能力は私たちの脳に組み込まれており、１８５８年のグレート・スティンク（大悪臭）後のロンドンの下水道建設、ローズベルトのニューディール公共投資、奴隷制反対運動家や女性権利擁護者の献身的な闘いなど、記念碑的な偉業をもたらしてきた。本書でこれから見ていくように、人間のそうした能力は、長期思考の６つの方法に可能性と力をもたらす進化的な秘訣なのだ。

長期思考へと想像力を飛躍させるのは良いとして、それをさらに歴史の輪郭を作り変える行動へと転換していくには、どうすればいいのか。主にこの問いを取り扱うＰＡＲＴ ３では、現代に蔓延する短期主義に対抗するために奮闘し、先の６つの方法を実践しようと試みている「時の反乱者」たちの、先駆的な取り組みの物語を語っていく。その中には、スウェーデンのティーンエイジャー、グレタ・トゥーンベリ率いる世界的な気候変動ストライキ運動や、またイギリスの環境保護団体「エクスティンクション・レベリオン」、アメリカのＮＰＯ「アワー・チルドレンズ・トラスト」といった組織も含まれる。他にも、スペインから日本にいたるまで、急進的な再生経済運動や市民議会の運動家の中にも見出すことができる。

特に金融セクターでは、長期思考を利己的な目標のために利用しようとする手強い敵が、彼らの前に立ちはだかる。かつて投資銀行ゴールドマン・サックスのトップであったガス・レヴィは「私たちは欲張りだが、短期的な欲張りではなく、長期的な欲張りだ」と誇らしげに宣言した。[14] さらに、時の反乱者たちは、国民国家や議会制民主主義から消費文化や資本主義そのものに至るまで、今日の社会を成り立たせている基本要素のいくつかが、もはや私たちの生きる時代にふさわしくないという厳しい現実に直面しなければならない。それらは、安定した気候のもとで人類文明が繁栄した、1万年に及ぶ「完新世（Holocene）」時代に発明されたものであり、その頃はまだ、物質的発展が生態系へ及ぼす影響、新たなテクノロジーが抱えるコストやリスク、そして人口増加の負担を、地球がほぼ吸収できていた。しかし、時代は過ぎ去り、人類が創出してきた不安定な地球システムが生態系の崩壊によって脅威にさらされる「人新世（Anthropocene）」へと移行している。[15]

これは典型的なQWERTY問題だ。今でも使用されているQWERTYキーボード（英字最上段の配列が左からQWERTYと並ぶキーボード）の非効率なレイアウトが、1860年代に機械式タイプライターのキーが詰まらないよう、よく使う文字を離して配置して設計されたものであるのと同じように、私たちは別の時代の課題に合わせて作られた制度に縛られているのだ。もし現在の世代と未来の世代の両方に適した世界を作りたいのなら、経済の機能、政治の仕組み、都市の姿など、社会のコアとなる面を大いに再考、再設計し、人類の長期的な繁栄を確保するための新たな価値観や目標に裏打ちされたものにしなければならないことに、議論の余地はない。そして、それを実行するための時間は、ほとんど残されていない。

短期主義との綱引きの中で、私たちが目指すべき理想的な時間軸はあるのだろうか。本書では、長期思考のための最小限の出発点として「100年」を提案している。これは現在の人間が長生きした場合の寿命の長さであり、私たちが自分の死という自我の境界を超えて、自分自身が直接関わるわけではないけれども影響を与える可能性のある未来を想像し始めるよう導いてくれる。[16] それは、企業で見られる最大5年や10年の見通しよりもはるかに長く、私たちがこの世を去った後も成長を続けるオークの木を植えるような行動の時間軸だ。また、これよりさらに長いビジョンを持つ人たちから学ぶこともできる。多くの先住民の人々に見られるような7世代先を見越した意思決定のあり方には、2世紀近い期間が視野に含まれている。カリフォルニアのロング・ナウ財団はさらに意欲的で、時間軸を1万年と設定している。これは、人類初の文明が1万年前の最終氷河期の終わりに誕生したのだから、未来に向けても平等な視点を育てるべきだという理由による。[17] こうした時間に関する想像力を駆使して、冒険心を持とう。少なくとも、「長期的であること」について考えようとするときは、深呼吸して「百年以上」を考えよう。

## ラディカルな希望の見通し

個人の意思決定だけでなく、公的機関、経済システム、文化的生活の根幹にまで長期思考を浸透させるため、この大規模なパラダイムシフトを本当に実現できるだろうか。それを知るには、楽観主義と希望を区別する文芸評論家テリー・イーグルトンの考え方が役立つ。[18] 楽観主義とは、そうではない証拠があるにもかかわらず、常に人生の明るい面を見ようとする陽気な性格のことと考えてよいだろう。このような姿勢は、自己満足と怠惰を容易に生みがちだ。一方、希望とは、目指すべき目標への深いコミットメントを原動力に、失敗の可能性を認識しながらそれでもなお、勝算にかかわらず成功への展望を保ち続ける、より積極的で急進的な究極の目標のことを指す。

本書は、楽観ではなく希望についての本だ。究極的な大変動が起こるまで人類が短期主義の眠りから目覚めない可能性は否定できないし、自滅的な運命から自分たちの進路を変えるには、もはやその時には遅すぎるかもしれない。かつてローマ帝国やマヤ文明がそうであったように。しかし、私たちが特に、集団行動の力で根本的な変化を起こせるのであれば、文明の崩壊は決して避けられないものではない。歴史が教える最初の教訓は、それが起こる前であれば避けられないものは何もない、ということだ。植民地主義と奴隷制が終焉を迎えたことを思い出し、希望を感じよう。長期思考のための6つの方法が持つ革新的な可能性、そして、短期主義との綱引きに勝利するため盛り上がりつつある「時の反乱者たち」に、希望を感じよう。そして、どんなに困難であっても、変化の可能性がまだあるうちに諦めてしまったら、未来の世代は決して許してはくれないものと心得よう。夢の中で彼らの声を聞いて、それに従って意思決定をしていかなければならない。

グッド・アンセスター、よき祖先への道は、私たちの前にある。その道を選ぶか否かは、私たちの選択次第だ。

第2章

# マシュマロとどんぐり

## 時間に引き裂かれた脳の中

目を閉じて、両手に小さな物体を持っていると、想像してみてほしい。それは、私たちが時間との関係において日々直面するジレンマを凝縮した物体だ。左手にはふわふわしたピンクのマシュマロ、右手にはピカピカした緑のどんぐり。

どちらも、人間の心の時間軸に存在する微妙な緊張感を象徴している。私たちの脳には短期思考と長期思考の両方が組み込まれており、この二つの間で常に綱引きがなされている。個人的なことから政治に関すること、人生のプライベートな面から公的な面まで、この緊張状態は常に存在している。休日にビーチで大はしゃぎするか、それとも老後のために貯蓄をするべきか。政治家としてこれからの世紀に相応（ふさわ）しい政策を打ち出すのか、それとも次の選挙で手っ取り早く勝つことを重視すべきか。インスタグラムに自撮り写真を投稿して人気を集めるか、それとも子孫のために大地に種を蒔くのか。

私の見るところ、人は誰しも「マシュマロ脳」を持っていて、目先の欲望や報酬に執着してしまう。だが、同時に「どんぐり脳」も持っていて、遠い未来を思い描き、長期的な目標に向かって努力するよう促す。この二つのタイムゾーンが心の中で交差することから、私たちの中に人間らしい良い部分が生まれる。

ジャン・ジオノの『木を植えた男』には、どんぐり脳がほぼそのまま登場する。羊飼いが毎日、羊の世話をしながらどんぐりを地面に蒔いたところ、それが数十年後には広大なオークの森に育ったというこの物語に、説得力を感じずにはいられない。このように、私たちには長期的思考能力があることが明らかであるにもかかわらず、社会では相も変わらず持ち前の短期主義に圧倒的な重きが置かれている。本書のための調査で精神科医や経済学者、未来学者や公務員と話している中、繰り返し聞かされたのが、私たちは目先の報酬やインスタントな喜びにすっかり支配されるがあまり、現代の長期的な課題に立ち向かうことができる希望はほとんどない、という考えだ。アメリカの作家ナサニエル・リッチが書いた、気候危機へのアクションの失敗についてのエッセイは、その考えをよく表している。「グローバルな組織、民主主義国家、産業界、政党、個人のいずれにおいても、人間は未来の世代に課せられるペナルティを回避するために現在の利便性を犠牲にすることができない」と、彼は記している。[*1]

もし、グッド・アンセスター、よき祖先になることを望むなら、この想定を覆(くつがえ)し、確かに私たちの心において長期思考は可能であると、十分に認識することが必要不可欠だ。それが、現在という一点に集中する近視眼を乗り越える社会を作る出発点となる。「大聖堂思考」、「全体論的(ホリスティック)な未来予測」、「超目標」を求めることといった、本書で探る長期思考の多様な形は、未来を思い描いて計画を立てるという人間生来の能力にもとづいている。それを抜きにして、農業が発明されることも、中世ヨーロッパの大聖堂が建つことも、公的医療システムが作られることも、宇宙への旅が実現することも、決してなかっただろう。そして今日、私たちはかつてないほどにそれを必要としている。

本章では、どんぐり脳がどのように機能し、２００万年の進化の歴史の中でどう発達してきたのかを探ることを通じて、こうした長期的な偉業を成し遂げる私たちの能力について解き明かそう。だが、まずはその偉大なライバルである「マシュマロ脳」の内部構造を明らかにしなければならない。

## マシュマロ脳が人間の行動を左右する仕組み

ある時のこと。私はオックスフォードのコーヒーショップで、快楽と脳についての世界的な専門家である神経科学者のモーテン・クリンゲルバッハと一緒にテーブルにつき、人間の長期思考能力について熱心に議論していた。彼はチョコレートブラウニーを注文し、それが届くと、私の目の前に皿をよこしてくる。私は「健康のために」と言って、その申し出を断る。私はブラウニーを見下ろす。すると、ブラウニーが見返す。数分の間、お互いに目配せをし続けたが、しまいにはチョコレートの魅力に抗(あらが)うことができなくなって、一口かじりつく。

モーテンによると、人間の脳には快楽システムがあり、短期的な快楽や報酬を求める一方で、目先の痛みを避けるように促すはたらきを持つ。肌で感じる太陽の暖かさ、抱擁の心地よさ、シェアや会話から得られる喜びなど、これらの快楽の多くは人々の生活にポジティブな役割を果たしている。しかしながら、時としてこれらの快楽システムには歪(ゆが)みが生じて、砂糖たっぷりの炭酸飲料が飲みたくてたまらなくなったり、ビデオゲームから離れられなくなったりするなど、依存症へ転換しやすい短期の欲望や衝動に支配されてしまう。この「中毒脳」こそ、本当に気をつけなければならないものであり、(チョコレートに夢中になることも含め) 有害な短絡的行動を引き起こすのだと、彼は言う。こうした短期にもたらされる中毒性や衝動性を、私は「マシュマロ脳」と表現しているが、以下その理由を明らかにしよう。

その機能に関する最初の洞察は、1954年に行われた画期的な研究によって明らかとなった。研究では、視床下部に電極を埋め込まれたラットは、その電極が接続されたレバーを押すことで電気刺激を受け取れるというものだ。結果、ラットは1時間に2千回もレバーを押すことを繰り返し、そのために飲食や交尾といった通常の活動を放棄してしまうことが判明した。この研究と、その後の度重なる検証から、依存的な欲求に関連する特定の脳領域があり、そのような領域においてドーパミン化学物質が神経信号伝達に重要な役割を果たしていることが示唆された。[2] 好むと好まざるとにかかわらず、人間は8千万年前にさかのぼればラットと共通の祖先を持っており、したがって、その後の研究で人間が似たような脳領域を持っていることが分かったのも、何ら驚くべきことではない。[3]

進化生物学者によると、目先の快楽や欲望、報酬にこだわってしまうそうした依存的傾向は、食料が不足していたり、安全が脅かされていたりする状況下での生存メカニズムとして発達したと考えられる。チョコレートブラウニーが発明されるずっと前から、私たちの脳は短期処理システムを発達させ、食べられる時に食べられるだけ食べ、外敵に遭遇したときには逃げ出せるようにしてきた。だから、焼き立てのケーキの匂いを嗅げば間髪入れず無意識に身を乗り出してしまうし、大型犬のロットワイラーがこちら目掛けて駆けてくれば踵(きびす)を返して一目散に逃げるのだ。[4]

つまり、食べ物やドラッグの誘惑に勝てない時、古代の依存症脳が作動している可能性がかなり高いと言える。私たちがスマホの画面をスワイプして新着メッセージをチェックするのは、まるでレバーを執拗に押すラットのように、テクノロジーに意図的に組み込まれたドーパミンによる恍惚感がもたらす、瞬間的な興奮を求めているからなのだ。だとすれば、パーティでお酒を飲んだ後にタバコで一服したくなるのは、古哺乳類の祖先の深い呼び声に従っているだけなのだ。と、ただの口実もいいところだが。

実際、ジャンクフードの暴飲暴食からクリアランスセールでの買い物客の殺到まで、消費文化における日常的な短期主義の多くは、人間の進化の遺産として生まれた「今、ここ」的本能にまでさかのぼることができる。神経科学者のピーター・ホワイブロウは、「過剰消費の傾向は、個人の生存が資源をめぐる熾烈な競争に依存していた時代の名残である。（中略）我々を駆り立てている古代の脳は、欠乏の中で進化し、習慣化され、短期的な生存に焦点を当てており、現代の物質文化の豊かさとは相容れない」と論じている。[★5]

それでも人間は、長期的な個人の利益よりも、短期的な欲求を満たすことを好みがちだ。喫煙などはわかりやすい例だが、心臓病になるとわかっていながら脂っこいものを食べたり、万一の時に備えて貯金する代わりに豪華なカリブ旅行で散財したりする。自分の時間軸を考えてみても、しばしば将来の自分を二の次にして、現在の自分の目の前にある喜びを優先してしまうことがある。私たちは一般的に、後で大きな報酬を得るよりも、小さくてもすぐに得られる報酬を好む。この現象は、「双曲割引」として知られる。[★6]

私たちの短期的な衝動性とすぐに得られる報酬への欲求を示す代表的な例として、「マシュマロ・テスト」がある。１９６０年代、スタンフォード大の心理学者ウォルター・ミッシェルは、4歳から6歳の子どもたちの前にマシュマロなどのおやつを一つ置いた。そして、もし部屋で一人になっても15分間食べずに我慢できたら、ご褒美に二つ目のマシュマロをあげると伝えた。結果、3分の2の子どもたちが、目の前のマシュマロを我慢できずに食べてしまった事実は、人間が本来持っている短期志向の性質の証拠としてよく引用される。

しかし、マシュマロ・テストがどれほどよく知られたものであっても、それは私たちが何者であるかを知らせる物語のごく一部に過ぎない。第一に、ミッシェルの実験では3分の1の子どもたちが誘惑に負けなかったという事実をよく認識しておきたい。また、この実験を再現したところ、喜びを先送りする能力は文脈に大きく依存することがわかった。調査員が戻ってくることを信用していなかった場合、子どもたちはマシュマロを食べてしまいやすくなる傾向があり、より裕福な家庭の子どもたちは、おやつを我慢しやすくなる。信頼の欠如と、欠乏への恐怖が、私たちを短期主義に向かわせるらしい。[*7]

さらに重要なこととして、モーテン・クリンゲルバッハのような神経科学者が認めているように、私たちはレバーを押すラットや、糖分たっぷりのお菓子のひったくり犯などではない。古代からのマシュマロ脳と並んで、私たちの神経構造のより新しい部分が併存し、長期的に考え計画する能力を授けてくれている。さて、ここからはいよいよ、どんぐり脳を見ていこう。

## どんぐり脳と出会う

今から約1万2千年前、新石器時代の初期に、私たちの祖先の一人が驚くべきことをした。種を食べてしまう代わりに、次の季節に植えるために保管しておこうと決めたのだ。農業革命の始まりとなるこの瞬間は、人類意識の進化の転換点であり、長期思考の誕生を象徴するものである。

穀物を育てるために計画的に種子を保存し、長い空腹の続く冬の時期にそれを食べないでいることは、現在から遠い未来へと心を傾け、長い時間軸でプロジェクトやベンチャー事業に取り掛かることのできる、ホモ・サピエンスの驚くべき能力を示している。このような神経回路の構造は、「どんぐり脳」と呼ぶに値する。そしてそれを、私たちの誰もが備えている。だが、この脳はいったいどのようにはたらき、どこから来て、どれほどの力を持っているのだろうか。

どんぐり脳の機能は、プロスペクティブ心理学として知られる新しい研究分野のテーマとなっており、そこでは人間を特徴づけるのは未来を考える能力、つまり「プロスペクト」能力であると主張される。アメリカの心理学者マーティン・セグリマンの言葉を借りれば、私たちはホモ・プロスペクタス、「未来に広がる選択肢を想像することによって導かれる」種族なのだ。[★8] フロイトは過去への旅を勧めたかもしれないが、私たちの心は自ずからそれとは反対の方向へと目を向ける。絶えず可能性を想像し、計画を立て、近い未来と遠い未来の重なる輪郭を彷徨(さまよ)っている。心理学者のダニエル・ギルバートが言うように、私たちは「心待ちにする猿」なのだ。[★9]

その証拠には、説得力がある。人間ほど意識的に将来のことを考え、計画を立てる動物は他にいない。リスは冬に備えて木の実を土に埋めるかもしれないが、それは日照時間が短くなり始めた時に本能的に行うのであって、意識的にサバイバル・プランを立てようとしているわけではない。動物行動学の研究によると、ラットのような動物は記憶力が優れているが、せいぜい30分程度先のことしか考えられないという。チンパンジーは枝から葉を剝(は)がしてシロアリの穴に突っ込む道具を作ることはあっても、それを翌週使うために取っておくことは証明されていない。[★10]

ここにこそ、「ずば抜けた」プランナーたる人間の本領が発揮される。次の夏休みの計画を立てたり、美しくなるまで10年待たねばならない庭を設計したり、子どもの大学進学を見越して学費を貯めたり、さらには自分のお葬式で流す曲のリストを作ったりする。これが、どんぐり脳の働きだ。この予見能力があるからこそ、人間は生き延び、繁栄することができた。マーティン・セリグマンは「我々の並外れた先見性が文明を生み出し、社会を維持している。予見力が私たちを賢くする。未来を見通すことは、意識的にも無意識的にも、我々人間の大きなサイズの脳の、中心的な機能である」と主張する。[*11]

これらはすべて、幼児期に始まる。5歳前後になるまでに、子どもたちは未来を想像し、未来の出来事を予測し、それを過去や現在と区別することができるようになる。だからこそ、我が家の双子はそのくらいの年齢から、自分の誕生日に欲しいもののリストを数カ月前から私に渡してくれるようになったのだ。彼らがティーンエイジャーになる頃には、長い時間を予測して計画を立てることができる高度な心のタイムトラベル能力や、何世紀にもわたる歴史的時間の理解力、自分自身の死を想う能力を身につけるだろう。[*12]

人々は日々どのくらいの時間、未来のことを考えたり、計画を立てたりしているのだろうか。実は、従来の心理学が想定していたよりも、はるかに長い。シカゴ在住の500人を対象にしたある研究では、スマートフォンのアプリを使って、1日のうちランダムな瞬間に何を考えているかを尋ねたところ、1日の約14%は未来のことを考えており、過去のことを考えている時間はわずか4%だった（残りは、現在のことか、時間を特定しないものだった）。未来へ思いを馳せている時間のうち、約4分の3は計画を立てることに当てられている。[*13] つまり、未来について考える時間は、過去について考える時間の3倍であり、7時間の思考時間のうち約1時間は、まだ起こっていない未来のことについて考えている。

このような未来に関する神経処理のほとんどは、目の上の前頭部にある前頭葉と呼ばれる脳の領域が司（つかさど）っている。この器官にダメージを受けても、楽しく天気の話ができたり、紅茶を飲めたり、記憶力テストができたりと、一見まったく普通の人のように見える。しかし、午後に何をするかの話をしたり、先回りして思考する必要のあるパズルを完成させたりするなど、計画性を伴う事柄ではまったくの失敗に終わる場合がある。前頭葉（特に背側前頭葉皮質と呼ばれる部分）は、どんぐり脳のオペレーションセンターであり、数週間から数十年先の未来の状況を想定し、長い時間をかけて複雑な計画やプロセスを描くことができるタイムマシンなのだ。

前頭葉の不思議なところは、それが脳に備わったのは比較的新しく、ここ２００万年の間に発達したばかりだということだ（最初の脳が地球上に出現したのは約5億年前）。この間、ホモ・ハビリスでは約０・６キログラムだった脳がホモ・サピエンスでは約１・３キログラム近くなり、私たちの頭蓋骨は質量的に倍増したことになる。しかし、この急激な成長は均一ではなく、前方に偏って現れた。そのため、人類の初期の祖先の低く傾斜した額（ひたい）は徐々に前方に押し出され、現在のようなほぼ垂直な位置になった。脳の器官のこの部分こそが、将来の計画立案や、抽象的な推論や問題解決などのいわゆる「実行機能」を、主として担うのだ。[★14]

長期的に考える能力が進化しているにもかかわらず、私たちの予測のほとんどがごく近い未来のことに集中している。シカゴ大での研究によると、未来に関する思考の80％は、当日または翌日に向いており、1年以上先のことを考えているのは14％、10年以上先のことを考えているのはわずか6％だった。[★15]つまり、どんぐり脳は、神経構造の機能の一部として確実に存在するものの、明らかに短期志向のマシュマロ脳に支配され、その影響から逃れようと必死になっている。

その意味するところは深い。プロスペクティブ心理学の創始者の一人であるダニエル・ギルバートによると、もしエイリアンの科学者が私たち人類を滅ぼそうと思ったら、「宇宙人（リトルグリーンマン）」を送り込んで人類を消滅させるようなことはしない。そんなことをしたら、人類が磨き上げてきた防衛システムを即座に作動させてしまって、厄介なことになる。その代わりに、彼らは地球温暖化のようなものを発明するだろう。というのも、長期的な脅威に対処するのがとにかく苦手な人間の脳のレーダーを、すり抜けることができるからだ。人間は、豪速球で頭に飛んでくる野球のボールを素早く避けることができても、数年後、数十年後の危機に対処するのははるかに苦手なのだ。それでもなお、ギルバートの主張によれば、私たちが長期思考を行うことができるという事実は「脳の最も驚くべき革命の一つ」であり、それがまだ発展の初期段階にあるということを理解する必要がある。[*16]

すべての哺乳類がそうであるように、我々は現在進行形で起こっている分かりやすい危機にはうまく対処できる。しかし、この数百万年の間に、我々は新しい技を身につけた。それが言い過ぎだとしても、少なくとも近いところまでは来た。他のほとんどの種の脳とは異なり、我々の脳はあたかも未来が現在であるかのように、未来を取り扱うことができるようになっている。老後の生活や歯医者の予約を前もって考えられるし、老後に備えての貯金や虫歯にならないための歯磨きといった行動を、今日起こすことができる。だが、まだ我々はこの技を学んでいる途上にある。動物界で取り入れられたばかりのこの技を、それほどうまく使いこなせているわけではない。[*17]

長期的な未来を考えられないわけではないが、水資源をめぐる争いや国防システムへのサイバー攻撃のリスクなど、差し迫った生態的、社会的、技術的な脅威へのあらゆる対応を阻害するような、実に悲惨な神経学的ハンディキャップを、人類は負っているのだ。問題はつまるところ、私たちが「できないわけではないが、まったくうまくやれていない」ことにある。当然のことながら、「7世代先を見越した意思決定」を行う先住民族や、100年もつ橋を設計するエンジニア、悠久の時間「ディープタイム」の神秘に浸る宇宙論者など、すでにうまくできるようになった人もいる。しかしながら、ほとんどの人は、新しい技を覚えようともがく老犬のようなものだ。

人間のどんぐり脳がとてつもない可能性を秘めているのは明らかであり、グッド・アンセスター、よき祖先になることを私たちが望むのであれば、その力を引き出すことを学ばなければならない。まず、その力が各自に一つ必ず備わっていると気づくことは、重要な第一歩だ。しかし、このどんぐり脳が存在することそれ自体が、私たちにある重大な問いを投げかける。そもそもどんぐり脳は、どのようにして発達したのだろうか。

## 長期思考への認知的な飛躍

私たちの祖先は200万年の歳月をかけて、現在から逃れて一時的に未来の住人になるための脳を発達させるという、信じられないような偉業を成し遂げた。進化心理学者や考古学者は、長期的なスパンで物事を考え、計画する能力は、進化上の優位をもたらしたに違いないと考えている。先のことを考え、変化を予測し、計画を立てる能力は、私たちの種族に足りていなかった強さ、スピード、敏捷性を補う生存メカニズムとして生まれた。[18] 後ほど詳しく説明するが、この突然の認知的飛躍を可能にした要因として、ウェイ・ファインディング（道順を見つける力）、「おばあちゃん効果」、社会的協力、道具のイノベーション（37ページの図参照）、の四つが挙げられる。これらの要素は、人間の進化をゆっくりと描いた心理劇（サイコ・ドラマ）の中で、それぞれ重要なシーンを描出している。

17世紀の思想家ブレーズ・パスカルは「人間の本質は、動きの中にある。完全な静寂は、死である」と書いたが、慧眼（けいがん）というほかない。なぜなら、原人の祖先は、採集、狩猟、水探索、季節毎の移動、新しい環境への適応のため、太古の昔から広い大地を往来していたからだ。彼らは何千年もかけて、物理空間の中で方角を見定め、場所から場所へと渡り歩く能力である「ウェイ・ファインディング」と呼ばれる生存技術を身につけた。頭の中に「認知地図」を作成することもこの技術には含まれるが、それは重要なランドマークを記録したり、慣れ親しんだルートを通って安全に帰宅する助けとなった。だが、この心の地図作成には、場所のマッピングだけでなく、時間のマッピングも必要だった。狩猟者は、ルートを計画するだけでなく、場所から場所へ移動するのに必要な時間を計算に入れることで、貴重なエネルギーを節約し、時には命を守ることができた。初期の人類がこのようにして将来の計画を立てる能力を身につけていったことを、生態学者のトーマス・プリンセンは説明している。「場所をイメージし、そこに着くまでに必要な時間を想像する認知能力は、地理的なもの（小川と森がどのような位置関係にあるのか）と時間的なもの（小川と森の両方に行くには何日かかるか）の両方を兼ね備えていたのだ[19]」。

この1世紀、人類学者は、マーシャル諸島のカヌーイストが、危険な岩礁や複雑な潮の流れを描いた枝を組み合わせた海図や、オーストラリアのアボリジニの人々が広大な砂漠を迷わずに歩くために歌い継いできた伝承の道筋「ソングライン」や「ドリーミング・トラック」など、先住民のウェイ・ファインディングを研究してきた。[20] そうした伝統の継承者として、人は誰もが、心に宿した時間地図のGPS機能に導かれ、風景の中を旅するだけでなく、時空間を超えた未来旅行を計画する才能を受け継いでいる。

さて、「おばあちゃん効果」とも呼ばれる二つ目の「長脳化」、つまり長く考えられる脳を育てた要因は、子どもの自立に年月を要するという、人類種の生物学的特性に由来する。ほとんどの哺乳類は生まれてから数時間以内に歩き出し、1年以内に繁殖することができるが、人間はそうではない。最初の数年間はほとんど無力で傷つきやすく、完全に自立して繁殖できるようになるには10代になるまで待たねばならない。にもかかわらず、人間が遺伝子をどうにか遺すことができるのは、子育てに関わるのが両親だけではないためだ。祖父母、特に母方の祖母の存在が、乳幼児の死亡率を下げるのに重要であるという研究結果もある。鹿の群れでは、繁殖期を過ぎた年長のメスの存在によって、若い鹿の生存率が高まる。食料や水が不足したときにどこへ行けばよいか、年長者が知っているからだ。ちょうど同じように、人間のおばあちゃんは子どもたちの世話をしたり、知恵を授けてくれたり、さまざまな形で貴重なサポートをしてくれる。[21]

生殖年齢を超えて長生きする祖母がいるという事実は、おそらくダーウィン的淘汰の結果なのだろうが、祖母がいることで皆が生き延びることができたのだ。おばあちゃん効果によって、私たちの祖先は多世代にわたる親類グループに組み込まれ、それによって少なくとも自分の世代から前後2世代を含む約5世代にわたる時間軸と、思いやりと責任の倫理観を育んできた。[22]

三つ目の要因は、私たちの本能に深く根ざした、社会的協力だ。これは、おばあちゃん効果を強化・拡張してくれるものでもある。哲学者のトマス・ホッブスやジョン・ロックなどの著作に遡（さかのぼ）れば、少なくとも3

## 人間はどのようにして「長く考えられる脳」を育てたのか

200万年の物語

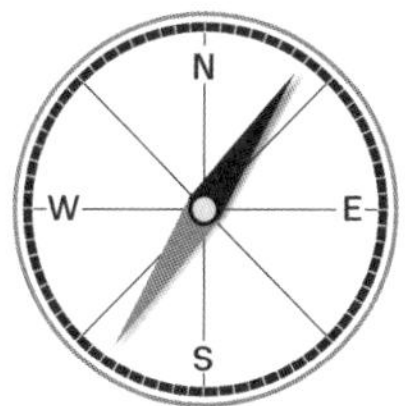


### 道順を見つける力
### (ウェイ・ファインディング)

人間の生存は、狩猟や採集の旅を計画し、時間に応じた「認知地図」を作成する能力にかかっていた

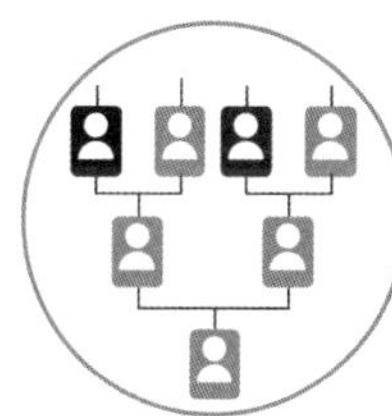

### 「おばあちゃん効果」

おばあちゃんは、子どもたちに不可欠のケアを提供し、世代間の時間軸を広げてくれた

### 社会的協力

信頼、互恵、共感にもとづく協力関係は、時を超えて続くつながりが生まれることから始まる

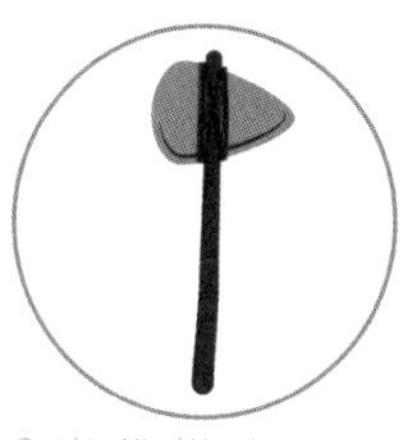

### 道具のイノベーション

石器道具技術の発展には、複雑な連続工程を計画し、将来の目標を明らかにする能力が求められる

Graphic: Nigel Hawtin

世紀前から人間は生まれつき利己的で個人主義的な種であると言われてきた。[★23] しかし今、ある種の科学史上最大のUターン的転回として、進化生物学者は、哺乳類の中で人間が最も社会的な種の一つであると認識している。ダーウィンは、『人間の由来』（１８７１年）の中で、「道徳の水準が高まれば、ある部族が他の部族よりも圧倒的優位を持つようになることは間違いない」と書き、「部族の構成員が常に互いを助け合い、共通の利益のために自らを犠牲にする用意がある」場合には、その部族の成功確率が高まると考えていた。[★24] つまり、自然淘汰は個人だけでなく集団のレベルではたらくのだ。食料が不足していたり、捕食動物が徘徊していたりする場合には、協力し合うことが生存のための最善の方法ということになる。このことは、相互扶助、共感、利他主義、信頼など、私たちの協力的な特性がいかにして発達したのかを教えてくれる。霊長類学者のフランス・ドゥ・ヴァールが私に指摘してくれたように、「共感と連帯感は人間の中に育まれている」のだ。[★25]

　しかし、これが長期思考とどのように関係するのだろうか。社会的協力には、未来を見通す想像力が必要だ。現在誰かに施した助けが、将来自分が困ったときに返ってくる可能性が高いことを人々が知っているとき、信頼と互恵の関係が最もうまくいく。時間は社会的契約に書き込まれ、相互扶助の基盤に組み込まれているからだ。同様に、共感は、相手のニーズや感情、目標を予測する能力に基づいている。友人が仕事を失ったとき、私たちはその友人の心情を想像し、自分にできる最善のサポートは何だろうと考える。これは、様々な可能性をシミュレーションすることで、未来を予測しているものと言える。事実、社会生活のほとんどの場面で、未来へ心を向ける能力が必要となる。罪悪感や羞恥心（しゅうちしん）は、自分の未来の感情を見込むことで機能する社会的感情であり、人とする約束は、義務と責任のタイムライン上に成立するものであり、人の意図を読む何気ない行為は、多様な未来シナリオの識別作業である。マーティン・セリグマンが主張するように、

「さまざまな状況下で、他者が何をするのかについて確かな期待を形成できないなら、どうやって協調したり協力したりできるのだろうか。あるいは、自分自身が何ができるのか、何に十分なモチベーションを向けられるのか、信頼できる期待を持つことができなければ、どうやって協調や協力が可能となるのか」[★26]。結論ははっきりしている。私たちの社会性は、心のタイムトラベルの才能とともに進化してきたということだ。最後の要因は、意識を関係的要素から技術的要素へと転換させてくれる、道具のイノベーションだ。道具作りにおける人類の比類なき才能は、長期的な思考力と計画性の進化を急激に加速させた。

正直なところ、私は博物館の石器コーナーにずらりと並んだ粗削りの火打ち石を見て、いつも退屈していた。しかし、石器時代の道具技術の世界的権威である考古学者のサンデル・ファン・デル・レーウの研究に出会ってからは、すっかり見方が変わった。剝製と化した石器は、人間の脳の認知的進化を示すものであり、何段階にもわたる複雑な計画を立てる能力が高まったことを示す、最もよく知られた証拠を提供してくれる。ファン・デル・レーウによると、石器の開発は200万年の間にいくつかの段階を経ている。最も単純な石器は、自然のままの尖りとエッジを持つものだった。しかし、石器時代の祖先は、石の一部を他の石の表面に打ち付け、薄く剝離した石で鋭利な刃を作ることを覚えた。その後まもなく、薄く剝離した二つの刃が合わさって直線を成す道具を作り始めたが、これは他の霊長類が決して習得することのなかったものだ。それに続いて、およそ2万年前頃までには、複数の剝片を特定の角度から削りながら、三つの平面の交点上に尖った点を作るという、立体的な道具や武器を作ることをマスターしていた。

このような技術の進歩は、人間の脳についてどのような洞察を与えてくれるのだろうか。これらの道具は、ただひたすら何の計画性もなく石を叩き割ってできたものではない。道具が高度なものになるにつれ、より明確な完成品のイメージと、それを作るために必要な何段階もの石の加工手順を心の中で逆算する能力が求められるようになった。例えば、「ルヴァロワ・テクニック」と呼ばれる技法では、1枚の剝片を切除することが、同時に次の剝片を切除する準備にもなっていた。これは、出来事の因果の順序を心の中で逆回しする能力（「Aの結果がBである、ということは、Bを求めるならAをせねばならない」）を身につけて初めて可能となる。[*27] このような複雑な計画は、まるで彫刻家が余分なものを削って石の中にあらかじめ思い描いていた形を出現させるようなものだ。

ファン・デル・レーウは、石工技術の進歩は、人間の心の変化を反映していると言う。

> 石器を立体的に捉えて作る能力を身につける過程で、我々の祖先は他にも多くのコンセプチュアル・ツール（考え方の道具）を習得した。その一つが、複雑な一連の行動を計画し、実行する能力だ。（中略）ここを起点として、人間がものごとをコントロールする能力の発達が大幅に加速することとなった。[*28]

彼の見解では、1万年以上前に農業社会が誕生したのも、このような認知能力の飛躍なしには、起こりえなかったという。新石器時代の人類は、複数のプロセスが連続する複雑な計画を立て、将来の目標に向けた戦略を立てる能力のおかげで、輪作の実践、野生の穀物の耕作、動物の繁殖、そして最初の都市の建設といった、長い時間軸を必要とする活動を行うことができた。実質的に、数時間かけて石器を段階的に作ることと、数カ月かけて作物プランを練ったり、数十年かけてピラミッドを建設することの間には、概念上の根本的な違いはなかったのだ。ファン・デル・レーウが書いているように、そこには「時間的順序を引き伸ばし、異なる『製造』手順の部分間を時間的に分離して捉えるという、人工物の製造において見られるのと同様のメカニズムの働き」が見られる。[★29] 博物館で埃を被った石器たちは、文明の出現という人類最大の功績を明らかにしているのだ。

## 時間のピルエットの贈り物

マシュマロ脳とどんぐり脳の拮抗は続くものの、それは同時に、秒のスケールから年のスケールへと瞬時にシフトできる俊敏な想像力という、驚くべき進化の賜物をもたらした。私たちの心は日々、ある視点から別の視点へと素早く意識の向きを変えながら、いくつもの時間軸をまたいで舞っている。才能を十分に活用できているかどうかは別の問題としても、私たちは時間軸のピルエット（つま先ターン）の専門家なのだ。

次ページの図は、この時間的な幅を広げる能力が、個人的な生活と公的な生活の両方でどのように表現されているかを示している。プライベートでは、スマートフォンのメッセージに返信するときなど、分単位、秒単位で考え、計画し、行動することがある。しかし、場合によって、数時間単位（スマホのバッテリーがいつ切れるか考える）、数日単位（週1回のエクササイズを楽しみにする）、数カ月単位（3カ月間のダイエットを計画する）、数年単位（大学進学を決意する）、時には数十年単位（住宅ローンを組む）に、頭を瞬時に切り替えられる。にもかかわらず、私たちが自分の寿命をはるかに超えるスパンで考えることは滅多にない。死が、想像力の共通の限界点になっているのだ。調査データによると、異なる文化的・宗教的背景を持つ人であっても、ほとんどが15年から20年後には未来が暗くなると答えている。[★30] また、数十年以上先を思い描くことは実に難しく感じられ、それゆえに、老後のための貯蓄がなかなかできないのだ。

| 公的な生活 | | 個人的な生活 |
| --- | --- | --- |
| 大聖堂建築<br>7世代思考<br>シードバンク(種の銀行) | **百年単位** | オークの木を植える<br>タイムカプセル<br>死後の信仰 |
| 宇宙計画<br>エネルギー源の転換<br>中国国家計画 | **十年単位** | 住宅ローン<br>年金貯蓄<br>遺書作成 |
| 貿易交渉<br>オリンピック大会<br>選挙周期 | **年単位** | 大学の単位<br>キャリアプラン<br>子育て |
| 四半期決算<br>ファッションの流行<br>ソフトウェアのアップデート | **月単位** | 学期<br>妊娠<br>ダイエット |
| 日刊新聞<br>割引セールス<br>音楽祭 | **日数単位** | 郵便<br>日常的な買い物<br>トレーニング |
| 営業時間<br>パーキングメーター<br>地域ミーティング | **時間単位** | 勤務シフト<br>週末ランチ<br>スマートフォンのバッテリー |
| 信号機<br>日々のニュース | **分単位** | Eメール<br>シャワーを浴びる<br>コーヒーブレーク |
| クイズショー<br>株式市場<br>公売(公の機関による売買) | **秒単位** | テキストメッセージ<br>1クリック購入<br>呼吸のサイクル |

# 人間の時間軸

Graphic: Nigel Hawtin

公共の場においても同様に、さまざまな時間幅が存在する。高頻度株取引はミリ秒単位で、ファッションの流行や四半期ごとの企業レポートは数カ月単位で、選挙の周期は数年単位でやってくる。ＮＡＳＡの30年宇宙開発計画、中国政府の35年国家計画、長期のシードバンク（種の銀行）などの例外はあるが、私たちの時間ビジョンが10年以上に及ぶことは滅多にない。一般的に公共の未来に関しては、約30年が暗転周期となる。２０２０年時点で、２０５０年以降の実質的な計画を立てている政府、企業、国際機関を見つけることは困難だ。

公私ともに、私たちは比較的狭い時間軸の中で行動しており、遠い先の未来を考えるためのどんぐり脳の想像力を活用できていない。さらに、デジタル技術などの影響で、以前よりもさらに短期的な視野へと駆り立てられた私たちの活動は、ますます現在に最も近い時間帯域に集中するようになっている。未来が急速に私たちに迫ってきている。

だとしても、人類が今後数十年だけでなく、何百年、何千年にもわたって直面する、種の存亡の危機と文明の崩壊という課題に対処することを望むなら、ビジョンを拡大しなければならない。未来は20年、30年をはるかに超えて輝き続ける必要がある。

人間は、そんな遠い時間軸にまで意識を引き伸ばすことができることを、今なら分かるだろう。ウェイ・ファインダー、おばあちゃん、社会的協力者、かつての道具の作り手たちおかげで、私たちは人間の本質にかかる深遠で新しい物語を手にしている。それは、私たちが単にマシュマロ脳の囚人なのではなく、どんぐり脳も組み込まれていることを教えてくれる。これで、ＰＡＲＴ２に登場するさまざまな形の長期思考へと飛び込む準備が整った。長期的なレガシー（遺産）を築くための準備、大聖堂思考を戦略的に計画するための準備、文明の道筋を予測するための準備、そして遠く離れた目標を特定してそれに向けて努力するための準備が、私たちの心には備わっている。

私たちは何者であるか、という問いをめぐるストーリーが変われば、世界は違ってくる。自分たちは元来、短期主義とインスタントな満足に駆られた存在なのだと自らに言い聞かせ続ければ、期待を生み、動機付け（インセンティブ）を与え、マシュマロ脳に餌をやる世界を設計するなどして、その特性を悪化させるかもしれない。もちろん、これはすでに起こっていることだ。インスタントな消費文化のありふれたシンボル「今すぐ購入（Buy Now）」ボタンを考えてみよう。人間の短期的な衝動性を利用することにおいて、これほど完璧に設計されたテクノロジーはおそらく他にないだろう。だが、想像してみてほしい。クリックしようとしたら「1週間後に購入」「1カ月後に購入」「1年後に購入」、なんなら「友達から借りる」などの代替オプションを示すボックスが開いて、選択した時間が経過した後に、本当にまだその商品が欲しいか確認するためのリマインダーが送信されてきたとしたら。さらには、政治制度、法的枠組み、エネルギーシステム、金融規制、経済組織、学校のカリキュラムなどに、それと同等の長期設計が組み込まれていたとしたら。世界はずいぶん違ってくるはずだ。

これこそが、創造すべき世界ではないか。取り組むべきチャレンジは、どんぐり脳を増幅させ、その眠れる力を解放することだ。そうすれば、絶えず私たちをより短い時間軸へ引っ張ろうとする古代のマシュマロ脳と、少なくとも同じ条件で競争することができる。どんぐり脳のスイッチを入れ、火をつけ、より長い「今」へと送り出さなければならない。今こそ、どんぐり脳を起動する時が来た。

# PART 2

# 長期思考の6つの方法

## 第3章

# ディープタイムの慎み

## 宇宙の歴史の中で瞬き程度の時間しか生きていない人類

以下の章では、長期思考を養うための6つの方法を、グッド・アンセスター、よき祖先になるための心構えと併せて紹介する。その目的は、これからの人類を待ち受けるさまざまな可能性に開かれた未来を想像し、気づかい、計画する手助けをすることにある。その中には、死、家族、コミュニティとの関係を見直すきっかけとして人の心を動かすものもあれば、人類全体の計画やゴールに関して数世紀先まで応用できるものもある。これらは全て、私たちと生物界との相互依存性や、地球という繊細で絶妙なバランスを保ったオアシスとの関係修復の必要性にとって、それぞれ異なる観点から、重要なテーマとなる。

私たちは、歴史上の今この瞬間、未来を予想するための深刻な危機に苦しんでいる。人類の生存は時間的視野を拡げられるかどうかにかかっているというのに、私たちの時間軸は、数秒、数時間、数日という狭い範囲へと急速に縮小している。スマートフォンに時間をとられている間に、バイオテロやドローン戦争など、人類の存亡に関わる脅威がすぐそこまで近づいているかもしれないし、海面は気づかないうちにゆっくりと上昇し、沿岸部の都市を飲み込んでしまうかもしれない。どうしたら、思考を拡張し、より長い「今」という身体感覚の伴う直感を得て、文明の進路を短期主義の危険から回避させることができるのだろうか。

そのためには、悠久の時間「ディープタイム」の感覚に根ざした慎みを身につけることが重要な出発点となる。宇宙の歴史という広大な時間軸に照らせば、自らの存在がいかに刹那(せつな)的で取るに足らないものであるかが思い知らされ、遠い過去や一生を超えた遥かなる未来へと心が解き放たれる。誕生から死に至るまでの個々人の物語や、人類文明のあらゆる功績や悲劇などは、宇宙年代記にはほとんど残らないという現実を受け入れなければならない。

現在という一点に注いでいる視線をディープタイムへと移すには、想像力の大きな飛躍が必要だ。この章では、過去2世紀にわたって人類がこの課題に挑んできたさまざまな方法を探っていく。しかし、そのためにはまず、道に大きく立ちはだかる障壁に立ち向かわなければならない。それは、500年以上もの長きにわたって短期主義の文化を助長してきた、中世から続く時計の専制的な支配だ。

## 時計の専制

人類の歴史の大半において、私たちの祖先は時間を周期的なものと捉えていた。毎日の睡眠パターンから、月や星、惑星の規則的な回転にいたるまで、あらゆるものに組み込まれた、一定のリズムを打つ生命の輪の旋律の上に生活していた。１９３０年代、スー族のリーダー、ブラック・エルクは、時間と宇宙の循環的な考え方について語った。

インド人の行いのすべては一つの円の上にあるが、それは、「この世の摂理」は、常に循環という円の上にはたらいているということを示している。（中略）風はその大いなる力で渦を巻く。鳥は円を描くように巣を作る。そのありようは、私たちにとっての宗教に等しい。昇っては沈む太陽は弧を描き、月の軌道もまた同じくして、そしてどちらもそのもの自体が丸く円を描いている。季節でさえも、その移り変わりは大きな円を形づくりながら、常に元いたところへ戻っていく。人の一生は、幼少期から幼少期へと一周する。力が動くところすべて、そのようなあり方をしているのだ。[*1]

人類文明の大きな悲劇の一つは、特に西洋社会のほとんどにおいて、周期的な時間感覚と、時間が永遠に再開し続ける「永劫回帰」という本来の長期視点が見失われてしまったことだ。時間は循環するという古代の考え方は、時間の矢印が過去から現在へ、そして未来へと一直線に向かっているという、直線的な概念にとって変わられてしまった。なぜ、私たちが時間を円と線のどちらで考えるかが重要なのか。それは、線は円と違って縮めることが可能だからだ。

循環的な時間がほどけ始めたのは、14世紀にヨーロッパで機械式の時計が発明された頃だ。この時計は、単に日時計や水時計といった旧来の道具よりも正確に時間を計ることを可能にしただけではない。時間そのものを厳しく統制し、また商品化、加速化させる権力の道具となったのだ。「誰が時間を支配するのか」が、人類史の新たな問題として現れた。

時計の専制支配は、キリスト教の時間概念と、歴史学者ジャック・ル・ゴフが「商人の時間」と呼んだものとの間の争いで表面化した。キリスト教の公式教義において、時間は「神より与えられたギフトであり、売り渡され得ないもの」とされていた。これは、利益を得るために事実上時間を利用する高利貸しの商いと対立するものであり、融資に頼って商売をしていた商人たちにとっては、都合の悪いことだった。さらに広く見れば、彼らの商業的成功は、安く買って高く売るタイミングや、出荷物が届くまでの時間を知っていること、為替の変動時期や来季の収穫物の価格を予測すること、雇用している労働者からいかに短時間で多くの仕事を引き出せるかなど、時間をうまく利用する能力にかなりの割合で依存していた。中世ヨーロッパで発展を遂げた商人階級の間で支配的だった「時間」をめぐるイデオロギーは、「神からのギフト」ではなく「時は金なり」に他ならなかった。

次第に、時計の助けを借りて、商人の時間は教会の時間を凌駕(りょうが)するようになった。1355年、フランス北部の町のエール・シュル・ラ・リスに設置された新しい時計は、貿易の取引時間や織物労働者の労働時間を知らせるチャイムを鳴らすようになった。すべてはコミューンを運営する商人の利益のためだった。ドイツの都市ケルンに公衆時計が出現してからわずか4年後の1374年には、労働者の昼食時間を規定する最初の法律が制定されたが、これは来たるべき未来を予感させるものだった。「コミューンの時計は、経済、社会、政治的支配のための道具であった」とル・ゴフは書いており、それが商業資本主義の台頭を可能にした。[*2]

これら初期の時計は、1時間または15分刻みの表示のみだったが、1700年にはほとんどの時計に分針が備わり、1800年頃には秒針付きが標準となった。[*3] このように、これまでにない正確さをもって時間を計る工場の時計にこそ、権威主義の最たるものが表れており、これこそが、産業革命における重要装備となったのだ。技術史家のルイス・マンフォードは、「近代産業時代の鍵となる機械は、蒸気機関ではなく時計である」と主張した。[★4]ほどなくして、労働者は出勤時間を記録し、タイムシートを埋め、遅刻すれば罰せられるようになった。時間がより細分化されるようになると、経営者は秒単位で従業員の仕事の早さを測れるようになり、生産ラインのペースも徐々に上げられるようになった。この厳しい統制を「サボタージュ」によって拒否しようとした労働者はすぐに解雇された。時計による専制支配は、チャールズ・ディケンズが1854年に発表した小説『ハード・タイムズ』で見事に描いたように、実用主義的な効率性を求める文化の高まりに拍車をかけた。小説に登場するグラッドグライン氏のオフィスには「死を思わせる『統計時計』が置かれ、棺桶の蓋

「時は金なり」。1933年、イギリス、ヨークシャーのローントゥリー・チョコレート工場のタイムレコーダーの前に並ぶ労働者たち

を打つような拍子で毎秒を計測していた」との描写がある。

　こうして工場の時計に象徴されるスピードへの欲求は、循環的な時間に代わり、直線的な時間に勝利をもたらした。今や重要なのは、月や季節などの自然のサイクルではなく、分や秒という人工的な概念だ。「今」がこれまでになく大きく迫るにつれて、将来を見据える長期的な視野は消えていった。

　19世紀の運輸・通信革命によって、未来はさらに遠くへと消えていったのである。１８３０年代に登場した蒸気機関車は、馬と馬車のゆったりとした時代から日常生活のテンポを上げ、電信と電話は空間と時間を消滅させた。つまり、もはや手紙が届くまで何週間も何カ月も待つ必要はなくなったのだ。今日、インターネットとインスタントメッセージによって、世界規模で情報流通のスピードが加速し、現在時制が完全に地球を覆い尽くした。だが、これらは同時に、私たちを永久に「今、ここ」に閉じ込めてしまう恐れのある短期主義の新たな手段、すなわちデジタル・ディストラクション（デジタルによる注意散漫）を生み出した。

　デジタルテクノロジーは、集中力を奪う比類なき力を持っている。ＧＰＳに間違った目的地を案内されることは我慢ならないものだが、情報空間では私たちを誘導するテクノロジーがまさにそれと同様のことをしている。[*5] 病院の予約など何か役立つことをしようと思ってネットにアクセスしたのに、なぜか引き寄せられるようにユーチューブで映画のパロディに見入ったり、新しいヨガマットを買ったり、メールを（またしても）チェックしたりしている。ソーシャルメディアのアプリやウェブサイトは、「エンゲージメント目標（ＳＮＳを利用するユーザーの反応率を高めることを目指す）」を達成するように設計されていて、クリック、スクロール、スワイプを繰り返し、できるだけ多くの広告やページを表示させることを目的としている。ＩＴ企業は、ユーザーをデジタルの世界に没頭させることで、自分で選んだ目標から目をそらさせ、長期思考では太刀打ちできないようにしている。

フェイスブックの初代CEOのショーン・パーカーは、ユーザーの注意を奪うことを、会社が意図的に目的としていたと認めている。「我々はいかにして、あなたの時間と意識的な興味関心を多く消費できるか、それればかり考えていた」と彼は言う。[*6]

昔の「工場の時計」は今やスマートフォンとなってポケットに収まり、かつては私たち自身のものだった時間を奪い、代わりに情報バラエティ、広告、フェイクニュースに満ちた絶え間ない電子的「今」を提供している。ユーザーのアテンション（注意）を奪い合うディストラクション（注意散漫）産業は、太古からの哺乳類特有の脳を巧みに利用している。メッセージが届く音に耳をそばだてたり、画面の端に突然表示される動画に意識を向けたりすることで期待感が生じ、それがドーパミン・システムを作動させるのである。フェイスブックはパブロフであり、私たちはパブロフの犬なのだ。

この500年間の物語は、重要な真実を明らかにしている。時間が権力の源へと変化したという真実だ。19世紀の実業家から、人々の注意を集めて売ることを目的とした今日のソーシャルメディア企業まで、時間を支配下に置こうとする強大な力がある。彼らには、社会理論家のジェレミー・リフキンが「時間戦争」と表現したように、自分たちの利益のために時間を支配し、加速させ、縮めようと扇動したことに対する責任がある。[*7]

時間の奪い合いは、永劫回帰する自然のサイクルによって形成された、地球の生態系の振る舞いとのつながりをも断ち切ってしまった。私たちは円を壊し、矢のように真っ直ぐに突き進む時間の直線に変えた。その進路は、私たち自身が作った人工的なサイクルによって方向づけられている。今、重要視されているのは、太陽暦ではなく課税の暦であり、四季ではなく四半期報告書であり、炭素サイクルではなく選挙サイクルだ。

そうして、実に私たちは、季節を狂わせる地球温暖化や、生態系を狂わせる生物多様性の損失によって、自然のサイクルを変えつつある。

しかし、このような負の遺産を振り払い、現在への近視眼的な執着から逃れる方法はあるのだろうか。その答えは、この近代科学の時代に最も心揺さぶる発見の一つ、「ディープタイム」にある。

## ヴィクトリア朝イングランドにおけるディープタイムの発見

18世紀は革命の時代だった。フランスやアメリカの政変とは関係のないところで、流血もなく急性でもないけれど、おそらくより重大な意味を持つ革命が、そのとき起きていた。それは、１７８５年3月7日、地質学者ジェームズ・ハットンによる、エディンバラ王立協会での陸地や岩石層の形成についての退屈な講義から始まった。聖書の記録を辿ると紀元前４００４年10月26日午前9時にすべてが始まったと、当時ケンブリッジ大学のある教授が主張していたように、地球は約６０００年前に神によって6日間で創造されたというのが、従来のキリスト教の考え方だった。その考えを否定する地質学的理論が、ハットンの講義の中に埋め込まれていたのだ（ハットンは、自然界の成立ちを、地球を構成する循環システムとしてとらえ、そのシステムに運動エネルギーを与えるものが地下のマグマの働きであるとし、マグマが流動し周囲の岩石や堆積物を変形させる証拠にあたる野外現象を探し求めた）。ハットンは、山頂で古代の貝の化石が見つかったり、岩層が極端に異なる角度で重なっているような不可解な現象は、何百万年かそれ以上の長い時間をかけて、堆積と隆起が繰り返されたことでしか説明できないと主張した。[★8] ハットンはその後、自身の理論を実証するため、友人のジョン・プレイフェアを連れて露出した岩層を訪れたところ、プレイフェアは「これほどまでの時間の深淵を見ていると、クラクラしてくるようだ」と評した。[★9]

地球の年齢に疑問を呈したのはハットンが初めてではなかったが、彼の研究は最も影響力のあるものであり、西洋の精神史における急激な転換点の前触れとなった（西洋以外の多くの文化が、地球の真の年齢についてより正しく理解していたことは、ここに付け加えておかなければならない）。[*10] 創世記が覆された（あるいはそのように思われた）わけだが、その代わりに、地球は計り知れないほど古く、人類はその歴史のごく一部にしか存在していないという、とんでもない考えが現れた。しかし、革命というものは私たちが想像するよりも時間がかかるもので、ハットンの考えが常識となるまでには少なくとも半世紀を要した。それは、ヴィクトリア朝の精神のもと、19世紀の先駆的な科学者たちによって、ゆっくりと釘抜きするように徐々に広まった。一方では、チャールズ・ライエルのような地質学者が現れ、ハットンの主張をさらに実証し発展させた。また他方では、チャールズ・ダーウィンに代表される進化論者たちが現れ、爬虫類が翼や羽を持つようになったり、類人猿が人間に進化したりするようなプロセスは、聖書の時代のわずか数千年の間には起こり得ないと主張した。

今でいう「ディープタイム」の発見は、ヴィクトリア時代に地質学と考古学への熱狂をもたらした。また、H・G・ウェルズをはじめとするこの時代の寵児たちも、この発見に高揚していた。「我々は、かつては思いもよらなかった新たな世界の歴史を手に入れたのだ」と彼は叫んだ。そして、過去をこれほどまでに振り返ることができるなら、同じように先を見通すこともできるはずだ、とウェルズは主張し、地質学的な時間の視点には「未来の発見」が必要だと考えた。そのためには、「後方ではなく前方を、推論のサーチライトで照らす」ような、（過去志向の）地質学を時間的に鏡映反転させる（未来志向の）新しい科学が必要で、それがあれば「化石のかわりに、作用する原因を探す」ことで未来を予測することができるようになるのだと。[*11]

このような主張によって、ウェルズは「未来学」という学問の発明者として評価されるが、彼が最も大きな影響を与えたのは、人間の想像力に対してだろう。[*12] ヴィクトリア朝の科学者が802701年の未来に自分を送り込む『タイムマシン』（1895年）などの小説を通じて、ウェルズは西洋文化に長期思考、すなわち彼が「拡大し続ける今」と表現したものをもたらしたのである。それまで、物語の舞台を遥か未来に設定しようと考えるような作家はほとんどいなかった。ユートピア小説の多くは、遠い時代ではなく遠い場所（どこかの異国にある未発見の島など）を舞台としていた。ウェルズは、他のどの作家も成しえなかった変化をもたらし、その過程でSFというジャンルを生み出すことに貢献した。やがてSFは、遥か未来を語るのにメジャーな表現手段となった。[*13] 代表的作家として初期に最も活躍したのは、哲学者のオラフ・ステープルドンだ。彼が1930年に出版した小説『最後にして最初の人類』は、今後20億年の間に18の大きな生物学的・文化的革命を経て人類が進化していく歴史を描いた年代記で、アーサー・C・クラークのような先見性のある作家に大きな影響を与えた。そのタイムスケールは実に広大で、著者が生きていた時代に至るまでの全人類の歴史が最初の2ページで網羅されている。

ディープタイムの課題は、抽象的な概念から、私たちのあり方に深く入り込んで大きく変化させるような具体的な概念に変えることが、非常に難しいという点にある。ジョン・プレイフェアは、1788年にスコットランドの東海岸で地層を見て目を輝かせたかもしれないが、堆積岩の層を見て同じように興奮する人は珍しいだろう。少なくとも私はそうはならない。また、カンブリア紀、デボン紀、白亜紀といった教科書に載っている地質年代表をいくら勉強したところで、何百万年という過去（あるいは未来）へ心が飛翔して、ディープタイムのもたらす恍惚感を味わう、というようなことも起こらなかった。それは、自らの研究対象に深く精通し、溢れんばかりの愛情を注ぐ地質学者や、恐竜に夢中になっている子どもにとっては特別なことなのかもしれないが、そういった専門知識は私を興ざめさせるものでしかない。

良い知らせもある。科学者や作家、その他の創造性あふれる思想家といった想像力豊かな人たちが、1世紀以上にわたって、産業文明の時計との厳しい競争に直面しながらも、ディープタイムの不思議さと計り知れなさを伝えるために最善を尽くしてきたということだ。彼らの努力は、「アート」「メタファー」「エクスペリエンス」という主に三つの分野に分類される。彼らの仕事が今ほど大切な意味を帯びたことは、かつてなかった。

## ディープタイムの芸術と1万年時計

この数十年の間に、私たちの時間的想像力を創造的に広げる、ディープタイムの芸術的な試みが開花した。1977年、10億年の寿命を持つ、金製の2枚のレコードが、2台の宇宙船ボイジャー号で宇宙へと送られた。それぞれのレコードには「地球の音」が収録されており、それを最初に発見する宇宙人への平和のメッセージとなっている。現在、太陽系を超えて旅をしているこのレコードには、モーツァルトやチャック・ベリーから、鳥の鳴き声や人間の笑い声まで幅広い音源が収録されている（批評家たちは、戦争や暴力、飢えや不景気などの音も収録した方がもっとリアルだっただろうと指摘しているが）。もっと身近なところでは、レイチェル・サスマンが「世界で最も長寿な生物」と題したプロジェクトで、100年でたった1センチしか伸びない2000歳の地衣類（コケ）をグリーンランドで撮影している。2015年には、ジョナサン・キーツがアリゾナ州のテンピにディープタイム・カメラを設置し、千年かけて街のスカイライン（空の輪郭）を露光撮影しており、展示会は3015年に予定されている。「絶滅の危機に瀕した記憶」を保存することを目的とした、アーティストのマーティン・クンツェによるプロジェクト「人類の記憶」は、人類の最も重要な書物千冊を、マイクロフィルムの働きをするセラミック製のタブレットに記録し、オーストリアの塩山で100万年間保存するという。

ディープタイムをテーマとするアート作品の中で最も示唆に富んでいるのは、「長い今の時計」、別名「1万年時計」であろう。ロング・ナウ財団による本プロジェクトの目的は、現代社会の病的なまでに短い注意力のあり方に挑戦するような、時間の神話を新しく創造することだ。発明者の一人であるスチュワート・ブランドは、「どうすれば長期思考を難しくて珍しいものではなく、自然で当たり前なものにできるだろうか。どうすれば長期的な責任を負うことを当然のものにできるだろうか。とても大きくてとても遅い時計が、その装置なのだ」と語る。[14] 1万年狂わずに作動するよう設計されたこの時計は、全高約60メートルになる予定で、テキサス州の砂漠にある人里離れた石灰岩の山に建設中だが、その複雑な構造から完成までにまだ10年以上かかると言われている。その内部構造まで到達するには、1日がかりのハードな山道を歩かなければならない。たどり着いた先に出迎えてくれる10個の鐘は、音楽家のブライアン・イーノが制作したもので、時計の寿命が尽きるまでの1万年間（365万2500日間）毎日違った順序で鳴り続ける。[15]

しかし、このプロジェクトに批判的な意見がないわけではない。産業革命の時代に時間を加速させた工場の時計を彷彿とさせるような機械的な装置が、自然界の周期的なバイオリズムと私たちを再び結びつけるために、最も適切な方法であるかどうかを疑問視する声もある。また、プロジェクトの主要な出資者がアマゾンの創業者ジェフ・ベゾスという、「今すぐ購入（Buy Now）」ボタンという偉大な遺産を人類に残したような人物であるということを、皮肉る人もいる。ベゾスは長期思考の推進者として知られており、「あらゆる企業に長期的な視点が必要だ」と説く。しかし同時に、消費者がインスタントに満足するような短期志向のメンタリティを利用したビジネスも展開している。[16] このような緊迫関係にもかかわらず、1万年時計は目を見張るような文化と時間への大きな志を持ち続けており、人類の長期思考の力強いシンボルとして、やがてはグッド・アンセスター、よき祖先のための巡礼地となるかもしれない。

## メタファー（隠喩）の力

ディープタイムは、世界各地の創造神話の要に横たわっている。オーストラリアのアボリジニの「ドリームタイム」は、祖先の霊が初めて大地と人間を創造した始まりの時までさかのぼり、ヒンドゥー宇宙論の単位である「劫（カルパ）」（1劫＝43億2000万年は〝梵天の一昼（半日）〟とも称される）は、一つの宇宙の創造から次の創造までの期間を測る。しかしながら、ストーリーテリングは、私たちが世界とその中での自分の居場所を理解するために用いる物語以上のものだ。それはまた、私たちの用いる言語形態そのものでもあるのだ。ディープタイムの物語を伝えるにおいて、私たちが自由に使える最も重要なツールの一つがメタファーであり、それは心が感覚を失うほどの膨大な数を理解するのに役立つ。私がこれまでに出会った中で最もパワフルだったのは、1980年に初めて「ディープタイム」という言葉を創った作家のジョン・マクフィーが提唱した、シンプルでエレガントなメタファーだろう。

地球の歴史を、王様の鼻から伸ばした腕の手先までの距離を示すイングリッシュ・ヤードという古い尺度になぞらえて考えてみよう。爪やすりで中指を一撫でしただけで、人類の歴史が消えてしまう。[*17]

私は今でもこの言葉を読むとゾクゾクしてしまう。この、宇宙的尺度で見た私たちの取るに足らなさを、王の腕の長さではなく、カレンダーの1年をもって表現しようとする人々もいる。よく使われる例をあげると、先カンブリア紀は元旦からカウントしてハロウィン（10月31日）の頃まで続き、恐竜は12月中旬からクシング・デー（12月26日か27日）の間に現れて消え、最後の氷床が溶けるのは12月31日の23時59分、ローマ帝国が存在したのはわずか5秒、という具合だ。

ディープタイムの描写はほとんどが歴史的なもので、遠い過去から始まり、現在のホモ・サピエンスの時代までを描いている。ここには、人類が進化の頂点にあるかのような印象を与えてしまう危険性がある。この考え方は、人間の種族に慎みをもたらすことは無いに等しいかもしれない。だからこそ、過去のみならず、これからやってくる新時代をもはっきりと見据えたディープタイム的なビジョンが必要だろう。こうしたアプローチは、イギリスのマーティン・リースのような宇宙物理学者によく見られる。ここに、リースの言葉を引用しよう。

この地球と生命そのものの目前に広がる途方もない時間について、より広く人々に気づいていただきたい。人類が40億年近いダーウィン的な淘汰の所産であることは、教育を受けた人のほとんどが知るところだとしても、多くの人は人間がその頂点にあると考えがちだ。しかし、我々の太陽は、その寿命のまだ半分にも達していない。今から60億年後にやってくる太陽の終焉（しゅうえん）を見守るのは人間ではないだろう。

その頃に存在する生物は、人間とバクテリアやアメーバとの違いくらい、人間とは異なるものであるだろう。我々が地球の未来に寄せる関心は、当然のことながら、せいぜいこの先100年ほどの子や孫の世代くらいまでだ。しかし、このような長い時間軸を意識し、今世紀の人間の行動が度外視しかねない計り知れない影響の可能性を認識することは、この貴重な惑星の財産（スチュワード）を受け継ぐ者としてのさらなる動機を与えてくれる。★18

このメッセージは、ディープタイム視点の核心となるものだ。私たちの想像力を「短い今」から「長い今」へ、ホモ・サピエンスが宇宙時間の中では瞬きよりもほんのわずかに長いくらいの間しかここに存在していないと思えるほどの「長い今」へと、広げてくれる。私たちは、はかり知れない時を刻む物語の中で、ほんの一瞬だけ舞台に登場する端役に過ぎない。一方で、それは私たちが潜在的に持つ破滅的な力への警告でもある。何十億年もかけて進化した世界を、信じられないほど短期間で危険にさらしているのだ。私たちは生物の大いなる連鎖の中のちっぽけな一片に過ぎないのに、生態系を無視したり、危険なテクノロジーを開発したりして、すべてを危険にさらすとは、一体何様のつもりだろう。地球の未来や、これから生まれてくる人類や他の種の世代に対して、義務や責任がないとでもいうのだろうか。

## 体験型の旅と樹齢の知恵

ディープタイムの神秘に触れてみたいなら、その不思議を教えてくれるメタファーやアート作品も良いが、心の風景（ランドスケープ）に刻み込まれるような活きた体験がベストかもしれない。

そのための一つの方法は、「ディープタイム・ウォーク」というアプリを使って、46億年の地球の歴史を表した4・6キロの道のりを身体を使ってたどる、ガイドなしの旅に出てみることだ。このアプリでは、地球の誕生にまつわる諸段階と、そこに溢れるあらゆる生命体についてナレーターが解説してくれるが、人類が存在する時間の長さとして最後の20センチばかりが示される。また、ニューヨークのアメリカ自然史博物館の「コズミック・パスウェイ」では、私たちは宇宙全体の歴史を現した110メートルほどの歩道を螺旋状に歩いて昇る。最後にピンと張った人間の1本の髪の毛に至るのだが、引き伸ばされたその髪の太さは、ヨーロッパで最古と知られる洞窟の壁画から、この展示の歩道ができるまでの人類の3万年の歳月を表している。

こうした経験を求めるなら、わざわざ北米へ旅するまでもない。ディープタイムを体感させてくれるものは私たちの身の周りに溢れている。かつて望遠鏡で星を眺めていた時の思い出だが、私は望遠鏡というものが過去を深く見るためのタイムマシンだということに、その時初めて気が付いた。目に飛び込んでくる光は、幾年かの歳月を経て、もしくは何世紀もかけて地球目がけて旅してきたもので、もはや存在していない星から届いたものかもしれないし、人類の進化以前の時代から届いたものかもしれないのだ。

昨年の夏、私は子供たちと一緒にイギリス南部の海辺の町ライムリージスのビーチで化石を探していた。有名な19世紀の化石探究者メアリー・アニングが200年前にしたように見事な魚竜の骨格を発見することはできなかったが、波の浸食で崖の表面から剥がれた完全な形のベレムナイト（古代のイカのような生物）を見つけることができた。ほんの数センチの長さのそれを、慎重に手に取った。このベレムナイトを見たり触ったりしたことのある人間は、私より前にはいない。私は1億9500万年前の惑星の歴史のかけらを握っていたのだ。不思議な感覚に満たされた心は、時間の深淵を見つめて目眩（めまい）を覚えるほどだった。

古代の木々は、ディープタイムと交信するもう一つの深淵な方法を提供してくれる。1世紀以上の間、アメリカ自然史博物館を訪れる人たちは、巨大なセコイアの木の断面を前にして、驚きに立ちすくんできた。1891年にカリフォルニアで伐採されたとき、高さは約100メートル、根元の幅は27メートルだった。1342の年輪から、6世紀半ばの木であることがわかる。断面には、800年のローマ皇帝カール大帝の戴冠から、1100年頃の第一次十字軍によるエルサレムの征服、1800年のナポレオンの台頭、そしてアーサー・コナン・ドイルが『シャーロック・ホームズの冒険』の出版を迎えた時まで、歴史上の重要な瞬間の数々が刻まれている。1908年のニューヨーク・タイムズ紙は、「これら歴史上の事実を目の前にして、この丈夫な森のメトセラ（とても長命な旧約聖書の族長の名）が享受してきた寿命をやっと思い描くことができる」と述べている。

しかし、年輪だけではすべてを語ることはできない。誰がこの木の枝の下へと逃げ込んだのか、誰がこの木の幹の後ろに隠れて震えていたのかまでは、教えてくれない。1888年に3万エーカーのセコイア林を所有し、1905年までに8千本以上の希少な木を伐採したキングスリバー木材製材会社のことは、年輪は教えてくれない。博物館の1本を含む、彼らの伐採した樹木のそのほとんどが樹齢2000年を超えるものだった。自然保護主義者のジョン・ミューアは、「自然死した巨木は見たことがない」と綴っていたが、悲劇ではあってもなお、ロンドンの自然史博物館で、まさしく同じ木の断面を見たとき、私は畏敬と尊敬の念を抱き、そして「今」という感覚が拡張したのを感じた。

このような太古の木との出会いの経験は、ディープタイムの不思議さに人を結びつける力を持っている。

ニューヨークのアメリカ自然史博物館にある巨大なセコイア

数百万年、数十億年という計り知れないほど長い宇宙の歴史を1本の木が直接体現することはできないが、人間よりもはるかに長い寿命を持つ木は、そうした果てしない時間認識の広がりへの架け橋となってくれる。数十年という狭い範囲を抜け出し、数百年、数千年という単位でのビジョンへと、私たちが歩み出せるよう助けてくれるのだ。カリフォルニアのホワイトマウンテンには樹齢5千年近いブリストルコーン・パインがあり、クレタ島にある樹齢3千年のオリーブの木には今もオリーブが実り続けている。[*19] このような木は、小説の中にも登場する。J・R・R・トールキンの「ロード・オブ・ザ・リング」に出てくる「木の鬚」は、木に似た姿をした種族、エントの長老で、物語中の「中つ国」で最も古い生物として登場する。古代の森の中を歩いていると、今よりもずっと時間がゆっくりと引き伸ばされていくのが感じられるし、節くれだった根やひんやりとした湿気が漂う空気の中に、より長い「今」を感じとることができる。

　木がディープタイムへ通じるパイプとして機能することに、私は何年も前にオックスフォード大学で庭づくりに関わっていたときに気がついた。同僚と私は、自分たちが生きている間には決して完全に成長した姿を見ることができないとわかっているオークやライム、コッパー・ビーチなどの木を、何十本も植えた。その木々の多くは、22世紀に、さらに先の世紀に、日陰を作ってくれることだろう。木々が自分よりはるかに長生きすることを知ったおかげで、ゆらめく炎のごとき自分の存在をかき消すような生物界の偉大さに対する、謙虚さと尊敬の念が生まれたのだ。

　樹木は私たちと自然界との共生関係を体現している。樹木は私たちにとって外付けの肺のような役割を果たしている。1本の大きな木は1日に人が必要とする酸素量の四人分を供給することができ、世界の3兆1

000億本ある樹木は人間が1年間に排出する二酸化炭素の約3分の1を吸収している。[20]また、樹木は生命を育むのみならず、ゆっくりとした時間を刻む時計として捉えることもできる。木は、徐々に成長する年輪とともに年月を重ねるだけではなく、季節の変化に合わせて自然の周期的リズムを記録する。小説家リチャード・パワーズの言葉を借りれば、樹木は「木の速さで生きる」ことを教えてくれる。[21]長期思考の技の手がかりは、私たちの心を時間の奥深さへと開いてくれる何百年、何千年というスケールの「木の時間」で思考する能力にあるのかもしれない。

もちろん、ディープタイムを体験するための単純な公式はない。既製品のディープタイムを買うことも、オンデマンドで注文することもできない。しかし、例えば古代の木（できれば枯れ木よりも生きた木）へ月に一度の巡礼をするなどの簡単なことからでもいい、できる限りのことをやってみてはどうだろう。枝の下の静けさの中で、自撮りの誘惑に駆られることなく座っていられるように、スマホに丸1日ロックをかけて置いておくのもいいかもしれない。禅僧ティク・ナット・ハンは「ただボーッとしてないで、何かしなさい！」の代わりに「何かしてないで、ただ座っていなさい」[22]とユーモアたっぷりにアドバイスしてくれている。静寂の中で、歓喜の中で、「永遠」が私たちの中を流れ始めるかもしれない。

## 回転する円に戻ろう

歴史はディープタイムにとって優しいものではなかった。ディープタイムが見出された時期は、短期思考が優位性を高める産業革命の頃と重なっていたため、以来、加速するデジタル文化のスピードとの熾烈な競争にさらされてきた。この2世紀の間に、工場時計とアイフォンは、地質学者のハンマーや星空観測者の望遠鏡に対して、概ね勝利を収めてきた。科学者や芸術家が数百万年の宇宙的スケールで考えることの徳を説いたところで、株式市場ではほぼ相手にされないし、30～40年先の計画を立てることさえ、ほとんどの政治家には荒唐無稽と映るだろう。

だとしても、私たちの道徳的な想像力が、肉親や部族への関心から普遍的人権や動物の権利などの理想へと何世紀にもわたって拡大してきたように、時間に関する想像力もまた、「今、ここ」をはるかに超えて拡大する可能性を秘めている。アート、メタファー、エクスペリエンス（経験）の助けを借りて、私たちはディープタイムを理解し始める。

このような試みの価値について疑問視する人もいる。ディープタイムに触れることが、無関心の元になりはしないかというのだ。人間の存在は、広大な宇宙の歴史に照らしてみればほんの一瞬であり、結局のところ私たちは皆、宇宙に散らばる星屑にすぎないのに、なぜ世界の問題などに悩むのか、と。

ディープタイムとの出会いは、無為から有為へ、私たちを別の方向へと導いてくれる。それは、現代社会の脅迫的な短期主義に対する重要な視点を与え、最後のツイートや次の締切から心を解放し、大局的な見方を可能にする。人工知能テクノロジーや合成生物学が人類を最終的にどこへ連れていくのかといった、人類の行動がもたらす遠い未来の結果について考えさせてくれる。また、円環的な時間に触れることで、地球上の生命の運命を左右する千年単位の炭素循環のような自然現象を理解できるようにもなる。そうした壮大な歴史物語の中で、私たちは連鎖する存在の一部にすぎず、あらゆる生き物の生存を成り立たせている生態系を見境なく破壊する権利などないことを、教えてくれる。

ディープタイムへの旅を、ロング・ナウ財団から学んだシンプルゆえに強力な一つの習慣から始めてみてはどうだろう。日付を書くたびに、年の前にゼロを置くというものだ。例えば、私はこの文章を「02019年」に書いている、というように。たった一つ数字を増やしただけで、何万年も先の未来を想像し始めることができるのだ。まるで、ブラック・エルクの回転する円と共鳴するかのように。

# 第4章

# レガシー・マインドセット

## どうすれば良い記憶を残せるか

「我々が自分たちの祖先の叡智を語りたがるように、未来の世代は彼らの祖先の叡智を語るだろうか。我々がグッド・アンセスター、よき祖先となることを望むなら、大きな変化と危機の時代をどう乗り越えたのか、未来の世代に示さねばならない」――ジョナス・ソーク[★1]

未来の人々は私たちのことをどのように記憶するだろうか。この問いは、人間の条件の核心に迫る問いであり、後世に遺産を残して自らの死すべき運命に抗おうという人間の強い願望に触れるものだ。半世紀以上にわたる心理学の研究によると、半ば普遍的なこの欲求は、人生の中盤に差し掛かると生まれる傾向があることがわかっている。[★2] ほとんどの人は、自分の行動や影響力が何らかの形で将来に波及し、死という不可避の事態を超えて、自分の人生の火が灯り続けることを願っている。永遠に忘れ去られることを心から願う人は、ほとんどいない。

しかし、遺産の残し方は、人によって表現が実に多様だ。個人的な業績が記憶されて讃えられることを望み、独善的な形で遺産を残そうとする人もいる。その典型と言えるアレクサンダー大王は、ギリシャの聖地オリンピアをはじめ、帝国全土に自分の像を建てさせた。自身の英雄的な行為と輝かしい遠征のために永遠に崇められ、神のような存在として記念されることを望んだのだ。自分はゼウスの直系の子孫だと主張する人物の行動としては、驚くには当たらない。現代の新興実業家たちが気前のいい慈善事業に血道を上げ、ビルやサッカースタジアム、美術館の棟に自分の名前をつけるのも、似たようなものだろう。

より一般的なのは、家庭内の遺産相続だ。通常、子供や孫、親戚のために、金銭や財産、貴重な家宝などの相続財産が、遺言書に書き込まれる。

これは一族の血統に所有地を相続したいと望む貴族たちだけでなく、移民たちにとっても大切な意味があった。第二次世界大戦後にポーランドからオーストラリアに亡命した私の父も然(しか)り、移民たちは、子どもたちが自分よりも多くの人生の好機に恵まれるように十分なお金を残したいと願いながら、長時間の労働に従事していた。また、多くの人にとって、信仰や母国語、家族の伝統などどんな形であれ、自分たちの価値観や文化を継承することは、目に見える財産を残すこと以上に大切な意味を持つ。

だが、真の意味でグッド・アンセスター、よい祖先になりたいのなら、個人的な名誉や子孫への遺産を残すだけでなく、未来の人々すべてに利益をもたらす生活実践として、レガシー（遺産）の概念を拡張する必要がある。時代を超えていく「レガシー・マインドセット」とも言うべきこの考え方においては、決して出会うことのない世代、つまりは、顔も見知らぬ未来のあらゆる人々の心の中に、私たちの存在が記憶されることを目指すのだ。このような長期思考は、デス・ナッジ（死の肩たたき）、世代間のギフト、「ファカパパ（系譜）」の知恵という、これから説明する三つのアプローチによって培うことができる。

## デス・ナッジ（死の肩たたき）

見ず知らずの他人に時代を超えた遺産を残したいという人間の欲求や意志とは、一体どのようなものだろうか。その答えを探す手がかりの一つに、人々が遺言で慈善活動のためにお金を残す「レガシー・ギビング（遺贈寄付）」の追跡調査がある。その報告には、一見して目を見張るようなデータがある。アメリカでは2018年にはこのような慈善遺贈が400億ドル以上にのぼり、イギリスの王立がん研究基金や英国心臓財団などの団体は、収入の3分の1以上を年間32億ドルに及ぶ遺贈寄付によって賄っているという。しかし、よく見ると、この数字は輝きを失ってしまう。英国人の35%が遺言で慈善団体に寄付をしたいと答えているにもかかわらず、それを実行するのはわずか6・3%にすぎないのだ。[★3] 私たちは遺産相続を、親族以外の人たちのためになるような活動を支援する機会ではなく、主に家族の問題として捉える傾向がある。

しかし、興味深いことに、行動心理学から出てきた新しい研究によると、ほんのわずかなきっかけで、寄付をもっと未来の世代に振り向けられることがわかっている。必要なのは「デス・ナッジ（死の肩たたき）」、つまり私たちの寿命が有限であることを知らせる通知機能(リマインダー)を、適切な場所に配置することだ。

世代間の意思決定に関する世界的な研究者の一人であるキンバリー・ウェイド・ベンゾーニが行った実験

では、二つのグループに分けられた被験者のうち、一つ目のグループは飛行機事故で亡くなった人の記事を、二つ目のグループはロシアの天才数学者の記事を読むように指示された。それから彼らには、1000ドル分が当たる宝くじの抽選会に登録されていることが伝えられ、その賞金の一部を二つの社会奉仕団体のうちのいずれかに寄付する選択肢が与えられた。今すぐ支援を必要としている人々を助けるための団体と、未来の人々を助けるために活動する団体の、どちらかを選ばなければならない。結果、天才数学者についての記事を読んだグループは、未来よりも現在に焦点を当てた慈善事業に2・5倍以上の寄付をした。対照的に、飛行機事故の記事で「デス・ナッジ」を受けたグループは、現在よりも未来に焦点を当てた慈善事業に5倍以上の寄付をした。[*4]

別の画期的な研究では、自分の死後、未来の世代にどのように記憶されたいかについて短いエッセイを書いて、自分の遺産について考えるように促された人は、エッセイを書かなかった人に比べて、45%多い金額を環境保護事業に寄付しようとすることが実証された。[*5]

三つ目の有力な研究は、英国の人々が慈善団体により多くの遺贈を遺言で残すよう、奨励する方法を調査したものだ。弁護士がクライアントに慈善団体への寄付を希望するかどうかを尋ねなかった場合、約6%の人が寄付を自らの意志で選択した。一方で、弁護士が「遺言書を用いて慈善団体に遺贈したいですか?」とはっきりと尋ねた場合、その割合は12%にまで跳ね上がった。また、弁護士がさらに踏み込んで、「私たちのクライアントの多くが、遺言で慈善事業に寄付を希望されています。あなたが関心を持っている慈善活動はありますか?」と質問すると、訊ねられた人の17%が慈善遺贈をすることを選択した。[*6] このように、言葉の選び方を少し変えるだけでも、遺贈寄付に大きな影響を与えられるのだ。

これらの研究結果は、重要な示唆を与えてくれる。経済学者は一般的に、人々は「将来を割り引いて」考えており、未来の世代の利益にはあまり価値を置かないものと思い込んでいる。しかし、ほんの少しの働きかけだけで、すべてが変わりうるのだ。まるで私たちの脳の中にある「レガシースイッチ」をオンにするだけといった風に。もっと遺贈寄付に心が向くように仕向ければ、人々はより積極的にそれを選択するようになるだろう。

さらに、死について考え、自分がいなくなったときにどのように記憶されたいかを考えることは、世代を超えた思いやりや責任感を強め、社会的にも大きなメリットがあることが、いくつかの研究から明らかになっている。これは、西洋社会に蔓延する、死を否定する文化とは全く相反するものだ。死から身を遠ざけるために膨大なエネルギーを費やしている現代と異なり、中世には死がいつ何時でも自分たちの命を奪い去り得たことを思い出すために、教会の壁には踊る骸骨が描かれ、人々はドクロのブローチ（「メメント・モリ」と呼ばれる）を身につけていた。[*7] いま私たちは死について子どもたちに話すことはなく、高齢者を人目につかない介護施設に閉じ込めて意識の外に追い出し、広告業界は「我々は永遠に若くいられる」と謳（うた）っている。今こそ死についてもっと話し合うべき時なのではないか。

こうした研究が何を示し、何を示していないのか、正しく認識することも重要だ。それらの研究は、私たちが将来ずっと年老いたときの自分をもっと上手く想像できるようにならなければならないとか、それが未来の世代を気遣うための足掛かりになるなどと、言っているわけではない。最近は、コンピュータで作成したシワと白髪の高齢化した未来の自分のイメージを見せることで、いかに今日の出費を控えて明日の年金貯蓄へとお金を回すよう人々に促すことができるかを明らかにする研究が増えている。[*8] とはいえ、こうしたイメージが遺贈寄付にまで影響を与えるかどうかは、まだ実証されていない。本当に必要なのは、老後ではなく死について考えるきっかけなのだ。

デス・ナッジ（死の肩たたき）の力を利用すべきことは明らかだが、行動心理学者の実験室で行われる実験は日常生活の現実とはかけ離れているようにも見える。例えば、遺産を残す行為は終末期の金銭的な決断と考えられがちだが、植樹をしたり、野菜中心の食事に切り替えたり、ヘルスケアシステムを守るために街頭での抗議活動に参加したりすることだって、それに含めて良いはずだ。

こうした可能性について考え抜くため、後世に残したい遺産についての鋭い問いをデス・ナッジ（死の肩たたき）として自らに与えることは、試してみる価値がある。長期思考の思想家スチュワート・ブランドが最初に提起した問い、すなわち、私たちの子孫が「ああ、自分たちの先祖が、こうしておいてくれれば良かったのに」と望むことは何だろうか、という問いだ。[9]

問いを抱えて悩み、格闘し、鋭く向けられている未来の視線を感じよう。その答えが何であれ、それは行動への呼びかけだ。

## 恩返し——次世代へのギフトの継承

デス・ナッジ（死の肩たたき）は人々の行動の変化を促す即効性があるかもしれないが、グッド・アンセスター、よき祖先の価値観を社会に根付かせるために必要な、深い精神的変化を生み出すには、まだ十分ではないかもしれない。では、どうすれば私たちが、まだ生まれていない人々や彼らが住むことになる地球とのより深いつながりを、つくることができるのだろうか。その鍵は、贈与という古代の慣習を掘り下げていくことにある。
伝統的なほとんどの社会では、ギフトを贈る行為は、コミュニティの絆を強め、部族間の良好な関係を確かなものにするための儀式的な慣習として生まれた。それは、時にはタバコのパイプを贈るとお返しに動物の皮が返ってくるというように、直接的な互恵関係に基づいていることもあった。しかし、多くの文化では、ニューギニアに近いトロブリアンド諸島のマッシム族のように、贈り物は直接交換されるのではなく、ぐるぐると島々をめぐり渡った。１００年ほど前に人類学者ブロニスワフ・マリノフスキが初めて研究した「クラ」と呼ばれる交換儀式では、女性用の赤い貝殻のネックレスは時計回りに、男性用の貝殻の腕輪は反時計回りに、島から島へ、コミュニティからコミュニティへと渡された。[★10]
未来の人々のために時を超えた遺産を残すことも一種の非互恵的な贈与の形だが、それは空間ではなく時間を介して渡される。このような交換は、すでに日常生活の中で行われている。着なくなった子供の服をお下がりとして他の家族にあげるのは良い例で、うちの子どもたちはよく近所の年上の子たちのお下がりのジャケットや靴を身につけているし、それが小さくなったらまた次の子たちの手に渡るだろう。もっと広い話をすると、日々使っている道路や下水道を建設した過去の労働者たち、天然痘や狂犬病の治療法を発見した医学研究者たち、私たちが当たり前のものと思っている奴隷制廃止や選挙権を求めてかつて戦った運動家たち、そして思わず涙してしまうような心に染み入る曲を書いた作曲家たちなど、私たちは皆、前世代からのギフトを受け取っているのだ。19世紀の無政府主義者で地理学者であるピーター・クロポトキンは、こんな言葉を残している。

> 何千年もの間、何百万人もの人々が、森林を伐採し、沼地を干拓し、陸路と海路を切り開くために身を削って働いてきた。（中略）道の交差するところには偉大な都市が花開き、そこには産業、科学、芸術など、宝物の全てが蓄えられてきたのである。主人に理不尽に虐げられ、労苦でくたくたに憔悴し、みじめな生活の果てに死んでいった全世代が、この膨大な遺産を我々の世紀に手渡してくれたのだ。[*11]

忘れてしまいがちだが、私たちの生活は、すべて彼ら先人たちからの贈り物の上に成り立っている。時を超えた遺産を残すことは、今こうして私たちが享受しているものへの恩に報いることでもある。「お返し」ではなく「恩送り」、未来の世代へギフトを贈ることにより、それが可能となるのだ。

贈与は、中世ヨーロッパに起源を持つ「レガシー（遺産）」という言葉の本来の意味を体現する思想だ。「レガート」とは、ラテン語の「レガトゥス」（大使や使者を意味する）に由来し、教皇からの重要なメッセージを携えて遠く離れた土地へ伝える使者のことを指す。つまり、レガシーを残す人のことを、遠い未来へと贈り物を送る、超時間的アンバサダー（今という時に駐在する、時系列を超えた大使）と考えることもできる。

明日のあらゆる他者たちへギフトを残すことほど、尊い使命は無いかもしれない。それは、私たちを最初の細胞生物にまでさかのぼらせ、これから数千年の間に進化する先にあるものとつなぐ、生命の偉大な連鎖の中で、自分の居場所を与えられるというギフトだ。私たちはすでに過去の世代の生き物たちから素晴らしい贈り物を授かっているが、こうして生き、呼吸をし、栄えることができる地球ほど尊いものはない。少なくとも、後に続く人々のために良い状態でそれを引き継ぐことができれば、生物環境に対する浅はかな過失怠慢の加害者として、あるいは大量絶滅を引き起こした犯人として、振り返られることはない。そんなふうに記憶されるなんて、まっぴらごめんだ。地球システム科学者のヨハン・ロックストロームは、「私たちは、前例のない地球環境の危機に直面していることに気づいた最初の世代であると同時に、それを何とかするための大きなチャンスが残された最後の世代でもある」と警告している。[★12]誇れるようなレガシーを次世代に残すには、もう時間がない。

後世に世代を超えたギフトを残すという考えは、それが豊かな地球であれ、時代を超えた平和であれ、その他の何であれ、多くの人々を動かす強力な原動力となる。しかし、一度も出会ったことがなければ目を合わせたこともない未来の人々との間に、個人的なつながりを強く感じることは難しいかもしれない。あまりにも遠く、抽象的で、未知の存在である彼らの立場に立って、その将来に関心を持つことはほとんど不可能だ。未来の世代に共感を巡らすことは、あらゆる道徳的課題の中でも最大の難問の一つかもしれない。

このギャップを埋める方法はあるのだろうか。心配ご無用、確かにある。それは、古代から続く先祖崇拝の伝統に根ざしている。

## 「ファカパパ」を求めて（娘の助けを借りて）

先祖を敬う気持ちは、人類の歴史に脈々と受け継がれてきた。キリスト教の旧約聖書、ヒンドゥー教のマハーバーラタ、古代北欧の英雄譚「エッダ」には、遠い過去の血統をたどる長い系図が収められている。アイスランド語で「エッダ」という言葉は「祖母」を意味し、歴代の祖母たちが親族に語り継いできた物語となっている。その中には、盾で屋根を覆われた大広間での戦いで栄光の死を遂げた者たちが祖先の元へ行く、

「ヴァルハラ」の物語がある。バイキングは、自分たちの英雄的な行為が死んだ先人によって裁かれると信じ、後に続く人々に、覚え良くあろうと努めた。考古学者によれば、中国では4000年以上前から先祖を祀っていた痕跡が発見されており、その中には、戦争で捕らえた敵の肉を生け贄として死者に捧げる儀式に使われた器もあった。[★13] 現代の中国では、供物の仕方はかつてほど残酷でなくなっており、年中行事の「施餓鬼」では、亡き家族の無限の空腹を満たすため、豪華なご馳走を供えた空席が設えられる。このような儀式は、儒教の徳目である「親孝行」（年長者を敬うこと）を強化するものであり、中国文化に根強く残っている。

先祖崇拝は、現在から過去に目を向けるきっかけを与えてくれる。これは、子孫が未来から私たちの今を振り返って、その行動を評価するというイメージを伴った、（本書でこれまで語ってきた）「レガシー」の考え方とは一見ずいぶん異なって見える。しかし、先祖を敬うことは、一般的に過去だけでなく未来も含め、世代を超えた強力な絆を生み出す。これは、ニュージーランドの先住民マオリのことわざである「キア・ワカトウムリ・テ・ハエレ・ワカムア（私は過去を見つめながら、未来に向かって後ろ向きに歩いていく）」にも表れている。マオリの世界観は、昨日、今日、明日が互いに溶け合うような流動的な時間感覚に基づいており、前世代の伝統や信念を尊重しつつも、これから来る人々への思いやりが求められる。部屋の中には、死者も、生者も、これから生まれて来る者も、すべての人がいる。マオリの弁護士であり、子供の権利キャンペーンに携わるジュリア・ワイポティは、「我々は皆、孫であり、先祖でもある。（中略）私は個人的に、『モコプナ（未来の世代）』のために、この世界を我々が最初に見つけたときよりも良い場所にしたいという思いを原動力に、活動している」と語っている。[★14]

このような考えを最も良く表しているのが、個人を過去、現在、未来へとつなぐ連続的な生命線を表している。[15] マオリの「ファカパパ（系譜）」という概念だ。伝統的なマオリ文化では、「タ・モコ」と呼ばれる顔や体の入れ墨が、その人のファカパパ、つまり先祖代々の血統の象徴となっている。ニュージーランド議会で女性政治家として初めて顔にモコを入れたナナイア・マフタは、モコを「私が誰なのか、どこから来たのか、人々にどのような貢献をし続けたいのか」を示すものと表現している。[16]

リーダーシップの専門家であり作家のジェームズ・カーによると、ニュージーランドのラグビーチームは、かつて在籍した先輩選手たちを代表することと、やがて続く後輩選手たちにレガシーを残すことを両立させられるよう、ファカパパの哲学をモットーにしているという。

マオリの精神的支柱にファカパパと呼ばれる概念がある。これは、時の始点から永遠性の終点まで腕を組み合って立つ、長く切れ目のない人間の鎖のことである。そして、太陽はほんの一瞬だけ、私たちの時代を照らすのだ。レガシーを増やすことは、私たちの義務であり責任だ。私たちの第一の責任は、グッド・アンセスター、よき祖先となることだ。[17]

ファカパパは、ファナウ（拡大家族）やウェヌア（土地や胎盤）をはじめとするマオリの思想の編み目の一部であることは確かだとしても、それは明らかに文化の境界を超える可能性のある概念であり、マオリ族以外の人々の心をも広く照らし、死者、生者、これから生まれる者の長い連鎖の中で自分たちの位置を思い浮かべさせてくれるだろう。だが、そのような考え方を生活に取り入れることは難しいかもしれない。なぜなら、西洋文化はこれまで世代間の深いつながりの感覚を断ち切ることに関して、破壊的なほど成功してきたからだ。フィリップ・プルマンの小説「ダーク・マテリアルズ」シリーズに登場する子どもたちが、彼らの魂ともいえる動物の姿をした守護精霊ダイモンから切り離されたように、私たちも先祖や「未来先祖」から切り離されているのだ。現在の生活に忙殺され、仕事の締め切りやインスタントメッセージなどの短い「今」に追われるばかりでは、宇宙時間を超えて広がる人類の大きな鎖の一片に過ぎないと、自分の存在を理解することは難しいかもしれない。独立独歩を旨とし「我が身を第一に考えよ」という個人主義的な文化も、それをさらに困難なものにしている。結果的に、世代間の絆が断ち切られ、時間軸が現在形へと縮小させられてしまう。遺産を残すことを考えるにしても、それは一般的に、今日からたった1、2世代の、家系図の内側にだけ限定された話になってしまう。

しかし、想像力を働かせれば、ファカパパの力とつながる方法は見つけられる。私がこれまでに出会った最も効果的な方法は、ロングタイム・プロジェクトが週末に開催した、レガシー思考に関する没入型ワークショップに参加することだった。「ヒューマン・レイヤーズ」と名付けられたこのワークショップは、文化活動家のエラ・ソルトマーシュとハンナ・スミスが作ったもので、ディープ・エコロジストのジョアンナ・メイシーにインスパイアされたものだった。他の仲間と一緒に体験するのがベストだが、一人で体験することも可能だ。

まず、どこかオープンスペースに立つことから始める。目を閉じたまま一歩後ろに下がり、親や祖父母など、あなたが知る年長世代の中から大切な人を想像する。次に、もう一歩下がって、その人が青年だった頃の人生、考えや感情、希望や苦労を思い浮かべる。1分後、三歩目の後退をして、その人の5歳の誕生日を想像してみる。私がこれをやってみた時、ちょうど第二次世界大戦が勃発して人生がひっくり返される1年前、ポーランドの小さな村にいる5歳の父の姿が浮かんできた。そこには笑い声、祖母からの温かいハグ、森がくれた春のイチゴがあった。

次の段階に進むと、元の位置に戻って、たとえば姪や名付け子、自分の子どもなど、大切に想い絆を感じている若い人のことを想像する。今回も目を閉じたまま一歩前に進んで、その人の顔や声、その人が好きなことを心の中に呼び起こす。そして、もう一歩踏み出して、30年後の未来へタイムスリップしてみよう。その人の人生には何が起こっているのか。喜びや悩みは何か。彼らを取り巻く世界の状況はどうなっているのか。それから最後の一歩を踏み出すと、そこは彼らの90歳の誕生日パーティだ。子どもたちや孫たち、親しい友人、ご近所さん、職場の同僚に囲まれている姿を想像する。立ち上がり、少しヨボヨボと、強めの酒を片手に、誕生日のスピーチをしようとしているところだ。ふと、炉棚の上にあるあなたの写真を見て、代わりにあなたから受け継いだものについて語ることにした。あなたから生き方について学んだことや、与えてもらったインスピレーションなどについてだ。

ここまでくれば、最後のステップは、彼らが行うことになるスピーチ、つまり彼らにとっての亡き祖先であるあなたへの追悼の言葉を、座って書き出すことだ。

これは特に地球の未来について暗い考えを持っている人にとっては辛いものかもしれない。涙を流す人もいるだろう。しかしこれは、遠い抽象的なものになりがちな未来を視覚化し、自分事にするための重要な方法なのだ。

私は当時10歳だった娘が90歳になるのを想像しながらやってみたのだが、それはまさに天の言葉を授かったかのような、ファカパパ的瞬間だった。おそらく人生で初めて、自分が本当に人類の相互連鎖の一部であると感じた。娘に残したい世界だけでなく、一緒に誕生会に参加した人たちをはじめとする未来のあらゆる世代のために、何を残したいかについても考えさせられた。娘は孤立した個人ではなく、部屋にいるすべての人々、彼らの呼吸する空気、壁の外に広がる生物界など、未来を構成し、互いにつながり合う全てを包み込む生命や関係の網の一部であることに気づかされた。彼女のいのちを大切にすることは、あらゆるいのちを大切にすることなのだと。家族の遺産について考えに深く浸ることは、より大きく時を超えた遺産の感覚への架け橋となり、生物学的継承の枠を超えて考えるきっかけになることを見出した。

しかし、未来への時を超えたつながりを与えてくれるのは、たった一人の子供だけではない。私たちに根付いたどんな人間関係にもそうした力がある。ニュージーランドのラグビー選手のように、特定のコミュニティに共感あふれる絆を感じていれば、将来のメンバーへの関心や連帯感が生まれ、彼らのために遺産を残したいと思えるようになる。彼らの姿が目に浮かび、あたかも知り合いであるかのようだ。スポーツ、信仰、文化、土地、政治、なんのコミュニティであれ、歴史や物語を共有している感覚から、運命共同体の利益のために行動しようという意欲が湧いてくる。このようにして、共感の力は時の広がりを超えて作用し、私たちが利己と近視眼から抜け出せるよう助けてくれる。

## 明日のためにレガシーを育てる

本書に登場する長期思考への6つのアプローチのうち、「レガシー・マインドセット」の考え方が、グッド・アンセスター、よき祖先となるというジョナス・ソークの初心に最も近い。未来の世代とつながりを作ることで、彼らの視線を常に感じることになる。人類が後世のために遺産を残そうとする強い意欲を備えていることに感謝する他なく、さらに私たちはそれを起動する方法までも知っている。ファカパパの知恵、世代間の贈与の力、どんぐり脳のスイッチをオンにするデス・ナッジだ。

私たちは、自分がどのように記憶されたいか、誰のために遺産を残すのか、実存的な選択を迫られている。個人的な功績を永久に讃えたいがために自己中心的な仕方で遺産を残そうとするばかりでは、よき祖先となることはできない。家族の遺産に専念したくなる気持ちもわからないではないが、その感覚では狭すぎる。二人の子どもの父親として、自分の家族のために何か残したい気持ちはわかる。特に、経済的な相続は、この不確実な世の中で安心感を与えてくれるのではないかと思う。しかし、私たち自身の子孫も含めて人類が21世紀以降も生き残り、繁栄することを願うならば、さらに時間を超えた遺産のアプローチを含め、視野を広げなければならない。

アパッチ族の格言に、「我々は先祖から土地を受

ワンガリ・マータイ。グリーンベルト運動の創始者

け継ぐのではない。子どもたちから土地を借りるのだ」というものがある。[*18] 最終的には、私たちを未来から評価するのは、自分の子どもだけではなく、すべての子どもたちなのだ。

遺産とは、「残す」ものではなく、一生をかけて「育てる」ものだ。それは単に遺言書上の遺贈ではなく、日々の実践だ。私たちは、親や友人として、労働者や市民として、クリエイターや活動家として、そして地域社会の一員として、遺産を育てる。何を買うにせよ、誰に投票するにせよ、自分の行動が遠い未来にもたらす結果に心を配ることになる。それは、生命の繁栄に適した世界を受け渡すことであり、これから生まれてくる人々のために大地にどんぐりを植えることなのだ。

アフリカ人女性として初めてノーベル平和賞を受賞したケニアの医学教授ワンガリ・マータイのように、そうした生き方を選んだ人々は皆、インスピレーションを与えてくれる。１９７７年、彼女はケニアで「グリーンベルト運動」を立ち上げ、女性が力をつけるエンパワーメントを促進し、国の自然の豊かさを取り戻すことを目指した。２０１１年に彼女が亡くなるまで、この運動は2万5千人以上の女性に林業技術のトレーニングを行い、４千万本以上の木を植えた。そして、彼女の遺産は今もなお育ち続けており、グリーンベルト運動は国内の4千以上のコミュニティグループの女性たちの協力のもと、アフリカ全域で持続可能な暮らしのためのキャンペーンを展開している。これこそがグッド・アンセスター、よき祖先であるということの意味なのだ。

# 第5章

## 世代間の公正

### 第7世代を敬う理由

「なぜ未来の世代のことを気にしなければならないのか。彼らがこれまで私のために何をしてくれたというのか?」。コメディアンのグルーチョ・マルクスによる気の利いた洒落として語られることの多いこの問いは、実は、彼の生前に当たる200年以上も前から広く知られてきた。[★1] しかし、気候変動が加速し、生物種の絶滅が急速に進み、AIやナノテクノロジーのリスクが懸念される現代では、この洒落の響きも空々しくなりつつある。私たちが「彼らに対して」行っていることこそ差し迫った課題の原因であると、にわかに明らかになったためだ。現在の行動が未来に対してこれほどまでに甚大な影響をもたらす時代は、歴史上、他になかったかもしれない。今、21世紀以来最も緊急な社会問題に直面している私たちが、後に続く世代に対してどのような義務と責任を負っているのか考えてみたい。

その答えは、10代のスウェーデン人の気候活動家、グレタ・トゥーンベリには明らかだ。彼女は、2015年のパリ気候協定に沿って富裕国が炭素排出量の削減を開始することを求めてストライキを行う国際的な学生運動の中心人物となった。2018年12月には、ポーランドのカトヴィツェで開催された国連気候変動会議で世界の指導者たちの前に立ち、世界的な生態系の危機への取り組みを怠っていると諫めた。

「2078年、私は75歳の誕生日を迎えます。もし私に子どもがいたら、その日は一緒に過ごすかもしれません。きっとその子は私にこう尋ねるでしょう。まだ行動する時間があったのに、なぜ何もしなかったのかと。あなたは子どもたちを何よりも愛していると言いながら、目の前で彼らの未来を奪っているのです[★2]」

このあからさまな「世代間の窃盗」行為に憤慨したグレタを含む「時の反乱者」のリーダーたちによる運動の広がりは、現代の民主主義のあり方を変える可能性を秘めている。この運動は、世代間の公正と公平を求めている。それは、現在の世代と未来の世代のニーズを満たす公平なバランスを取ることであり、今日の政治機構において明日の市民の利益を代弁する方法を見つけることである。

これから生まれてくる世代を「フューチャーホルダー（未来の持ち主）」と考えようと提唱するのは、再生可能エネルギー企業、グッドエナジー社の創設者であるジュリエット・ダベンポートだ。彼女は、企業にシェアホルダー（株主）がいるように社会にもフューチャーホルダーがおり、そうした未来の市民の人生に影響を与える意思決定において、彼らの利益と福祉が考慮されるべきであるという。彼らの中には、自分の子どもや知り合いの若者など、すでに会ったことのある人もいるが、ほとんどはまだ生まれていない人たちだ。彼らのウェルビーイングを確かなものにするためには、世代間の公正に基づいた社会を作ることが不可欠であり、それは本書の核となる長期思考の6つのアプローチの1つとなっている。世代間の公正は、グッド・アンセスター、よき祖先となるための道徳的な道しるべであり、倫理的な想像力を未来へと広げ、「大聖堂思考」や「全体論的（ホリスティック）な未来予測」など他の長期思考法の指針ともなる。未来の世代との個人的なつながりの感覚を育むことができる「レガシー・マインドセット」とは対照的に、世代間の公正は、集団的な責任感を強化する。

この章では、今日の「時の反乱者」たちが世代間の公正を主張する4つの主な根拠と、彼らが先住民文化の「7世代の原則」に見出したインスピレーションを探る。はじめに着目するのは、最も手ごわい障壁の一つであり、その害のなさそうな呼ばれ方とは裏腹にとてつもない影響力を行使する経済慣行、「ディスカウンティング」だ。

## ディスカウンティングの魔術（あるいは、いかに私たちが未来の市民を奴隷にしているか）

ディスカウンティングとは、合理的な経済的方法論を装った、世代間の抑圧兵器だ。人が遠く離れれば離れるほど小さく見えるように、ディスカウンティングは、人が未来へ遠く離れれば離れるほど、その人の利益の重みをより小さく見積もるものである。政策立案者は、長期投資の意思決定に際してコストと利益を測るためにディスカウンティングの手法を用いる。政府がどれだけ将来の国民を大切にしているかを本当に知りたければ、口の達者な大臣のスピーチを聞くまでもなく、ただディスカウント率を見ればいい。そこには衝撃的な発見があるだろう。

ディスカウンティングの議論は、一見もっともらしく見える。人間は将来の報酬よりも現在の報酬を重視する傾向があるため、10年後の5千ドルよりも今日の2千ドルを取るかもしれない。ディスカウンティングの考え方は、こうした人間の時間的な優先傾向を原理原則化したもので、そこでは将来の利益は現在の利益に比べて相対的に価値が小さく見積もられる。例えば、医療への投資など、人の命を救うという将来的な利益を見込んだ政府の政策について考えてみよう。ディスカウント率を2%とすると、現在の1人の命は、50年後の2・7人の命と同じ価値を持つことになる（これは複利と同じ方法で計算できる：$1 \times 1.02^{50} \fallingdotseq 2.7$）。100年後には、今日の1人の命は将来の7・2人の命と等価ということになる。ディスカウント率を上げると、将来の命の相対的な価値は急速に下がる。10%のディスカウント率だと、今日の1人の命は50年後には117人分、100年後には1万3781人分の命（$1 \times 1.1^{100} \fallingdotseq 13{,}781$）の価値があることになる。つまり、10%のディスカウント率であれば、政府は100年後に1万4000人近くの命を救うための投資よりも、今日のほんのわずかな命を救うことを選ぶだろう。

一体これが世代間の公正とどう関係しているのだろうか。過去100年の間に、ディスカウンティングは、金融や会計の分野から広まって、公衆衛生や気候変動といった領域の政策決定にまで浸透してきた。現在、政府は、病院や交通インフラ、あるいは新しい洪水防御システムに投資するか否（いな）かを決定する際、ディスカウント率を用いてそうしたプロジェクトの将来的な利益と現在のコストとを比較して計算することが多い。政府が採用する割引率は通常2〜4%で、それほど高くないと思われるかもしれないが、政府を将来への投資を控える方向へ傾けるには十分な数字だ。たとえ将来的に大きな利益をもたらすはずの投資であったとしても、遠い将来の利益（例えば50年後）は無視できるほど小さなものと見積もられるからだ。[*3]

ディスカウンティングを巡り実際に起こった問題といえば、２０１８年にイギリス政府がスワンジー湾での国内初の潮力発電ラグーンプロジェクトの承認に反対する判決を下し、議論を呼んだことだ。ヨーロッパで利用可能な潮力・波力エネルギーの約50％を保有するイギリスにおいて、潮力発電は国内のエネルギー需要の最大20％を供給できる可能性があったこともあり、このプロジェクトへの期待は大きかった。にもかかわらず、政府は、潮力発電の費用対効果は原子力などの代替案に比べて低いと主張し、プロジェクトの承認に反対する判決を下したのだ。政府は自らの方針を正当化したが、批評家がすぐに指摘したように、採用された費用対効果の分析とディスカウンティング手法には、原子力の廃炉や廃棄物処理にかかる長期的なコストや、１２０年間の潮力発電プロジェクトの後半60年間の利益が完全には含まれていなかった。これらの長期的なコストと利益を含めれば、プロジェクト開発は賛成多数で実現に傾いていた可能性が高い。[*4] グッドエナジー社のＣＥＯ、ジュリエット・ダベンポートが私に説明してくれたことによると、このような大規模な再生可能エネルギープロジェクトが政府の支援をなかなか得られない理由の一つは、その初期費用が割高である一方、長期的な利益がディスカウントされてしまうことにあるという。その結果、こうした私たちの統計学上の不作為の最終的な代償を、未来の世代が負うことになる。[*5]

ディスカウンティングは政府の標準的な慣行となっているかもしれないが、意思決定においてこれほどまでに支配的な役割を果たすべきなのだろうか。この問題に対し、経済学者のニコラス・スターンがイギリス政府のために２００６年に執筆した報告書が、「気候変動の経済学」だ。この報告書では、地球温暖化の将来的なコストが非常に大きいため、毎年、世界のＧＤＰの１％を温暖化の緩和に費やすべきだと提言している。スターンは、ウィリアム・ノードハウスのような経済学者が採用している標準的な3％や、イギリスの政府機関が一般的に使用している3・5％と比較して、平均1・4％という異例の低さのディスカウント率を採用することで、将来世代の利益を重視したと、広く賞賛された。[*6] だが、本当にこれが世代間の公正にとって大いなる勝利と言えるのか。

実際、1・4％のディスカウント率を用いることは、将来の世代を奴隷のように扱うことと同義だ。それはどういうことか。1787年に制定されたアメリカ合衆国憲法の悪名高い条項では、南部の州の議会代表権を集計する際、アフリカ系アメリカ人の奴隷は白人の5分の3の価値を割り当てられていた。では、ディスカウンティングのルールのもとで、私たちはどれくらいの期間で未来の世代に奴隷と同等の価値を与えることになるのだろうか。つまり、未来の人が今日の人と比べて5分の3の価値しか与えられなくなるのは、今から何年後だろうか。シュテルンの1・4％のディスカウント率を使うと、わずか36・5年後には将来の世代は奴隷と同じ扱いを受け、その持分の価値は今日の人々のたった60％ということになる。多くの政府が使用しているノードハウスの3％という基準では、結果は一層鮮明で、わずか17年で未来の世代が「奴隷化」されることになる。つまり、現在の100人と比較すると、未来の100人は、17年後には60人（5分の3）、100年後には5人、150年後にはたった1人に相当する価値しか持たないと評価されるということだ（次ページの図参照）。どうしたら自分の子孫をこんなにも無神経に軽視して扱うことができるのか。ディスカウンティングには、未来を植民地化し、そこに暮らす住民などほぼ存在しないものとして扱う私たちの態度が、よく表れている。

ディスカウンティングの慣行を断つ代わりに、この世に生まれ落ちるタイミングにかかわらず、すべての

## 未来の世代の奴隷化

3%のディスカウント率では、今後150年間、現在の100人の価値はどのように変化するか

**現在：**100人

**17年後：**60人(奴隷の状態)=60人に相当する価値しか持たない

**50年後：**23人に相当する価値しか持たない

**100年後：**5人に相当する価値しか持たない

**150年後：**1人に相当する価値しか持たない

Graphic: Nigel Hawtin

人々の利益を平等に扱うべきではなかろうか。その問いに対するありふれた回答としては、「ディスカウンティングは、明日の年金よりも今日のパーティを優先する人間の心理を表しているに過ぎない」というものがある。だが、個人が現在を優先しがちだからといって、集団で将来の世代を無視して良いということにはならない。私たちに彼らの生活や福祉の価値を貶める権利などない。もう一つ、経済学の教科書によくありがちなのが、「将来世代は、経済成長や技術の進歩により、気候変動などの問題に取り組むためのより良くより安価な手段を手に入れているはずなので、彼らを支援するために過剰な投資をすべきではない」という理由から、ディスカウンティングを正当化する主張だ。しかし、今後も10年単位で成長が続くと仮定するのは希望的観測でしかなく、生態系の破壊の影響が出始めてしまうと、さらに望み薄になる。また、種の絶滅や極地の氷の融解、遺伝子操作されたウイルスの蔓延などの大変動を、私たちの子孫が十分な資金と技術を持って簡単に覆すことができると考えるのも、同じく希望的観測に過ぎない。

ノーベル経済学賞受賞者、アマルティア・センが指摘するように、ディスカウンティングは一見、中立的で技術官僚的な作業のように見えるかもしれないが、それは必然的に価値判断を伴うものであり、「公共の場で熟議されるべき問題」である。[★7] ディスカウンティングの考案者であるフランク・ラムゼイはさらに一歩進んで、１９２８年に、将来の世代の福祉をディスカウントすることについて「倫理的に擁護できる余地はなく、単に想像力の乏しさに起因するものに過ぎない」と宣言した。[★8] これは、ディスカウンティングがプロジェクトの価値判断を行う際にまったく使い道がないと言っているわけではない。ただ、潮力発電計画のように長期にわたって効果をもたらす環境プロジェクトを評価する場合や、経済成長ではとても補いきれない、つまりは取り返しのつかない壊滅的なリスクが生じる恐れがある場合には、ディスカウンティングという方法を用いるのは適切ではない可能性がある。だが、ディスカウンティングに脇へ退いてもらうことが妥当であるという根拠を示すには、世代間の平等について前向きに論証することも必要だ。いったいなぜ、私たちは未来の人々のことをそこまで気にかけなければならないのだろうか。

## 矢、天秤(てんびん)、目隠し、バトン

もし1億ドルを与えられ、人類の福祉のために配分してくれと言われたら、あなたならどうするだろうか。その時に直面するジレンマは、今日の世界の苦しみを和らげるために異なる国や特定の社会グループの間でどのように資金を分配するかというところだけでなく、その資金を時間軸でどう分配するかというところに生まれる。言い換えれば、もし分配がなされる場合、未来の世代の利益のためにいくら投資すべきで、それは何世代先にまで割り当てるべきなのか、という問いになる。これは、世代間の公正と公平に関する議論の核心をなすものだ。もちろん、単純な答えはないし、哲学者たちは50年以上もこの問題と格闘してきた。しかし、共通認識は高まりつつある。たとえ数十年後、数百年後を生きる人々であっても、未来の人々の生活は私たちの道徳に関する協議や政治的な決定において重要視されるべきで、グルーチョ・マルクスの洒落や経済学者のディスカウント率などで片付けられるべき問題ではないというコンセンサスが生まれつつある。

そのことは、雪崩が押し寄せるように未来の世代に言及した国際協定が次々と結ばれていることからもわかる。フランスの人権宣言（1789年）や世界人権宣言（1948年）を見返してみると、未来の世代への言及はまったく見当たらないだろう。[*9] 1987年に国連の「環境と開発に関する世界委員会」が「私たちの共通の未来」（通称、ブルントラント報告）を発表したことから、すべてが変わり始めた。持続可能な開

発が「将来の世代が自らのニーズを満たす能力を損なうことなく、現在のニーズを満たす開発」と定義されたのは有名だ。[★10] １９３３年以降、「未来の世代」の福祉に言及した２００以上の国連決議や、アルゼンチンからエストニアまで40以上の国々で憲法が制定されている。[★11]

当然のことながら、このように公的機関による承認が爆発的に広がったからといって、それがすぐに重要な政治的実践に結びついているわけではないが、世代間の公正の問題がようやく時代のものとして重く受け止められるようになったことは間違いない。現在、実に幅広い組織が明日の市民のための提言を行っている。その中には、「未来の世代のために平和で持続可能な世界を確かなものとする」ことを使命とするグリーンピースのような国際的なキャンペーングループや、「未来世代の権利のための財団（Foundation for the Rights of Future Generations）」のようなシンクタンクもある。イタリアには「世代間の公正の裁判所（Court of Intergenerational Justice）」を求める若者グループがあり、アメリカでは「子どもたちの信託（Our Children's Trust）」という組織が健全な地球で未来の世代が暮らす権利を求めて法廷闘争を行っている。[★12] これらの動きには、アメリカの「サンライズ・ムーブメント」やイギリスの「エクスティンクション・レベリオン」のような直接行動をする団体や、出産に関わった赤ちゃんの運命を案じて政治的な活動を行う助産師たちも参加している。[★13] また、新しいテクノロジーが次の世紀の人類にもたらす危険性を軽減するよう政府に働きかける、人類の生存に関わるリスクの専門家もいる。[★14] バチカンのフランシスコ教皇もこの動きに加わり、「世代をまたぐ公正さ」の必要性を説いている。[★15]「フューチャーホルダー（未来の持ち主）」の権利と利益を求める闘いは、現代で最も活発な社会運動の一つに急速になりつつある。

18世紀の奴隷制反対運動家たちがそうしたように、今日の未来の世代のために戦う運動家の多くも、自分たちの目的に道徳的かつ知的な根拠を与え、その大義の正当性を主張するために、一連の強力な論拠を駆使している。子どもの貧困や内戦といった、多くの差し迫った問題に人類が直面する中で、単に「未来の世代のニーズは、現在生きている人々のニーズと同じくらい重要である」と、あたかも反論の余地のない事実であるかのように述べるだけでは十分でないことは、彼らも理解している。1億5000万人の子どもたちが今この時も栄養不良による死亡リスクにさらされていることなどを例に取ってみても、道徳的に急を要する自分たち自身の時代的な諸課題を認識する必要があるが、同時に、未来の人々の利益が無視されることのないよう公平に扱う必要がある。[16] 運動家たちは、未来の世代のための行動を促すには、未来の世代を私たちの関心に招き入れるための説得力のある理由を提示することが極めて重要だと理解している。[17] では、なぜ私たちは彼らのことを気にかけたり、彼らのために犠牲になったりしなければならないのか。最もよく知られる論拠は、大きく分けて四つのタイプに分類される。それぞれが世代間の公正のための道徳を示す異なるモチーフで表され、私はこれらに「矢」、「天秤（てんびん）」、「目隠し」、「バトン」と名付けた（左図参照）。

「矢」は自分の行動が将来もたらす結果の責任を自分がどれだけ負うかという問題を取り扱う。最もよく知られた定式化の一つは、哲学者デレク・パーフィットの著作に記されている。

時間的に離れていることは、それ自体、空間的に離れていることよりも重要ではない。たとえば、私が遠くの森に向かって矢を放ち、その矢で誰かが傷を負ったとする。もし、森の中に誰かがいるかもしれないと私が知っていたなら、私は重大な罪を犯していることになる。「あまりに遠くの人だから、誰を傷つけたのか分からない」などという言い訳は通用しないし、その人が遠方にいることも言い訳にならな

## 世代間の公正のための4つの道徳的動機

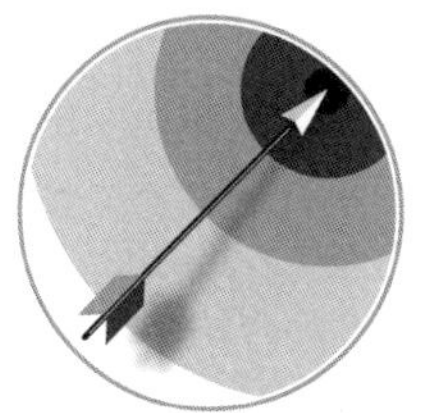

**矢**

この世に生まれ落ちるタイミングにかかわらず、人々を平等に扱おう

**天秤**

今生きている人と比べた時に、これから生まれてくるすべての人のウェルビーイングを、より重んじよう

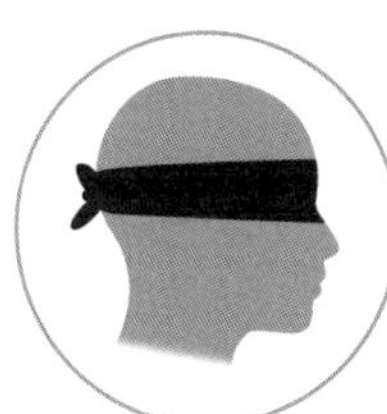

**目隠し**

自分がどの世代に生まれるか分からないとした時に、どんな世界に生まれたいか想像してみよう

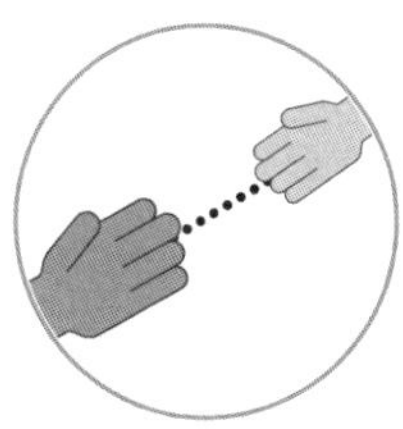

**バトン**

過去の世代から自分がこうして欲しいと望むような仕方で、未来の世代に接しよう

Graphic: Nigel Hawtin

ない。同じように、時間的に離れた人々への影響についても同様の主張があって然るべきである。[★18]

別の言い方をすれば、今、列車に爆弾を仕掛けて子どもを傷つけてはいけないのであれば、爆発のタイミングが10分後、10日後、あるいは10年後であったとしても、同じように許されるものではないということだ。[★19]「ハイレベル」放射性廃棄物と呼ばれるものが、今から数百年後、数千年後の人々に危険を及ぼす可能性が高いことは分かっているが、彼らの存在が時間的に遠いからといって、そのリスクを彼らに押し付けて良いということにはならない。いつ生まれたかにかかわらずその人の幸福を尊重すべきだが、それはディスカウンティングの論理とは全く相反するものだ。核廃棄物とは、何百年、何千年にもわたり、森の中を飛び続ける矢のようなものであり、人類に常時、リスクを与えている。化石燃料の燃焼や海の汚染と同じように、いずれその矢が地面に落ちて壊滅的な影響を与える可能性は十分にある。私たちには、放った矢の将来的な影響を軽減するために、今、行動を起こす責任がある。さらに言えば、放つ矢は少なければ少ないほど良い。[★20]

「天秤」は、世代間の公正を支える二つ目の理論的根拠だ。今生きているすべての人々が片方に乗り、まだ生まれていないすべての世代の人がもう片方に乗っている天秤を想像してみよう。少なくとも、純粋に数の面で、未来の世代の人口は現在の人口を大きく上回っている。ある計算によると、過去5万年の間に約１千億人が生まれ死んでいる。21世紀の平均出生率が今後5万年間維持されるとすると、この先約6兆７５００億人の人間が誕生することになる。これは、現在生きている７７億人の８７７倍であり、これまで生きてきたすべての人類の数をはるかに上回る[★21]（左図参照）。彼らの幸福を無視して、自分たちの幸福にそんなに大きな価値があると考えて良いはずがない。

## これから生まれる世代の規模

21世紀の出生率が一定であると仮定して、
これまでの5万年とこれからの5万年を考えてみると、これまで生きた人間の数よりも、
これから生まれてくる人間の数の方が、はるかに大きい

「千年後には天秤の反対側に立つ私たちのような人間さえ存在しないかもしれない」と反論する人もいる。ホモ・サピエンスは、人工的に強化された知能と、数十年どころか数百年も生きられるように造られた臓器を持つ、サイボーグ人種に変身する可能性があり、全く異なる価値観や幸福の概念を持っている可能性がある。彼らにとって何が大切なのか、彼らに私たちと同じ道徳的地位を与えるべきどうか、知る由もない。しかし、ホモ・サピエンスや、あるいは、痛みを感じ、死を恐れ、恋に落ち、家族を求め、目的を探したりするような、人生で何を大切にするかという点で私たちに似た存在がまだいると仮定すると、彼らの幸福を無視することは、途方もない道徳的失態となるだろう。それは未来に対して恥ずかしげもなく植民地的な態度を示すことであり、お咎めなしで略奪自由な遠い無人の土地として扱うことと同義である。

「目隠し」は、政治哲学者ジョン・ロールズが、１９７１年の著書『正義論』の中で考案した思考実験のことを指す。自分が社会の中でどのような立場に生まれてくるのか全くわからない「無知のベール」に隠れて立っていると想像してみよう。どういった財産、性別、民族、知性、価値観を持って生まれるのか、見当もつかない。この「ゼロポイント」に立ったとき、あなたは社会の資源をどのように分配するかと、ロールズは問いかけたのだ。例えば、ほとんどの人々が貧困に苦しむ中、ほんの一握りが非常に裕福であることを容認するだろうか。その問いに対してロールズ自身は、「我々はそれを容認しないだろう、なぜなら自分自身への配分を危機にさらすことになるからであり、それよりも平等と再分配の基本原則を選ぶだろう」と主張した。[★22] では、この実験をさらに進めて、今度は自分の社会的地位だけでなく、どのような世代に生まれてくるかも全くわからない状態を想像してみよう。それは今の生活とほとんど変わりない10年後かもしれないし、世界的に大規模な食糧と水の危機に陥って富裕層のほとんどが惑星外で生活している２００年後かもしれない。そのような状況下で、あなたはどのように資源を分配するだろうか。万が一、自分がそのような時代に生まれてしまった場合に備えて、将来の世代のためにどれほどの資金を確保したり投資したりするだろうか。

ロールズをはじめとする多くの人々は、この難問に対する答えを出そうとしてきた。一つの回答は、将来の社会が基本的な権利を維持できるように、「公正な制度」を確保するのに最低限必要な額を確保すべきだというものがある。[★23] もう一つのアプローチとしては、次の世代が必要不可欠なニーズを満たし、充実した人生を送るための選択ができるように保証するというものがあり、これには最低限の教育や医療が必要になるだろう。また他には、資源の分配という考え方は環境の全体像を見落としており、各世代は少なくとも自分達が継承されたときと同程度の生命維持可能な生態系の健全性を保った状態で地球を去るべきだという、受託財産管理（スチュワードシップ）の考え方に近い「再生型公正」の原則を主張する意見もある。[★24] もしかしたら、こんなに回答の幅が広いならロールズの思考実験はほとんど無意味なのではないかと思われるかもしれない。しかし、その答えが何であれ、重要なのは、無知のベールに隠されているときに初めて、私たちは未来の世代の幸福を自分事にし始めるということだ。「目隠し」の威力は、人間の想像力を拡げ、思いやりの輪を空間だけでなく時間を超えて大きくしようという気にさせることにある。

最後に紹介するのが、私が「バトン」と呼んでいる議論で、これは「自分がしてもらいたいと思うように、他人にもしてあげなさい」という黄金律に基づいている。この共感の原則は、世界の主要な宗教のほとんどすべてに見られるもので、私たちはよく人生の最初の道徳的教訓の一つとして子どもたちに教えている。黄金律の限界は、自分もそうして欲しいと思う仕方で周りの人に接しようというふうに、それを自分の人生という時間枠の中でだけ考えてしまいがちなことにある。だが、この黄金律を未来の世代にも広げることは、そう難しくない。私たちには自分自身が受け入れたくないような危害や危険なリスクを未来の人々に負わせない義務がある、と考えれば良いのだ。言い換えれば、「あなたが、自分たちが過去の世代にしてもらいたかったと思うことを、未来の世代にもしなさい」ということだ。[*25] これを、世代から世代へと引き継がれる世代間の黄金律、いわば「黄金のバトン」だと発想してみよう。

自分たちの祖先を振り返ってみると、植民地時代の人種差別、未だ多くの国に残る家父長的な振る舞い、化石燃料をベースとした産業システムがもたらす環境への影響など、引き継がずに来られたら良かったのにと思うことがたくさんある。もし私たちの「バッド・アンセスター(悪い祖先)」がそうした遺産を残してくれなければ良かったのにと願うならば、人間が引き起こす生態系の破壊、新しいテクノロジーの潜在的リスク、核廃棄物の軽率な投棄など、同じように負の遺産を未来に引き継いで良い理由だってないはずだ。何だかんだ言っても、誰でも自分がそのような遺産を受け取る側にはなりたくないものだ。「バトン」は、自身の行動の結果に目を向けさせてくれるものであり、グッド・アンセスター、よき祖先になるための最良のガイドとなってくれる。また、ポジティブな行動に関しても同じ考え方ができるため、前の世代が残してくれた公衆衛生機関や偉大な芸術・文学作品などを確かに受け継ごうと思えるようになる。ユダヤ教の聖典タルムードに出てくる物語で、なぜ自分の生きている間には実を結ばないイナゴマメの木を植えるのか訊ねられたある男の答えは、「祖先が私のために植えたように、私も子孫のために植えている」というものだった。[*26]

これら四つの議論は、「長い今」を持つ文明の価値観を支える基本原則だ。確かに、明日の世界がどのようなものになっているのか、まさしく人類はどんな課題に直面するのか、心に思い描くことは難しいかもしれない。だが、この四つの議論の重要な役割は、個人としてであれ、社会としてであれ、私たちが選択をするに際して、そこへサイレント・マジョリティである未来の世代を招き入れることなのだ。これらの議論は、既存の政治制度からほとんど無視されているフューチャーホルダー（未来の持ち主）の利益を尊重し、彼らが公正に処遇される世界を確かなものにする方向へと、私たちの心を開いてくれる。こうした議論それ自体が、現在世代と未来世代の間で資源をどのように配分するかの問題を正確に解く公式になるわけではない。しかし、今日の人々が直面している不正や苦しみと並んで、未来の人々のニーズがきちんと考慮されるべきであることを、確かに気づかせてくれる。彼らの懸念は、真剣に耳を傾けるに値するものだ。

どうしたら、このような哲学的な議論を実際の行動に移すことができるだろうか。おそらく最も強力で効果的な方法は、その狙いを統一的なビジョンとして具現化した、先住民の文化的実践を採用することだ。「7世代思考」の意思決定法である。

## 「7世代思考」と、ディープ・スチュワードシップの価値

典型的なキャリア政治家に、200年先の未来を見て重要な政策決定をするよう陳情したならば、一笑に付されるに違いない。しかし、多くの先住民族にとって、これは深く尊敬される文化的伝統なのだ。先住民族6部族から成るイロコイ連邦に属するオノンダガ国・亀氏族に属し、ネイティブアメリカンのチーフであるオーレン・リアンズはこう語る。

我々は未来を見据えている。首長に与えられた第一の使命の一つは、我々が下すすべての決定が、来たるべき7世代の幸福とウェルビーイングにつながっているか、確認することだ。そして、それが評議

会での意思決定の根拠ともなる。我々は熟考する。これは7世代にわたる利益をもたらすだろうかと。[27]

カナダの法学部教授で、オンタリオ州ナワッシュ先住民族のチプワ族の一員であるジョン・ボローズによれば、7世代思考は「先住民法の重要な原則」であり、特に天然資源の乱開発を制限し、子孫のための健全な環境を確保するものである。「自分たちに許された境界内で生活することは、子どもたちへの愛情を表すと同時に、地球への敬意と愛をも示す」とボローズは述べている。[28]

このような慣習はアメリカ大陸に限らず、世界中の先住民族に見られるものだが、必ずしも特定の世代数に限定して表現されるわけではない。初めてタンザニアのマサイ族のリーダー、サムウェル・ナンギリアに会ったときに彼が私に教えてくれたのは、彼らを支援しようというNGOのプロジェクトの中には2〜3年しか続かないものもあるが、マサイ族は伝統的な生活様式を守るために100年先の計画を立てているということだ。「我々は、現在、過去、そして未来の人々の命について考える必要がある。これは領土だけでなく、すべての命に関わることだ。我々は100年先を見据えたライフプランを持ち、仲間や野生生物、次世代のために戦っている」と彼は言った。[29]

この先住民族の世界観の根底には、深い受託財産管理(スチュワードシップ)の哲学がある。それは、地球は現在の世代が「所有」し、好きなように処分できるものではなく、むしろ生きている存在であり、子孫やすべての生命のために、傷つけられることなく保たれ繁栄しなければならない、母なる大地であるというものだ。これはキリスト教をはじめとする多くの宗教の教えによく見られる考え方で、地球は神からの贈り物であり、各世代に一時的に「貸し出されている」ものとされる。[30] しかし、先住民の視点はさらに深く、人間のことを、創造物を守る特別な義務を負った上位の生物としてではなく、むしろ惑星の生命全体の中のなくてはならない一部として扱っている。7世代のために受託財産管理（スチュワードシップ）として行動することは、バイオスフィア（生物圏）意識の深い表現だ。

7世代思考の主要な提唱者の一人が、生物学者であり遺伝学者でもあるデビッド・スズキだ。彼の考えでは、政治家は「もし、我々がこの法案を通したら、7世代後は一体どうなるか」と問う必要がある。[★31] スズキは、人類は生物界と相互依存していると考えることこそ、7世代思考の核心であると見定めている。環境は「外」にあるものではなく、彼の言葉を借りれば「我々こそが環境」なのだ。私たちは、呼吸する空気、飲む水、食べ物を育てる土を通して、未来の世代と同じように、土地の風景とつながっている。

例えば、吸った酸素は血流に乗って循環し、約半分は肺に残るが、どこまでが空気でどこからが人間かという明確な線引きはない。息を吐けば、それは空気と混ざり合い、他の人や鳥、哺乳類、爬虫類などに摂（と）り込まれる。「私が空気であり、あなたも空気ならば、私はあなたである」とスズキは書いている。しかし、空気中の原子もまた、時間が経ってもそこに存在し続ける。ある研究によると、一息の空気の中には $3 \times 10^{19}$（3の後に19のゼロが続く）のアルゴン原子が含まれている。これら１００京個もの原子が絶えず地球上で風に乗って漂っているということは、どこにいても自分が1年前に吸ったものと同じ約15個のアルゴン原子を吸い込むことになる。それだけではない。私たちの呼吸の一つ一つには、かつてクレオパトラやゴータマ・ブッダが吸い込んだであろうアルゴン原子が含まれており、かつ、7世代後の子孫が吸い込むであろうアルゴン原子も含まれているのだ。スズキによれば、空気は「一つの行列（マトリックス）の中ですべての生命をつなぎ、一つの大きな存在の流れの中で過去、現在、未来を結びつける」という重要な役割を果たしている。[★32]

7世代思考は説得力があるが、神話的な要素もある。この原則の起源としてよく引用されるのは、6つのイロコイ族の国々の500年前の「憲法」である「イロコイ大平和法」だが、実際にはそこに7世代を考慮することについて具体的な記述は一切ない。[33] とはいえ、サウスダコタ州のオグララ・ラコタ族のように、今日の先住民の意思決定にこの原則が生きていることは間違いない。[34]

次に、この原則は先住民が常に自然と調和して暮らし、将来の世代を大切にするという理想を示唆してはいるが、一部の先住民が生態系の財産管理者(スチュワード)としてではなく、伐採権や採掘権を高値で売却していることはよく知られている。もちろん、先住民族のコミュニティであっても短期主義の誘惑にさらされることはあるが、これは例外だ。

先住民文化の文脈から7世代思考のような慣習を取り出して、高速で消費者主導の現代社会の中でそれに意味を持たせ、牽引力を与えることは、果たして現実的だろうか。上海の買い物客や、ドバイの石油会社の重役、マイアミの政治家などに、本当に真剣に受け止めてもらえるのだろうか。

答えはイエス。それも、想像以上に多くの人に受け入れられている。過去20年の間に、「7世代思考」は、持続可能性と世代間の公正を目指す長期的なアプローチを簡潔に表現する言葉となり、伝統的な先住民族のコミュニティを超えてその影響力が広がっている。世界的な青少年団体である「アース・ガーディアンズ」は、「次の7世代のために私たちの惑星とその人々を守る」ことを目指している。[35] 日本では、未来の世代の利益を政策立案に取り込もうとする政治運動である「フューチャーデザイン」が、イロコイ族の7世代の原則にインスパイアされている。[36] ディープエコロジストのジョアンナ・メイシーが考案した「第7世代ワークショップ」では、参加者がペアになって対話を行う。一人は現在の立場から話し、もう一人は第7世代の人を代弁する。[37] 首長のオーレン・リアンズは、2008年にスウェーデンの都市農業会社プランタゴンの設立に自ら協力したが、この会社が発行を始めたユニークな「第7世代株式」は、7世代に渡る家族または七人がそれぞれ33年間以上保有しなければ換金できないという。[38] また、「第7世代」と呼ばれる持続可能なクリーニング製品の会社まであり、バーモント州本社の大会議室の窓にはその原則が刻まれている。

まだ7世代の原則を公共政策の基礎とする政府は出てきていないが、遅かれ早かれ、この原則を採用することが、選択の問題ではなく必然の問題になるかもしれない。ノーベル経済学賞を受賞したエリノア・オストロムは、2008年のスピーチで、私たちが受け継いだ天然資源を持続可能なかたちで管理し、子孫に引き継ぐことができるような社会をどうやって作るかという問題提起をした。

未来を考える上でちょうど良い時間として「7世代」のイメージを持ち合わせていたアメリカ先住民族に対して、私は深い恩義がある。我々は皆、7世代ルールを再認識すべきだ。本当に大きな決断をするときには、それが今の自分にとって何をもたらすのかだけでなく、自分の子どもたちや、子どもたちの子どもたち、その先に続く未来の子どもたちの未来にとって、どうなのかまで問うべきだ。[39]

## サイレント・マジョリティ（声なき大衆）を力づける

未来の世代の利益を尊重すべきだという主張がどんなに説得力を持っていても、次の世論調査で支持率を上げようとする政治家や、手っ取り早く儲けたい化石燃料企業やバイオテクノロジー企業など、未来の世代の公平な待遇を否定し、彼らのニーズを無視しようとする、手強（てごわ）い勢力が立ちはだかっていることに変わりはない。しかし、最大の問題は見えないままになっている。まだ生まれていない何十億人もの明日の市民たちは、この場で自分たちの権利を主張することができないからだ。企業の本社に乗り込んで自らを鎖で繋いだり、交通量の多い橋の上で座り込みの抗議行動をしたりすることはできない。政府を訴えたり、自分たちを擁護する新聞のコラムを書いたり、経済学者のディスカウンティングを拒否したりすることもできない。彼らは、沈黙の中で苦しむよう運命付けられた多数派だ。

希望は、彼らの大義のために世代間の公正を求めて拡大する世界的な運動にある。この運動は、「矢」、「天秤」、「目隠し」、「バトン」の道徳的な力に支えられ、7世代の原則の実践に触発されている。これには、グレタ・トゥーンベリと一緒に多国籍ストライキに参加した何十万人もの小中学生（私の子どもも含め）や、世界中の国や都市で気候緊急事態の宣言を求めて直接行動を起こす抗議者、未来の世代の利益を代弁する市民集会の提唱者も含まれる。これは、私たちの時代において最も強力なものとなる可能性のある進歩的社会運動の始まりに過ぎない。

これまで代表制民主主義は、未来の世代の権利を組織的に黙殺し、彼らを無力で無視されたサイレント・マジョリティの立場に追いやってきた。この時間的な差別を覆すことは、20世紀初頭に女性の権利が認められて以来の民主主義の歴史に、地殻変動のような変化をもたらすだろう。この野心を胸に、私とパートナーは今、11歳の双子に選挙権を与えている。一緒に政党の公約を吟味し、政治討論を見て論点について話し合えば、誰に投票すべきか子どもたちが教えてくれる。

世代間の公正の運動は成功するのか。その戦略と奮闘については、本書のＰＡＲＴ３で掘り下げていくが、そこには希望がある。そして、同じように希望を与えてくれる証拠が、人類の歴史にも刻まれている。20世紀半ばまで、ヨーロッパ人は発展途上国に住む人々の窮状にほとんど関心を示していなかった。そうした人々を支援する擁護団体はほとんど存在せず、メディアの注目を集めることもなく、政治家もほとんど彼らを慮ることがなかった。しかし、状況は一変した。それと同様に、21世紀半ばには、フューチャーホルダー（未来の持ち主）たちに対する私たちの態度も変化している可能性がある。彼らの存在は、私たちの道徳的、政治的な心象風景の一部となるだろう。

# 第6章

# 大聖堂思考

## 遠い未来への計画術

築くときは、永遠に築いていくものと思え。現在の喜びのためや、現在使うためだけではいけない。子孫に感謝されるほどの作品に仕上げよ。ジョン・ラスキン[*1]

長期思考に関する会話の中でよく話題になるのが、オックスフォード大学のニューカレッジの話だ。1860年代のこと、大学の古いダイニングホールの屋根を支える長いオーク材の梁が腐っていて、明らかに交換が必要だとわかったものの、そんなにも大きな木材がどこで手に入るのか、誰も知らなかった。間もなく、大学の森林管理者によって、14世紀にホールが建設されたときに、ニューカレッジの創設者ウィッカムのウィリアムが、いずれ梁を交換するときのために特別に取り置く目的で、オークの木立を植えていたことが判明したという。こうしたわけで、ウィリアムの驚くべき先見性のおかげで、500年後の大学は修復に必要なだけのオーク材を手にすることができ、職員や学生は以来、交換された梁の下で楽しく食事をすることができたという。

素晴らしい話だ。唯一の問題は、それが真実ではないということだ。この話が真実かどうか訊ねたとき、ニューカレッジのアーカイブス担当のジェニファー・ソープは、「決して消えて無くならない神話というものがあるみたい」と答えた。[*2] 分かったのは、梁に使われているオーク材は、ダイニングホールが最初に建てられて何十年も経った後に、大学が購入した森林から来たもので、おまけにそれは特に屋根の修復のために確保されたわけではないということだった。結局のところ、ウィリアムは、さほど先見の明があったわけではなかったのだ。

私はなにも、フェイクニュースの新たな例を挙げたかったのではない。むしろ、この話の人気の高さが、いかに私たちが人間の長期計画力を強く信じたいと思っているかを示している。半世紀先の未来の人々のために木を植える話は、病的な短期思考の時代に対する完璧な解毒剤のように感じられる。政治家が最新の世論調査にこだわるのをやめ、もう少しウィリアムのようになりさえすれば、公的医療に本気で投資したり、地球温暖化にブレーキをかけたり、細菌戦争のリスクに備えるための対策を講ずることができるかもしれない。あるいは、将来の世代に放射性廃棄物を押し付けるのを止めることですら、できるかもしれない。いずれにしても、それこそが希望なのだ。

この章では、歴史の記録が希望の側に味方していることを明らかにする。人間は5千年以上にわたり長期計画を立てる能力に驚くほど長けていたのだから、それを示す新たな逸話をわざわざでっちあげる必要はない。この能力は、人類種の最大の能力の一つであり、私たちのどんぐり脳が実際に機能していることを最も明確に表しているかもしれない。ジャレド・ダイアモンドによると、社会が崩壊せずに、生き残り、繁栄していくためには、「長期的な計画を成功させること」が不可欠であるという。[*3]

だからこそ、「大聖堂思考」とも呼ばれる、遠い未来の計画を立てる技術は、長期主義的文化を築くために不可欠な6つの戦略の中に含まれているのだ。では、成功する長期計画とはどんなもので、それが生まれる条件について歴史は何を教えてくれるだろうか。一見つながりのない「神聖な建築物」、「日本の自然の風景」、「悲劇的な下水道危機」という3つの領域から、洞察を得ることにしよう。

## 五千年の長期計画

計画とは、簡単に定義すると、特定の目標を達成するために現実的な行動の手順を策定することだ。私が注目するのは、今夜の夕飯を何にするとか、5年後にどこに住もうかといった目先の計画を立てることではなく、数十年やそれ以上、あるいは自分の寿命を超えた時間軸でプロジェクトを計画する能力だ。

もし、私たちのこの能力に対して疑いがあるのなら、ドイツ南西部にあるルター派の教会、ウルム大聖堂の扉をくぐってみてほしい。1377年の礎石があることに気付くだろう。この年、ウルム市の住民たちは、建築家ハインリヒ・パルラー長老に見守られながら、新しい教会を建設することを決定し、その資金は個人の寄付で賄う（まかなう）ことにした。しかし、彼らのうちの誰一人として完成した建物を見ることはなかった。というのも、建設から500年以上経た1890年まで大聖堂が完成しなかったからだ。

ウルム大聖堂は、クラウドファンディング史上、最も心に残るプロジェクトの一つに数えられる。それはまた、長期計画の模範的な例でもあり、最初の発願者たちはプロジェクトが自分たちの生きている間には決して完成しないことを知っていた。それでもなお、宗教的信念と断固たる決意に突き動かされたのか、とにかく彼らは計画に乗り出したのだ。

それに最も近い同時代のライバルといえば、バルセロナにあるアントニ・ガウディの幻想的な大聖堂、サグラダ・ファミリアだ。１８８２年に開始されたこのプロジェクトは、２０２６年の完成を目指して、現在、世界で最も長く続いている建築プロジェクトだ。人生の最後の43年間をこの仕事に捧げたガウディは、いかなる時も急ぐことなく、思い通りの出来栄えにならなければすすんで壁を崩しただろう。「私の施主は急いではいないのだ」と彼はよく言ったが、それは監督官である神のことを指し

1905年のサグラダ・ファミリア。ガウディは1882年から1926年に亡くなるまでこの建物の建設に取り組み、いつも建設現場の地下で寝泊まりをしていた。彼がミサに向かう途中で路面電車にひかれて73歳で亡くなった時には、建物はわずか4分の1しかできていなかった。

ていた。[★4]だが、宗教的な建物が長期計画の最もよく知られた例の一つであるという事実は、神のように忍耐強い施主がいるからというよりも、宗教的な施設自体の寿命の長さに起因するのかもしれない。ほとんどのカトリック信者は、すでに2千年の歴史を持つ自分たちの古い教団が、今後も何世紀にもわたって存続することを願っている。だとすれば、未来の信徒たちのために建築する気持ちも、よくわかる。

大聖堂思考という考え方は、神聖な建築物に明白に見られるものの、政治やビジネスではほとんど欠如している、長期的ビジョンを示す略語のようなものだ。グレタ・トゥーンベリによると、気候危機に取り組むには「大聖堂思考が必要」だという。[★5]

この考え方を広めたもう一人の人物は、宇宙物理学者のマーティン・リースだ。彼は、指摘する。[★6]イングランド東部、11世紀のイーリー大聖堂の建設者たちにインスピレーションを与えた先見性は、現代に蔓延する近視眼的な考え方とまったく異なるものであり、「今日の暴走する世界では、千年続く記念碑を残すことは望めないとしても、未来の世代への公正な継承を否定するような政策に固執することは、確かに恥ずべきことだろう」と。

だが、私たちがインスピレーションを求めるべきなのは、大聖堂だけだろうか。

以下の表は、過去5千年にわたって人類社会が行ってきた、数十年から数百年に及ぶ長期的なプロジェクトの一覧である。

# 人類の歴史に見る長期計画

## 宗教建築

### 階段式ピラミッド（エジプト）

紀元前2600年、ジェセル王が死後の世界で永遠に生まれ変われるようにと、18年の歳月をかけて作られた世界最古のピラミッド。技術者のイムホテプは神として崇められていた。

### ウルム大聖堂（ドイツ）

1377年から1890年にかけて建設された、ルーテル教会（ウルム大聖堂はルター派の教会）。地元住民が出資し、500年以上続くクラウドファンディングの母体となった。

### サグラダ・ファミリア教会（スペイン）

バルセロナにあるガウディの聖家族教会。1882年に着工し、2026年に完成予定。現在、世界で最も長く続いている建築プロジェクト。ガウディはこのプロジェクトに43年を費やした。

**伊勢神宮（日本）**

６９０年から20年ごとに社殿を造りかえる式年遷宮で、全く同じデザインに再建されてきた神道の神社。永遠の新しさと永遠の古さを併せ持つ建物。

## インフラ関連

**ゴナーバードの地下水路（イラン）**

紀元前７００年から５００年にかけて建設された、長さ33㎞を超える地下水道システム、ゴナーバード・カナート。現在も乾燥地帯に住む約４万人に水を供給している。

**セゴビア旧市街と水道橋（スペイン）**

ローマ時代の土木建築物の中で、最も保存状態の良いものの一つ。１世紀に花崗岩を用いてモルタルを使わずに作られ、19世紀まで使用されていた。

**万里の長城（中国）**

紀元前３世紀にまでさかのぼる。14世紀以降、明朝は２００年の歳月をかけて８８５０㎞の城壁と２万５千の監視塔を建設し、北方の異民族の侵入を防いだ。

### ポルダー水道管理システム(オランダ)

国土の4分の1をカバーする堤防によって、洪水から守られている土地。現存する最古のポルダー(堤防で守られた低地の干拓地)は1533年のもの。民主的な水利組合によって管理されている。

### ミディ運河(フランス)

地中海とビスケー湾を結ぶための全長240㎞のヨーロッパ初の大運河。1666〜1681年に建設された。設計者のピエール=ポール・リケは国民的英雄となった。

### パナマ運河(フランス)

フランス主導で1880〜1894年に建設されたが、その後放棄され、2000人の労働者が死亡した。アメリカが1904〜1914年にかけて完成させ、1979年まで運河地帯を支配していた。

### シベリア鉄道(ロシア)

1891〜1916年にかけて建設された。モスクワから日本海側のウラジオストクまでの約9289㎞の路線を6万2千人の労働者が建設した世界最長の鉄道。

### 英仏海峡トンネル（イギリス―フランス）

１８０２年に提案された50㎞のトンネルは、１９２０年代にチャーチルによって支持され、１９８８～１９９４年にかけてようやく建設された。１２０年の耐久性を持つように設計されている。

### 南水北調（中国）

１９５２年に毛沢東のもとで構想された。２００２～２０５０年にかけて建設。３本の運河、長さ１５５３マイル、ナイル川の年間流量の50％に相当する送水を目指している。

## 都市デザイン

### 古代都市ミレトス（ギリシャ）

紀元前４７９年、史上初めて形式的な都市計画ミレトスの町を考案したヒッポダムスは、人口１万人の故郷に最初の碁盤目状の街を設計した。後のローマの都市のモデルとなる。

### パリ改造（フランス）

１８５３～１８７０年にかけてナポレオン3世と知事オスマンが取り組んだ公共事業。大通り、下水道、水道橋、公園を建設。このプロジェクトは１９２７年まで続いた。

**ロンドンの下水道（イギリス）**

1858年の「大悪臭」と致命的なコレラの発生を受けて建設された。主任技術者のバザルゲットは18年の歳月をかけ、2万2千人の労働者と3億1800万個のレンガを投入した。この下水道システムは現在も使用されている。

**ブラジリア（ブラジル）**

1956〜1960年にかけて、ルシオ・コスタ、オスカー・ニーマイヤー、ロバート・バーレ・マルクスの三人が計画・開発したブラジルの首都。究極のモダニズム計画都市。

**フライブルクのエコシティ（ドイツ）**

1970年代からの持続可能な都市開発で有名。ヴォーバン地区では、車は郊外のガレージに停めなければならない。街中の移動手段の3分の1が自転車。

**大英図書館（イギリス）**

1982〜1999年にかけて建設され、250年の耐久性を持つように設計された。20世紀に英国で建設された最大の公共建築物。

**北バンクーバーの持続可能な１００年構想（カナダ）**

２０５０年までに温室効果ガスの排出量を80％削減し、２１０７年までにカーボンニュートラルな都市を実現するため、都市計画が30年から１００年に延長された。

## 公共政策

**徳川家の森の植林整備（日本）**

１７６０年代～１８６０年代後半にかけて行われた世界初の長期植林計画の一つ。日本を環境的・経済的破局から救った。

**アメリカ合衆国憲法**

１７８７年に制定され、27回改正された。現在も有効な最古の成文憲法。

**イエローストーン国立公園（アメリカ）**

１８７２年に設立。世界初の国立公園であり、アメリカの環境保護の歴史において重要な発展を遂げた。１９９０年代にオオカミを再導入したことでも有名。

**ソ連の五カ年計画**

1928〜1991年になされた5年毎の開発計画で、数十年に及ぶ経済戦略の一環として行われた。中国、インド、インドネシアなど、他の国でも採用されている。

**ニューディール政策（アメリカ）**

アメリカを大恐慌から救うために、ローズベルト大統領が1933〜1939年にかけて行った公共事業と社会政策の復興計画。

**国民保険サービスNHS（イギリス）**

第二次世界大戦後の福祉政策の一環として、すべての住民に無料で医療を提供するため1948年に設立された。約150万人の職員を雇用している。

**欧州連合（EU）**

27の国と約5億人が加盟する政治・経済連合体。第二次世界大戦後に民族紛争の再発を防ぐため設立された。1952年に設立された欧州石炭鉄鋼共同体をルーツとする。

**天然痘の世界的な撲滅**

1958年にWHO（世界保健機関）が開始したプログラム。当時、年間約200万人が天然痘によって死亡していた。1980年に完全撲滅。

**一人っ子政策（中国）**

1979～2015年まで行われた人口抑制政策。女性の胎児の性別選択的な中絶を奨励していると批判された。

**ノルウェー政府年金基金（ノルウェー）**

1990年に設立され、石油・ガス産業の余剰収益を主に将来世代への年金分配に使用する。評価額は1兆ドル（国民一人当たり20万ドル）。

**女川原子力発電所（日本）**

1980年代初頭に高台に建設され、高さのある防潮堤も設置されていたため、2011年の津波にも耐えた。

**オンカロ核廃棄物貯蔵所（フィンランド）**

地下核廃棄物施設。2004年に着工し、2023年に完成予定。100年分の廃棄物を受け入れ、10万年分の廃棄物を保管できるように設計されている。

## 社会運動

**サフラジェット運動（女性参政権運動）（イギリス）**

1867年頃、イギリスの女性に選挙権を与えるために始まった運動。1918年には30歳以上の女性、1928年には21歳以上の女性の選挙権を獲得した。

**マルクス主義革命組織**

1848年の共産党宣言を起源とし、世界各地で数十年にわたる革命的な階級闘争を追求した運動。1989年以降勢いを失う。

**ネオリベラリズム（新自由主義）**

1940年代にモンペルラン協会（フリードリヒ・ハイエクやミルトン・フリードマンなどがメンバー）が種をまき、1980年代にサッチャーやレーガンが実行した。

**グリーンベルト運動（ケニア）**

ノーベル賞受賞者のワンガリ・マータイが1977年に設立した、女性のエンパワーメントと自然保護を目的とする団体。これまでに5100万本以上の植樹を行う。

## 科学的な試み

### ヴァヴィロフの種子コレクション（ロシア）

１９２１年に設立。第二次世界大戦中、ドイツ兵から37万粒の種子を守るため、十数人の植物学者が秘密の保管庫で１粒も食べることなく餓死した。

### イーター（ＩＴＥＲ）核融合エネルギー（フランス）

世界35カ国が参加する核融合発電プロジェクト。１９８８年に開始され、（技術が成功すれば）２０３５年にフル稼働の予定。

### スヴァールバル世界種子貯蔵庫（ノルウェー）

２００８年に北極圏の人里離れた場所に開設された種子バンク。６千種、１００万個以上の種子が保管されている。破壊不可能な岩の貯蔵庫で少なくとも千年はもつように設計されている。

## 文化プロジェクト

**モルモン宣教師**

１８３０年以来、１００万人以上のモルモン教徒が宣教師となっている。現在、年間７万人が１５０カ国で教えを広めようとしている。

**１万年時計**

ロング・ナウ財団のプロジェクトとして、テキサス州の砂漠に建設中の時計。１万年稼働するように設計されている。１９９９年に最初の試作品が作られた。

**未来図書館（ノルウェー）**

２０１４年から１００年間、毎年著名な一人の作家が独自の書きものを預けている。それらはすべて、特別に植えられた千本の木から作られた紙で２１１４年に出版される。

この一覧表は、人間の長期計画の能力と、それが実際にどう働くかについて、いくつかの有益な学びを与えてくれる。最も明らかな第一の学びは、ホモ・サピエンスのこの能力が驚くほど優れているということだ。私たちの短期志向の脳は、つい目の前のマシュマロを手に取るように仕向けさせるかもしれないが、私たちの長期志向のどんぐり脳は、古代ローマが建設した水道施設、オスマンのパリの公共事業計画、パナマ運河、英仏海峡トンネルなど、息を呑むような巨大プロジェクトの計画と実行を可能にしてきた。ビーバーはダムを作るのが得意かもしれないが、先見性のある建築家やエンジニアとしての技術で人間に勝る動物はいない。

第二の学びとして、この表をさらに詳しく見ると、計画には、明らかに異なる二つの種類があることがわかる。一つ目は、大聖堂や運河の建設プロジェクトなど、完成までに長い時間がかかり、何年にもわたる複雑で多段階の手順を必要とする計画だ。一般的に、こうしたプロジェクトの関係者にとって、その完成が遅いよりも早いほうが好ましいものだが、資金面などの制約を受ける場合もある。ウルム市の市民にとって、大聖堂の竣工は５００年後より50年後の方が嬉しかったに違いない。二つ目は、図書館や種子保管庫のように、完成後の耐用年数が長いことが望まれるプロジェクトだ。[*7] 二つのカテゴリーに重複するものもある。中国の万里の長城は、明朝の後まで世代を超えて継承されることを見通して設計された、長期計画の建造物における偉業だ。また、イランのカナートと呼ばれる地下水路のように、必ずしも何世紀も耐えるように計画されていたわけではないが、世代を超えた維持管理がうまくいったおかげで、結果としてこれほどまで長持ちした例もある。

第三の学びは、長期計画は大聖堂などの大規模な建設プロジェクトだけでなく、公共政策や科学、文化などの分野にも及んでいるということだ。政策分野での例として、１９４８年に世代を超えて無料で医療を提供するために設立された英国の国民健康保険制度は、70年以上経った今でも１５０万人の職員を擁している（長寿化などにより制約が増えているが）。また、欧州連合（ＥＵ）のような政体もあり、その起源は１９５２年に設立された欧州石炭鉄鋼共同体にまで遡（さかのぼ）るが、ＥＵはその時々の経済的・政治的危機にさらされながらも徐々に長期的な統治機構へと発展してきた。ノルウェーは１９９０年にソブリン・ウェルス・ファンドを創設し、政府の石油・ガス生産収入から1兆ドル以上を未来の世代へ分配するために積み上げているが、彼らは皮肉にも化石燃料による環境への負荷を緩和するための資金を必要としている（2019年、同ファンドは海外の化石燃料探査会社に保有資産を売却し始めたが、環境的な理由よりも財務的な理由の方が大きい）。他の例としては、フランスの核融合研究施設「ITER」のような科学的なプロジェクトや、「1万年時計」のようなアートプロジェクトもある。そして、匹敵するものがないと思われるのが、フィンランドのオンカロ核廃棄物処分場だ。放射性廃棄物を10万年にわたって安全に保管するという大きな志を掲げてはいるものの、それをチェックできる人が果たしてその頃いるのだろうか。[8]

第四の学びは、長期計画が、建築家、技術者、および他のプランナーによる青写真のビジョンを押し付けるトップダウン式のものだけではなく、社会的・政治的な草の根運動の闘いの中にも具現化されるということだ。例えば、1867年にマンチェスターで最初の正式な組織を設立したサフラジェット運動（女性参政権運動）のリーダーたちは、たった数カ月や数年では済むはずのない長い政治的な闘いを覚悟していた。結果的に、その目的が達成されるまでに半世紀以上の歳月がかかった。[9] この一覧表には、他にも、18世紀にヨーロッパで起こった奴隷制反対運動から、アメリカの公民権運動や、今日の先住民の権利を求める運動まで、さまざまな政治的闘争が含まれ得る。

最後に学ぶべき洞察は、大聖堂思考が常に良いものであるわけではないということだ。それは実に、紛れもない計画的な大災害や、完全に悪意に満ちた計画にも加担してきた。これは、ヨーロッパを征服して千年帝国を樹立しようとしたヒトラーの誇大妄想的な計画や、基本的な食料品が不足しながらスキー板や鉛筆削りで溢（あふ）れかえっているという、資源の壮大な無駄遣いを招いたソ連の五カ年計画の非効率でずさんなマネジメントのことだけを指すのではない。[10] 世界中でこの100年の間、何百ものダムや運河、道路を建設した結果、「開発」や「進歩」の名のもとに、甚大な環境破壊が行われてきた。今や、地球全体を厚さ2ミリの球状のコンクリート製の棺桶ですっぽり包み、世界中の海を覆ってしまうほどの量のコンクリートが打設されている（それだけではなく、セメント産業は世界の二酸化炭素排出量の約5％を産み出している）[＊11]。また、ブラジリアのような計画都市は、オスカー・ニーマイヤーの見事なモダニズム建築で知られているとはいえ、今では20世紀の都市計画の中で最も活気のない機能不全の事例の一つとして広く認識されている。この責任はル・コルビュジエにあると言っても過言ではないだろう。彼の権威主義的なビジョンが、均一で、合理主義的で、トップダウン式の青写真で設計された都市、ブラジリアの創造の源泉となったのだ。すべては彼の有名な格言「計画、すなわち独裁者」に表れている[＊12]。

長期計画は、特に人間のニーズや生態系の脆さへの感覚を欠いた直線的で独裁的な仕方で上から押し付けられた場合には、危険性を伴う。しかし、現代の環境的、技術的、社会的な危機には、計画性のないその場しのぎの即興的な方法では対処できない。では、どうすれば未来の課題に対する計画を賢く立てられるようになるのだろうか。その答えを探すには、文明の崩壊を回避するための計画力について歴史上で最も注目すべき例を示している、近世日本から始めるのが良いだろう。

## 「慈悲深い独裁者」は必要か——日本古来の物語

「今日の日本は、緑豊かな列島に息づく裕福でダイナミックで高度な工業化社会ではなく、荒涼とした土地で辛うじて生活する貧しくスラム化した小作農社会といえよう[＊13]」。環境史家のコンラッド・トットマンが描いた荒廃した荒れ地の絵はにわかに信じがたいが、日本は何世紀にもわたって自らの破壊へと力を注いできたかのように見える。現在、国土の6割強が森林に覆われているが、1550年代から1750年代にかけて日本の森林地帯は著しく縮小し、生態系も社会も崩壊する寸前だった。工業化以前の日本は、今日の私たちが石油に依存しているのと同じくらい木材に依存した、木造文明だった。国の支配者は森を切り開いて何千もの城や邸宅、神社といった木造建築を建てた。江戸のような都市の発展に伴う需要急増の結果、建築用の木材不足が深刻化する一方、農民たちは薪を求めて森林を漁(あさ)った。同時に、農業の拡大のために古代の原生林が大量に伐採され、森林破壊によって浸食が進んで脆くなった日本の低地は、洪水に見舞われた。その結果、1600年代以降、大飢饉が相次いだ。[14]

この容赦ない生態系への攻撃に自然の木の再生が、追いつけるはずがなかった。当時、世襲制の軍事独裁をおよそ250人の封建領主と共に執り行っていた徳川将軍家は、ついに行動を起こすべきことを悟った。当初、徳川政権の対応は、希少種の伐採や、建物の新築時に貴重な木材の使用を禁止する法律によって、森林の枯渇を制限することだった。しかし、そのような規制は効力が弱いことが多く、十分というにはほど遠かった。そうした中、徳川幕府は1760年代から1860年代後半にかけて、世界初の組織的な大規模プランテーション林業という、新しいアプローチに着手した。役人は村人に報酬を支払い、年間10万本の苗木を植えさせた。また、新しい法律によって商業的な植樹が奨励され、木は成長が遅いながらも収益性の高い作物となった（通常、植樹から収穫までに最低50年はかかる）。育林技術の進歩は、苗木の生育と木材収量の最大化に貢献した。この長期計画は何十年にもわたって実施されたが、十分な森林再生が実現するまでには長い時間がかかるため、50年から100年先の未来を見通すことのできる統治者の存在を必要とした。[15]

その結果は、ゆっくりではあるが、目覚ましいものだった。日本は何世紀にもわたって古典的な「進歩の罠」に陥り、社会の基盤となる生態系資源を損なうことで、文明の衰退への道を辿っていたが、森林再生のおかげで、19世紀後半には緑の列島に戻り、崩壊の運命を免れた。

これはある面では、今日私たちが環境危機に対処するために長期的な計画力をどのように利用するかというモデルを提示する、希望の物語だ。しかし他面では、効果的な長期計画が最も成功する可能性が高いのは独裁政権下なのかという、政治的に難しい問題を提起している。

日本の森林再生計画が可能になったのは、かなりの部分、徳川将軍家が封建的な独裁者として、さしたる反対もなく新しい法律を施行できたからであり、また、植林という骨の折れる作業を引き受ける小作農労働者を、必要なときに強制的に徴募する権力を持っていたからだ。また、彼らの行動は、日本人の自然への愛や仏教的な生命への敬意に触発されたものだという、気休めの議論にも安易に陥るべきではない。もしそうだとすれば、そもそもなぜ彼らは自分たちの森を破壊してしまったのだろうか。おそらく将軍たちがこのような長期プロジェクトを積極的に進めたのは、自分たちの子孫が君臨する頃の社会の繁栄を確かなものにしたかったからだろう。日本の長期計画は、代々の権力を維持しようとする一族による、独裁的な世襲権力の支配によってもたらされた結果なのだ。[★16]

今日、このような独裁政権の下で生きることを自由選択で選ぶ人はほとんどいないだろう。特に、侍が刀を振りかざして法律を執行するような独裁体制であればなおさらだ。しかし近年、民主主義政治が絶望的に近視眼的であることから、ある種の「慈悲深い独裁」こそが、私たちが直面している危機に対処するために必要なものであるとの意見を耳にすることが増えている。その一人、科学者のジェームズ・ラブロックは、世界的な生態系の緊急事態に対処するためには「しばらくの間、民主主義を保留する必要があるかもしれない」と主張している。同様に、宇宙物理学者のマーティン・リースは、気候変動と生物兵器がもたらす重大な脅威に関する記事の中で、「21世紀を安全に舵取りするために必要な措置を推し進めることができるのは、賢明な専制君主だけである」と書いている。[*17] リースが（英国の上院議員としての地位において）「未来の世代の議員連盟」の設立者の一人であることからもわかるように、民主主義のプロセスに対して明らかに一定の信頼を置いているはずの人物の発言として、これは驚くべきものだった。ある公開討論会で、私が彼に、「短期主義に対抗する政策処方として独裁政治を本気で提案しているのか、記事の中で冗談を言っただけではないか」と尋ねたところ、彼は「実際、私は半ば、本気だった」と答えた。[*18] 彼は、それに続けて中国を例に挙げ、太陽光技術やその他の政策への莫大な投資を通して示しているように、独裁政権が長期計画において非常に成功していることに触れた。会場にいる多くの人が同意してうなずいているのが見えた。

私はそれに同意しない。歴史を見ても、独裁者が温和で賢明なまま長期間あり続けた例は、ほとんどない。例えば、人権に関する中国の記録を見れば、そのことは明らかだ。さらに、第9章で論じる国際世代間連帯指数が示すように、独裁体制が民主主義に比べて長期の思考と計画力について優れているという証拠はほとんどない。例えばスウェーデンでは、専制君主がいなくてもエネルギーの60％近くを再生可能エネルギーで賄（まかな）っているが、中国では26％だ。[*19]

実際、歴史的な記録に目を向けると、民主主義政権が長期計画を政策の優先事項としている力強い例がある。しかし、民主主義政権が積極的にそうしようと動くためには、どのような状況を必要とするのだろうか。この疑問に答えるために、私たちはヴィクトリア朝のロンドンの下水道の奥深くに潜ってみなければならない。

## 大悪臭（あるいは、危機的状況がいかにして急進的な計画を始動させるのか）

1850年代のロンドンを心に描いてみてほしい。というか、「嗅いで」みてほしい。中世以来、ロンドンの人の排泄物は、セスプールと呼ばれる、腐った汚泥の溜まった悪臭のする穴（多くの場合、家の地下室にあった）に捨てられるか、テムズ川に直接流されていた。1830年代以降、何千もの掃き溜めは撤去されたものの、テムズ川自体は巨大な掃き溜めのままで、しかもそれが街の主要な飲料水の水源となっていた。ロンドンっ子たちは自分たちの生の汚水を飲んでいたのだ。その結果、コレラが大流行し、1848年には1万4千人以上、1854年にはさらに1万人以上が死亡した。[20] にもかかわらず、市の当局はこの進行中の公衆衛生災害を解決する手立て

パンチ誌はこの風刺画を、1858年7月の大悪臭の絶頂期に発表し、「新しい国会議事堂のフレスコ画のためのデザイン」と表現した。川を擬人化したテムズ神父は、彼の子孫（ジフテリア、スクロフラ、コレラ）を「公正な街・ロンドン」に紹介している。

をほとんど何も講じなかった。それを阻んだのは、資金不足や、コレラが水ではなく空気を介して拡散するという考えが広まっていたことだけでなく、川から汲み上げた飲料水は素晴らしく純度が高いと主張する民間の水道会社の圧力もあった。

危機が訪れたのは、1858年の息苦しいほど暑い夏だった。その年、コレラの大発生はすでに3回起きていたが、雨が降らなかったため、約3・5メートルもの深さまで堆積した下水道汚泥がテムズ川の傾斜した土手に露呈していた。腐敗した刺激臭が街中に広がった。だが、それに耐えなければならなかったのは貧しい労働者だけではなかった。この臭いは、再建されたばかりの国会議事堂へ川から直接漂い、そのうえ新しい換気システムがひどい悪臭を建物全体に送り込んだのだ。あまりにもひどい臭いのため、下院や貴族院での議論は中止せざるを得ず、国会議員たちは顔を布で覆って委員会室から逃げ出した。

「大悪臭」として知られるようになったこの出来事は、政府の行動を促すのに十分なものだった。ベンジャミン・ディズレーリは、16日間という記録的な短期間で、ロンドンに近代的な下水道システムを建設するために必要な長期の資金調達と、それを実現するために必要な幅広い権限を新たに「首都建設委員会」に与える法案を、急いで通過させた。結局、国会議員たち自身も逃れられない危機のおかげで、イギリスは19世紀で最も急進的な公衆衛生改革に着手した。タイムズ紙が報じたように「あの暑い2週間は、ベンガルの反乱がインドの行政にもたらしたものと同じように、都市の衛生行政に影響を与えた[*21]」。

しかしながら、下水道はまだ整備されていなかった。そこで登場したのがヴィクトリア朝の英雄の一人、ロンドンの「首都建設委員会」の土木技術者、ジョセフ・バザルゲットだ。18年の歳月をかけて、バザルゲットは88万立方ヤードのコンクリートと3億1800万個のレンガを使って、長さ82マイルに及ぶ下水道網を完成させた。汚水は下流のポンプ場へと運ばれ、浄化された上で引き潮の海へと安全に流された。驚くべきことに、このシステムはほぼ丸ごと現在も使用されており、実際、テムズ川沿いのヴィクトリア&アルバート堤防を散策する観光客は、数メートル下の下水道を収容するために2万2千人の労働者が造った遊歩道を歩いているのだ。

なぜ下水道がこれほど長い間、壊れることなく存続できたのか。その答えは、主任技術者の長期計画能力にある。バザルゲットは都市の人口増加を予見して、建設当時に必要とされていた量の2倍以上の処理能力のある下水道を建造した。彼はまた、新しく発明されたポルトランド・セメントを使用することにもこだわった。通常のセメントよりも50%高価だが、はるかに長持ちし、水に触れるとかえって強度が増す性質を持つためだ。さらに、工場用の壊れやすいパイプではなく、高価だが耐久性のある「スタッフォードシャー・ブルー」と呼ばれるレンガを使用するようにした。残念ながら、バザルゲットは個人的な日記を残しておらず、確かなことはわからないが、彼は下水道が少なくとも１００年はもつように計画していたらしい。彼は間違いなく、ヴィクトリア朝のイギリスにおける偉大な時の反乱者の一人だった。

バザルゲットの遺産は、並大抵のものではない。歴史家のジョン・ドクサットによると、「同時代のイザムバード・キングダム・ブルネルほど記憶されていないかもしれないが、この優れた先見の明のある技術者は、おそらくヴィクトリア朝のどの役人にも勝る善行を行い、多くの命を救った」という。[*22] 私たちは、この二人の人物の長期的なヴィジョンに敬意を払うべきだ。橋、下水道、鉄道、その他のインフラを、今も毎日何百万人もの人々が利用できているのは、彼らと労働者たちの汗のおかげだ。何が彼らを後世のための計画に駆り立てたのか。おそらく、それは一種の「帝国心理」、ヴィクトリア朝が勝利と永遠の文明として遠く離れた未来まで拡がっていくという、文化的自信によるものではないか。同時に、そこには土木技術者という職業自体に共通する長期志向のメンタリティもあったかもしれない。

今日の技術者は、ヴィクトリア朝の技術者に比べて、ほとんど名声を得ていない。例えば、英仏海峡トンネルの主任技術者や、太陽光発電の先駆的な技術者の名前を知っている人が、どれほどいるだろうか。工学技術のエンジニアは、決して清らかで無害な職業とは言えないかもしれない。下水道システムのような害のないものを設計することもあれば、核弾頭や石油パイプラインの設計に携わることもあったからだ。けれども、彼らの永続するものを建造したいという願望の中に、短期ではなく長期で考える傾向があることには、賞賛すべきものがある。イギリスの土木技術者協会の行動規範には、「すべての会員は、特に健康と安全、そして未来の世代のウェルビーイングに関して、公共の利益を最大限考慮すべきである」とある。[*23] 政治家やビジネスリーダーが同様の誓いを立て、それに対して責任を持つようにすれば良いのではないだろうか。

バザルゲットの下水道から得られる重要な教訓の一つは、長期計画を成功させるためには、元の設計に適応能力、柔軟性、弾力性を組み込むことが必要であるということだ。スチュワート・ブランドは、著書『建物はいかにして学ぶか(How Buildings Learn)』の中で、最も長持ちする建物は、時間と共に新しい状況に適応することによって「学習」できる建物であると指摘している。それはつまり、さまざまな利用者を迎えたり、簡単に拡張や改装、アップグレードしたりできる建物だ。彼は生物学に例えて「生命体が現在の条件に適応すればするほど、未来の未知の状況に対する適応力は低くなる」と述べている。[*24] まさにこれが、ロンドンの下水道が他の模範となった理由だ。バザルゲットは、当時必要とされていた2倍の大きさのトンネルを作ることで、システムに長期的な適応性を組み込んだ。また、最高級の建築資材を使用したことで、1

00年以上にわたって絶えず磨耗し続ける下水道に十分な回復力を与えた。もちろん、私たちはヴィクトリア朝の下水道のような事例だけでなく、嵐の中でも壊れない繊細なクモの巣のような自然現象や、発汗や震えが人間の体温調節を行うやり方からも、回復力について学ぶことができる。[*25] しかし、これらのすべてが、次のような問いを投げかける。どうしたら私たちの政治、経済、社会のシステムに、環境変化や外的衝撃にさらされても硬直して機能不全に陥ることのない、進化的な学習能力を組み込むことができるのか、という問いだ。本書のPART3では、そうしたシステムの現実世界の事例として、変化する地域のニーズに敏感に寄り添う地方分権型の政治制度や、「コスモ・ローカル生産」の融通の利く経済設計など、実際に活動しているものを紹介していく。

ロンドンの下水道システムから得られた重要な教訓は他にもある。長期計画を実際に動かすためには、往々にして緊急を要する危機がきっかけになるということだ。国会議員が「大悪臭」の被害を直接受けなければ、ロンドンの下水道問題は真剣に取り組まれることなく数十年経過し、おそらく何十万もの人々が命を落とすことになっていただろう。実際、歴史を振り返ってみると、長期計画は、特に政治や経済の権力者が影響を受けるような危機的状況の中で生まれることが多い。このことは、カール・マルクスやミルトン・フリードマンにとっては、当然のことだった。これまで、彼らを含む多くの思想家が、システムの根本的な変化は危機の産物であることが常であり、それがゲームのルールを再構築し、古い正統派に挑戦し、新たな可能性を切り開くと、主張してきた。よく知られている例としては、世界恐慌の危機に対応した米国のニューディール政策や、第二次世界大戦中にイギリス政府が導入した食糧とガソリンの配給制度が挙げられるが、これはドイツの侵攻という現実的な脅威があったからこそ実現したものだ。[*26] あるいは、戦争の灰の中から生まれた長期志向の組織の前例のない分野について考えてみると、EU、国際連合、マーシャル・プラン（第二次世界大戦後のヨーロッパ復興計画）、ブレトンウッズ体制（米ドルを中心とする通貨体制）や、イギリス国内では福祉国家政策、公営住宅の大量供給、産業の国有化などが挙げられる。

再生可能エネルギーへの大規模な長期投資や、懲罰的な炭素税など、気候変動のような問題に対して実質的な行動を起こせない理由の一つは、ほとんどの人々（特に欧米諸国において）が、大悪臭や第二次世界大戦のような深刻な危機としてそれを経験していないことにある。影響があまりにも緩やかであるため、温度が徐々にしか上がらない水の中で生きたままゆっくりと茹でられるカエルのように、惑星の熱がゆっくりと上がる中、鍋から飛び出すことができないでいるのだ。ケニアの干ばつや、オーストラリアの山火事など、気候関連の災害が増え続けているにもかかわらず、必要な対応策を人々が真剣に講じるところまで至るには、まだ被害が足りないらしい。人類が目を覚ますためには、ニューヨークや上海がハリケーンで壊滅的な被害を受けて何万人もの死者が出たり、大規模な穀物の不作による食品暴動がヨーロッパの首都を席巻したり、洪水でテムズ川の堤防が決壊してロンドンが水に呑まれ、イギリスの国会議員たちが水没したウエストミンスター宮殿から救命ボートで避難したりといった、政治・経済の有力者たちが影響を受けるような正真正銘の大激変が次から次へと起こることが必要なのかもしれない。

このことは、人々を行動に駆り立てる上で、終末論のビジョンよりも、より良い未来のためのポジティブで楽観的なメッセージのほうが、はるかに効果的であると信じているエコロジー団体の担当者にとっては、がっかりするようなニュースかもしれない。一般の人々が行動を起こすための動機付けには、ポジティブなメッセージが当てはまることもあるだろうが、危機や恐怖に反応しやすい特権階級や権力者の間では、そうとは言い切れない。彼らが急進的な行動をとるのは、失うものがあると感じたときだけだ。

これこそが「大悪臭」の究極の歴史的教訓かもしれない。急進的な長期計画は、危機によって始動する。これは、大聖堂思考ではなく、私が言うところの「下水道思考」の本質だ。時には、危機以外の何物でもないことが、支配的な行為者や組織をその眠りから揺り起こすことがある。これは、グレタ・トゥーンベリのような活動家が間違いなく理解している教訓だ。「私たちの家は燃えている」と、彼女は2019年にスイスのダボスで開催された世界経済フォーラム（ダボス会議）で語った。「私はあなた方の希望が欲しいのではない。パニックになって……そして行動して欲しい」と。[*27] 正真正銘の危機感と緊急感こそが、文明崩壊を招く致命的な夢遊病に対する最も効果的な解毒剤なのかもしれない。

しかし、危機の重要性を認識するためには、大惨事が起こるのをじっと座して待たねばならないというわけではない。長期的なシステム変革のためのロードマップを作成して、来るべき生態系などの破壊に備えることが重要だ。ミルトン・フリードマンが言うように、危機は変化の機会を提供するが、「その危機が発生したときとられる行動は、その場に転がっている観念に左右される」のだ。[*28] 2008年の金融危機の悲劇は、取って代わる経済ビジョンがどこにもはっきりと存在していなかったことだ。世界の金融システムを全面的に見直す機会であったにもかかわらず、各国政府は最終的に銀行を救済し、そもそも危機を引き起こした時代遅れの経済構造を支えてしまった。これは二度と繰り返してはならない過ちである。それに取って代わるべき新しい経済モデルを準備しなければならない。だからこそ、今ここで、長期思考の価値観と実践の種まきを始めることが決定的に重要なのだ。

## ポンプを動かし続ける

プラン（計画）がなければ、人類が存続できるスパン（期間）もない。現代における地球環境やテクノロジーの課題だけでなく、メンタルヘルスケアへの投資不足など、社会政策上の課題にも立ち向かうための、長期計画が緊急に必要だ。ある面、私たちの能力は保証されている。古代エジプト人の時代から、私たちは何十年、何百年も先の未来を見据えて計画を立て、プロジェクトを実行してきたのだ。しかしその一方で、計画というものが、頭をたくさん持つヒドラ（ギリシャ神話中の蛇）のようなものであることを、私たちは見てきてもいる。計画は、悪意を持って誤った方向に向かうこともあり、途方もない環境破壊を引き起こすこともあり、独裁政権の下で繁栄することもあり、そして、きっかけとなる壊滅的な危機がなければ全く実現しないこともある、ということを。

人類の計画の多くは、今日まで、経済発展という完新世（Holocene）の原則によって推進されてきた。私たちが生産するコンクリート、プラスチック、有害物質はすべて、道路、建物、その他の長持ちする近代文明のインフラを提供してくれるかもしれないが、同時に地球を窒息させている。これは人新世（Anthropocene）の試練を切り抜けるために必要な種類の計画とは言い難い。私たちは、批評家ジョン・ラスキンの「永遠に続くかのように建築する」という信条に満足しているかもしれないが、それは必ずしも「子孫が感謝するほどの素晴らしい作品」であるとは言えない。

また、長期計画は、社会として皆で一緒にやるべきものだ。オランダに目を向ければ、市民がポルダー（堤防で守られた低地の干拓地）を８００年以上にわたって共同で管理してきた。国の４分の１は海抜がマイナスの脆弱(ぜいじゃく)な土地で、洪水を避けるために絶えず水を抜き、ポンプで汲み上げなければならない(風車はもともとそのためにあった)。年配者の多くは、2千人以上が犠牲となった1953年の洪水を覚えているし、学童たちは、少なくとも5万人が亡くなった1287年のセントルシアの洪水について学んでいる。オランダ人の記憶に刻まれたこのような歴史的出来事は、浸水のリスクを今にも起こりうるものとしてとらえさせる。危機はすぐそこまで来ているかもしれないのだ。この絶え間ない脅威に対応するため、オランダでは「水管理委員会」と呼ばれる洗練されたシステムが開発され、地方の民主的な組織が何世紀にもわたってポルダーを洪水から防御する仕組みを運営管理してきた。堤防が決壊すれば、みんな一緒に溺れてしまう。それゆえ、オランダ人にはこんな諺(ことわざ)がある。「敵と仲良くしなければならない。なぜなら、彼はあなたのポルダーの近隣にあるポンプを操作する人かもしれないからだ[★29]」

誰もが皆、何らかの形で、お互いのためにポンプを操作している。私たちは相互依存の世界に生きており、一人一人の行動は隣人や遠い国の人々だけでなく、これからやって来る世代にも影響を与えている。もし長く繁栄する未来を望み、大洪水に流されたくないなら、オランダ人のように、一緒にこの地球という家を正しく扱うことを学ばなければならない。そうして初めて、私たちは子孫から感謝されるに値する存在となるだろう。

# 第7章

## 全体論的(ホリスティック)な予測

### 文明社会の長期的な道筋

世界最初のプロの気象予報士は、3千年以上前のナイル川上流にいた古代エジプトの神官だったかもしれない。彼らは毎年春になると、ナイル川の三つの主要な支流が合流する地点の近くに集まり、千マイル下流の農民たちに水を供給してくれる毎年の洪水の規模を予測した。もし水が澄んでいれば、ヴィクトリア湖から流れる「白ナイル」の流れが優勢となり、洪水は穏やかで、作物の収穫量は少なくなる。もし水が濁っていれば、エチオピア高原を源とする「青ナイル」の流れが優勢となり、適量の水が供給されて、豊かな収穫となる可能性が高まる。そして、もしエチオピアの高地から流れ来るアトバラ川の緑褐色の水が優勢であれば、洪水の時期は早まり、水位が恐ろしく高くなって、作物は壊滅するだろう。神官の予測をもとに、ナイル川下流域の農業中心地の役人たちは、穀物の貯蔵、税金の設定、資金の支出など、何が未来に待ち受けて

いるのか感じながら、前もって数カ月先の計画を立てることができた。[★1]

神官たちがどれだけ正確に洪水を予言していたのかは、誰にも分からない。しかし、そこから分かることは、あらゆる人類社会において、未来を予言する司祭職が発達していたことだ。占い師、神託者、占星術師、シャーマン、預言者たちは、星の動き、放った骨の配置、夢の解釈、過去の出来事のパターンなどから、その秘密を探ってきた。現代のこうした神官たちは、予報士、未来学者、流行を予測するトレンド・スポッター、未来予測の専門家など、科学と合理主義のオーラを備えた肩書きになっている。[★2] 彼らはたいてい、ノストラダムスやデルフォイの神託のような特定の出来事を予言する能力を否定して、シナリオや確率について語るのを好むが、（今も昔も）役割は同じだ。どちらも未来の不確実性を手なずけ、どんな景色が先に待っているのかについて、ビジョンをもたらすのだ。

こうした現代の予言者は、一般的に数カ月から数年先までしか見ていない。特にビジネスの世界に関わっている人の場合はなおさらだ。会社の予測も、将来の世代への関心をほとんど示さないことが多い。石油会社が石油の生産量を予測するとき、その視線は、人類がその行為に対して最終的に支払うことになる代償よりも、株価により強く向けられている。それでもなお、予測は紛れもなく価値がある。未来のことを全く予測せずに長期思考を実践することは、想像し難い。予測を怠ると、現在降りかかってくる出来事にしか対処できない、受け身的な短期主義の文化を、ただ助長することになるからだ。夏の山火事であれ、極右ポピュリズムの政治的な火種であれ、文明全体がゆっくりと燃え尽きる様であれ、私たちは差し迫って起こりそうなことに備え、計画を立てる必要がある。

この章では、長期思考のための6つの重要な項目の5つ目として、私が「ホリスティックな予測（全体論的な予測）」と呼んでいるものを紹介する。それは、従来の予測よりもはるかに長い、数十年、数百年にも及ぶ時間軸を示してくれる。また、より広い視野で、従来の予測で主流派となっている組織や企業の狭い意味での利益ではなく、グローバルな規模での人と地球の大局的な展望に焦点を当てていく。それは、短期的に特定の出来事を予測するのではなく、私たちの惑星文明が長期的にたどる可能性のある道筋を幅広く描くものだ。

## ネットワーク化された不確実性の台頭

未来の不確実性は、常に長期予測の障壁となってきた。そのうえ、未来を照らす予測のライトをより先に向ければ向けるほど、可能性と道筋の幅が広がり、不確実性のレベルは掛け算的に増していく。未来学者好みの表現をするなら、「不確実性の円錐」は拡大し続けるのだ。[★3]

しかし、２０００年代に入ってから、私たちは円錐型の未来からネットワーク化された不確実性の新時代へと移行した。なぜ「ネットワーク化」なのかといえば、私たちが直面している出来事やリスクはますます相互依存とグローバル化の度合いを強めており、それが急速な伝染やバタフライ効果（初期条件のわずかな乱れが結果に大きな違いを生む）が起こる可能性を高め、近未来でさえもほとんど読めないものにしているからだ。相互に絡み合った非線形の構造を持つラディカルな不確実性を生み出しているのが、技術革新の加速、情報の流れの速さ、冷戦終結後に高まった地政学的な不安定さ、雇用不安の拡大、金融市場の変動性と相互接続性、ＡＩの予測不能な脅威、バイオ兵器、サイバー犯罪、遺伝子組み換え疾患など、重なり合う様々なネガティブ要因だ。

ネットワーク化された不確実性の兆候は、周囲のあらゆるところに見られる。２００８年の大暴落と、その後のオキュパイ・ムーブメント（ウォール街を占拠する運動）など、グローバルな波及効果を予見した経済学者が何人いただろうか。イギリスのEU離脱やトランプ大統領の誕生について、政治評論家たちはどうだったか。そして、その不確実性はすぐには減少する見込みもない。気象科学者たちは、棚氷の突然の崩壊や種全体の崩壊につながるティッピング・ポイント（転換点）について警告を発している。また、私たちは「ブラック・スワン」と呼ばれる出来事が蔓延するのを目の当たりにしている。ブラック・スワンとは、9・11やグーグルの台頭など、予測が難しく、影響が大きく、専門家が後付けで「私は最初からすべて予見していた」と強弁することしかできない物事のことを指す。[★4]

今、未来が不可知の時代に突入したように見える。イスラエルの歴史学者ユヴァル・ノア・ハラリが示唆するように、1020年には、1050年の世界がどのようなものになるか予測することは比較的容易だったが、2020年には、2050年にどのような世界に暮らしているのかを知ることは、ほとんど不可能であり、いわんやその先をや、だ。[★5]

プロの予測家は、いまだに未来の闇に光を当てることができるという印象を与えたがるが、彼らの正確な予測を行う能力は極めて限定的であるという衝撃的な証拠がある。心理学者フィリップ・テトロックが行った20年にわたる有名な研究では、シンクタンクのブレーンから世界銀行のアナリストまで、284人の予測の「専門家」に、今後10年間に欧州連合（EU）が加盟国の一つを失うかどうかや、10年後の米国の赤字額はどうなるかといった、比較的長期の地政学的・経済的な一連の予測を依頼した。8万2361件の予測を現実世界の結果と照らし合わせた結果、専門家の判断は極めて不正確であるだけでなく、「常に変化なしと予測する」「現在の変化率がこのまま続くと仮定する」といった、最も単純な経験則よりも平均して悪い結果になるという結論に達した。それどころか、テトロックは、予測の正確さが、予測者の知名度や職業的資質のレベルと反比例することを発見した。[*6]

長期予測など、当たる見込みのない無駄でしかないと結論づけるのも、順当といえば順当だ。では、不確実性をそのまま受け入れ、計画をすべて後回しにし、いざ未来に何か起こったときに対処するだけではなぜいけないのか。

それは、歴史にはパターンがあるからだ。もっとも、そうしたパターンをどこで見つけられるのかが問題なのだが。

## S字曲線の知恵

人間はパターンを探し求める生き物だ。アルキメデスの原理、進化論、熱力学の第二法則など、自然界に普遍的な法則を見出そうと努めてきた。同様に、社会的な世界においても、その根底にあるパターンを見つける努力を重ねてきた。アリストテレス、ポリュビオス、イブン・ハルドゥーン、カール・マルクスなどは皆、国家や帝国、階級や経済システムの盛衰を決定づける歴史の周期的なパターンを、自分が発見したと信じていた。今日もパターンの探究は続いており、グーグルとフェイスブックは、私たちがより多くの広告をクリックしたり、より多くのビデオを共有したりする人間の行動の法則を発見するため、ビッグデータを利用している。

しかし、そこには本当に何らかのパターンがあるのだろうか。ネットワーク化された不確実性について知れば知るほど、そのことには懐疑的にならざるをえない。だが、私は懐疑論者に反対する側に立って、過去の人類社会で繰り返し発生し、そして今後もほぼ確実に起こり続けるであろう、一つの重要なパターンに注目したい。実際、そのパターンは長期思考の哲学に不可欠なものなので、グッド・アンセスター、よき祖先になることを志す人は誰もが脳裏に焼き付けておくべきものだ。

それは、シグモイド曲線と呼ばれる有名なS字曲線だ（図参照）。この曲線が、次の大統領選挙で誰が勝つか、株式市場がいつ暴落するか、火星は植民地化できるか、などを教えてくれるわけではない。だがそれよりも、「永遠に成長するものはない」ということ、シンプルでありながら、より深いメッセージを教えてくれるのだ。標準的なバージョンは、ある現象が、まず成長が加速する上昇曲線の「離陸」から始まり、成長率が減速し始める変曲点に到達した後、いよいよ「成熟」の期間に入って横ばいになる。その後、二つ目の変曲点のところで徐々に「衰退」していくのが一般的だ。より極端なバージョンの曲線

## S字曲線：永遠に成長するものはない

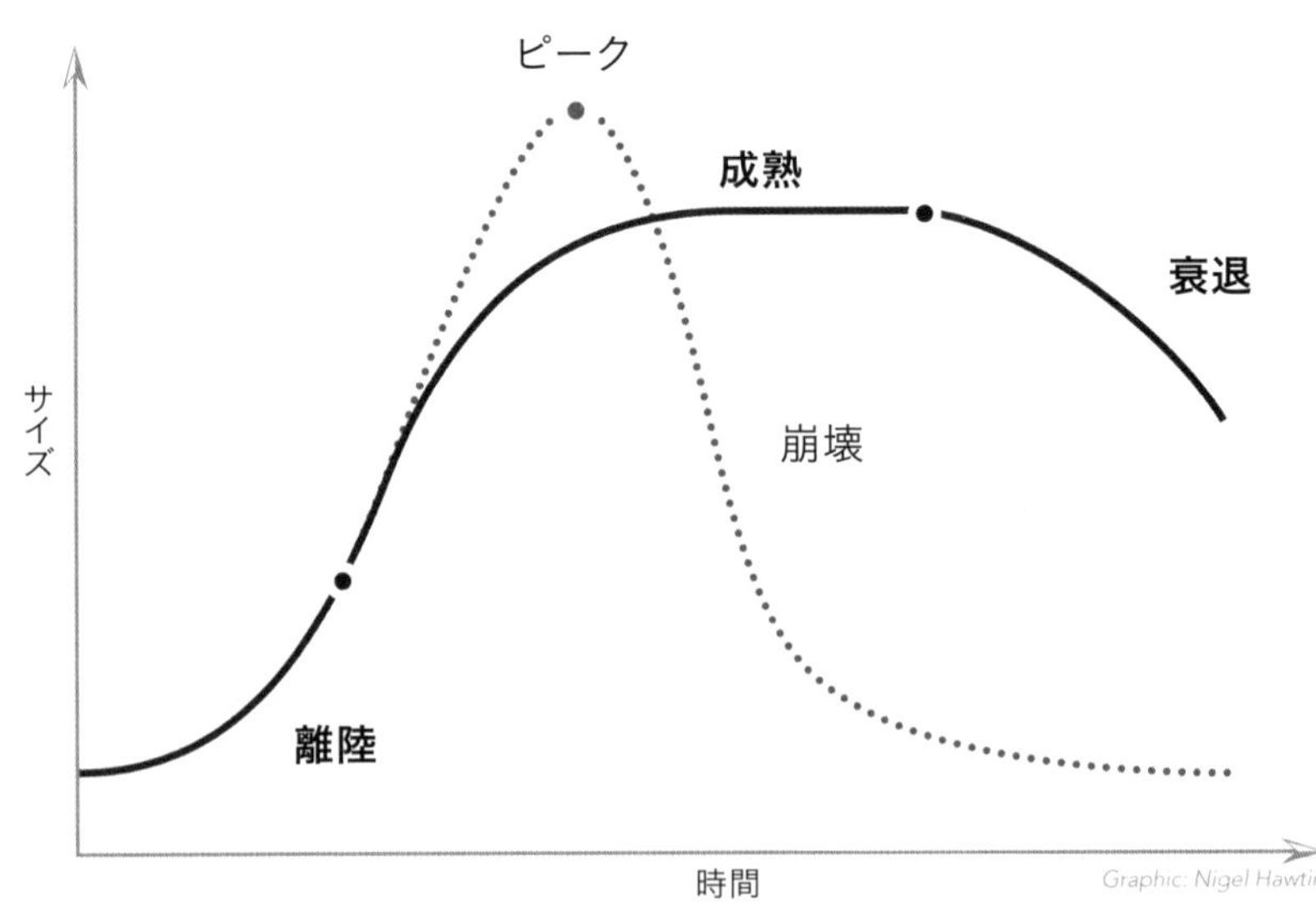

では、急激な上昇トレンドに沿って、鋭いピークに到達した後、崖から落ちるように「崩壊」へと向かう。

S字曲線は、アリの巣の成長やがん細胞の増殖、森の成長や子供の足の発育など、生物界のあらゆるところに見られる。このようなパターンは人間のシステムでも同様に広まっており、帝国や経済、独裁国家や民主主義国家、社会運動やファッションの流行など、これらすべてが最後にはS字曲線の論理の前に屈することになる。成長し、ピークを迎え、衰退する。

この半世紀の間に、S字曲線はその真価を認められ、社会科学と応用科学における最も重要かつ広く受け入れられた洞察の一つとなった。組織行動学の専門家であるチャールズ・ハンディにとって、S字曲線は「人間特有のあらゆることを含む」ものであり、企業、社会組織、政治システムが時間の経過とともにどのように発展していくかを示す本質的な形を表している。[★7] テクノロジー・アナリストのポール・サフォーは「S字曲線を探せ」とアドバイスする。パーソナルロボットから自動運転車まで、新しいテクノロジーの摂取はこのS字の形に沿って進む宿命にあるからだ。[★8]

学者たちはS字曲線を、ローマ帝国のような古代文明の盛衰を説明するためだけでなく、世界の超大国としての米国の衰退など、現代の変化を予測するためにも用いてきた。[★9] システム思考の分野では、1972年にローマクラブから発表された報告書『成長の限界』の著者たちが、S字曲線を分析の中心に据えている。[★10] 最近では、経済学者のケイト・ラワースが、GDPの成長が「宙ぶらりんの指数関数的上昇曲線（緩やかな上昇を続ける曲線）」を描くとする主流派経済学の仮定に対し、実際にはS字曲線の形へと横ばいに収斂していく可能性の方がはるかに高いことを示した。[★11] エネルギーの専門家であるウーゴ・バルディは、ローマの哲学者セネカの「成長は遅いが、破滅は早い」という見解からインスピレーションを得て、「セネカの崖」

という概念を生み出した。金融システムや動物の個体群のような大規模な構造は、歪んだS字曲線に沿って発展する傾向があり、ピークに達した途端、突如崩壊するというのだ。[★12]

S字曲線の最大の提唱者の一人であるジョナス・ソークは、それをこの変化の時代における最も重要な「思考ツール」と表現した。[★13] 1980年代初頭、ソークは、人類の人口の長期的な推移がこの曲線の輪郭に沿っていることに気づき始めた。世界の人口は、過去8千年のほとんどの期間、10億人以下で推移してきたが、1800年頃からの人口爆発で急激にカーブが上昇した後に減速を始め、21世紀末には100~110億人で横ばいになる可能性が高いという(現在の国連の予測とほぼ同じであることに注目)。ソークはこのS字曲線を、最初の変曲点を境に二つに分け、成長初期であるエポックAの社会のあり方から、成長期であるエポックBの社会のあり方への、ラディカルな変容が必要であると考えた。[★14]

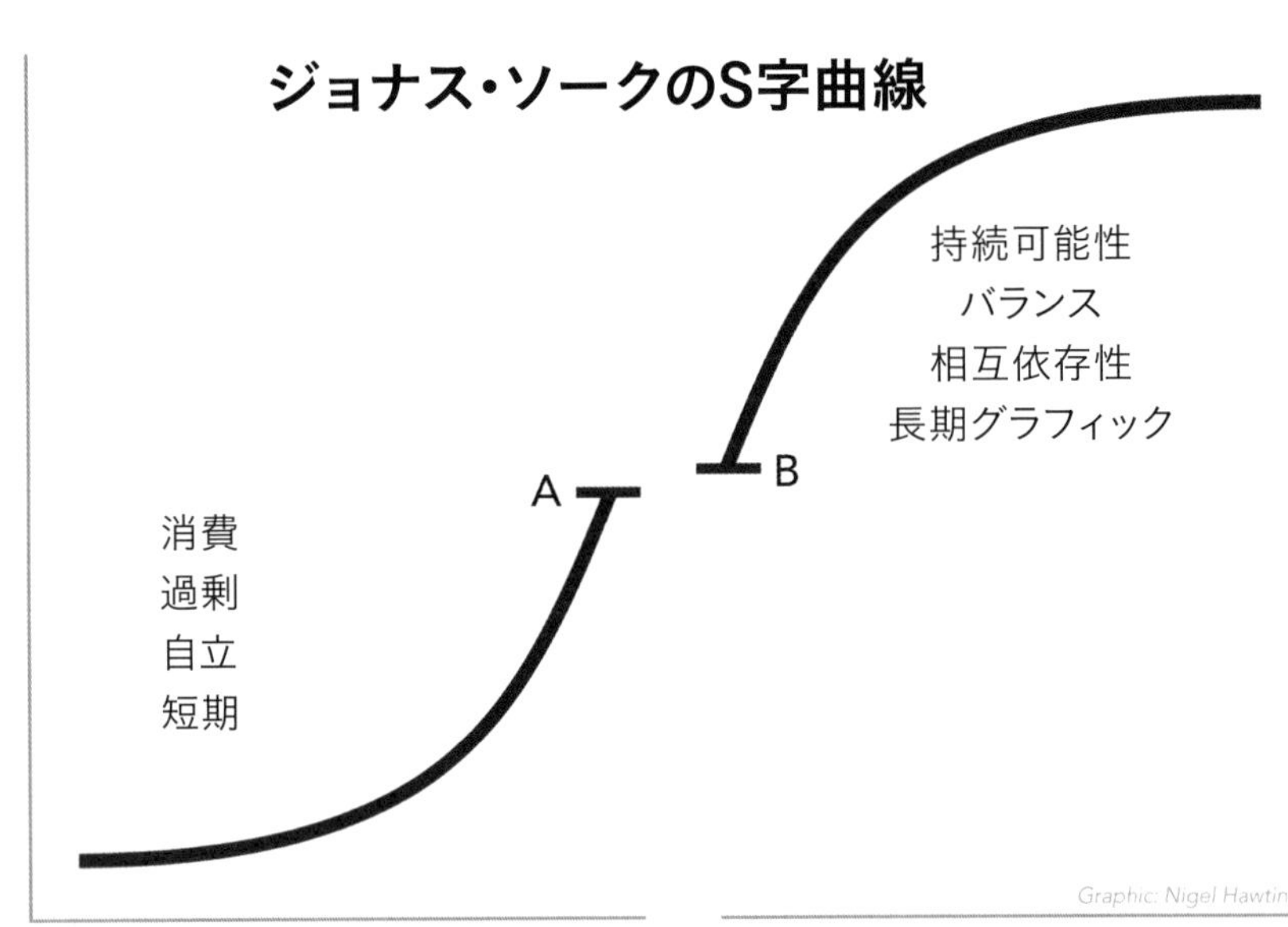


ジョナス・ソークは、21世紀に移行するに当たり、我々の価値観が、この2世紀特に優勢だったエポックAからエポックBのものに置き換えられる必要があると考えた

（図参照）。

エポックAは、成長、資源利用、利用可能なエネルギーにほとんど制限がなく、大量の物質消費、個人主義的な文化、短期思考の支配を特徴とした時代だった。しかし、ソークの見方によれば、世界の人口がそれまでの歴史的水準の10倍に近づいている現在、社会はエポックBに移行しつつある。そこでは、持続可能な資源利用、限界の認識、より高いレベルの社会的協力、より長期的な思考に基づいた、一連の新しい価値観と制度を採用することによってのみ、私たちは生き延びることができる。グッド・アンセスター、よき祖先になりたければ、自分たちがS字曲線の頂点に向かっていることを認識し、ゆえに、エポックAの時代遅れの態度や習慣にしがみつくのではなく、エポックBに適したマインドセットを身につける必要があると、ソークは確信していた。もし、この転換の機会を逃したら、人類の文明は悲惨な崩壊に向かうだろう。[*15]

思考ツールとして発揮するS字曲線の威力の一つは、世に広まる啓蒙主義的文化が前提とする「成長と進歩は無限に続く」という最も根深い仮説に疑問を投げかけることにある。そのような仮説は、例えば、心理学者スティーブン・ピンカーの世界的ベストセラー『21世紀の啓蒙』にも浸透している。この本は、75枚のグラフとともに、過去200年の間に人類が明らかに大きな進歩を遂げてきたことを示す例として、長寿化、公衆衛生の向上、犯罪や暴力の減少、貧困の削減、教育へのより良いアクセス、さらには環境保護の改善などを挙げている。彼の主張の中で、過去の進歩の形についてはある程度の真実性があるとしても（多くの人が彼の環境問題に関する主張に異論を唱えているが）、未来に関してはとりわけ危なっかしい経験的根拠に依っている。[*16]ピンカーは臆することなく楽観主義を貫き、彼の言う「冷厳な事実」から「すでに起こった事は、これからも起こり続ける」というシンプルな真実が導き出されると信じている。言い換えれば、進歩の道は上へ上へと続いていくということだ。彼は、「ロマンティック・グリーン・ムーブメント（現実離れした環境保護運動）」や、気候変動、生物多様性の損失、富の不平等、生物兵器のような技術的リスクの危機を懸念する人々を軽んじ、代わりに地球工学と経済成長の驚異に信頼を置く。彼は、果てしない進歩に対する自身の半ば宗教的な信仰を補強するために、19世紀の歴史家トーマス・マコーリーの「後方に改善しか見えない時、前方には悪化しか期待しないというのは、一体どんな道理に基づくというのか」という言葉さえ引用している。[★17] ピンカーの議論は線形の思考を最も極端に表しており、彼の支持する啓蒙主義的合理主義を斥ける S 字曲線の説得力のある根拠に対し、故意に目をつぶっているという他ない。まるで、風船がいつか破裂することなど知らず、どんどん膨らませ続けられると信じる子供のようだ。

デンマークの古いことわざに「予言することは難しい。特に、未来のことは」というものがある。[★18] 特定の出来事を予測するためのサイエンスとは、実につかみどころのないもののように思われるかもしれないが、S 字曲線は、人間が関わる事柄に繰り返し見られる成長と衰退のパターンを特定することで、私たちの足元をより確かなものにしてくれる。たとえそれが、あらゆる場所で当てはまるわけではなく、曲線が常に滑らかであるわけではないとしてもだ。十分に長く待ってみよう。すると、経済成長、技術革新、人口変化、都市の拡大など、何であれ長期的な歩みを見ていけば、最初は上振れし続けるJ字カーブに見えたものが、やがてS字カーブに変わっていく。S字カーブはそれ自体、具体的にいつ減速や衰退の変曲点に到達するかを教えてくれるわけではないが、それが起こる可能性が高いことを警告してくれる。これによって将来の計画力が高められ、備え、適応し、回復力を蓄え、再発明するための準備が整う。

同時に、S字曲線は、別の道筋を考えるきっかけにもなる。頂点からの崩壊を回避し、もっと穏やかに成熟を迎える方法はないものか。一度始まった衰退のペースを、緩めることはできないのか。持続不可能な道筋から別の曲線へ、すっかり乗り換えてしまうことは可能だろうか。そのような意味で、S字曲線は、経済や社会や日常生活をどのように構成するか、そしてそれを支える価値観や信念がいかにあるべきか、改めて考えるきっかけと動機を与えてくれるのだ。地球文明がたどるべき曲線には、さまざまなものがあるかもしれない。しかし、それがどのようなものであるかを完全に把握したければ、グッド・アンセスター、よき祖先なら思いのままに使いこなすこと間違いなしの思考ツールである「シナリオ・プランニング」の助けを借りる必要があるだろう。

## シナリオ・プランニングの歴史

1948年、ハーマン・カーンという若い物理学者が、アメリカ空軍からの資金提供を受けて設立された新しい研究機関であるランド研究所に就職した。ランド研究所は事実上、政府の防衛政策のシンクタンクとしての役割を担い、ますます過熱する冷戦のための軍事戦略を立案した。[19] ランド研究所は間もなく、ゲーム理論、サイバネティクス、コンピューティングなどの新分野の知見を取り入れた革新的な長期予測技術が生まれる場となり、カーンはその最も輝かしいスターの一人であった。

1950年代、カーンは「シナリオ・プランニング」と呼ばれる手法を開発し始めた。彼は、特定の未来の出来事を予測しようとするよりも、起こりうる一連の妥当なシナリオを複数描いた方が効果的であることに気づいた。1960年に発表した『熱核戦争論』では、彼はこの考え方を用いて、ソ連との核戦争が起きた場合に起こりうるシナリオを探り、物議を醸した。あるシナリオでは、何千万人ものアメリカ人が死亡し、子どもたちが何世代にもわたって先天性の障害を持って生まれ、地球の一部は何千年もの間、人が住めない場所となるという。他のシナリオでは、いくつかの主要都市が破壊されるだけで、放射能による疾病は限定的で、米国経済は数十年以内かそれ以上に早く回復することができるというものもあった。

カーンの著書は、長期思考の視野に立って、核戦争がもたらす壊滅的な結果を浮き彫りにした点で特筆すべきものだが、それ自体、核のボタンを押すことに反対する議論として提示されたものではなかった。カーンは、核戦争は可能なだけでなく、勝てると確信していた。「悲劇的だが識別可能な戦後の国事情」と名付けられた悪名高い表（図参照）の中で、彼は様々なシナリオの下で犠牲になる可能性のある米国民の数と、アメリカの経済復興に必要な期間の長さを列挙している。カーンによって導き出された身

**悲劇的だが識別可能な戦後の国事情**

| 死亡人数 | 経済復興期間 |
| --- | --- |
| 2,000,000 | 1年 |
| 5,000,000 | 2年 |
| 10,000,000 | 5年 |
| 20,000,000 | 10年 |
| 40,000,000 | 20年 |
| 80,000,000 | 50年 |
| 160,000,000 | 100年 |

生存者は亡くなった人を羨むのだろうか？

ハーマン・カーンの著書、『熱核戦争論(On Thermonuclear War)』より、米ソの核戦争によってアメリカに起こる可能性のあるシナリオ

も凍るような結論は、米国が勝利を収めるのであれば、核戦争で最大2千万人の命が失われても「許容できる」というものであった。それは大きな悲劇ではあるけれども、生存者の大半は「普通の幸せな生活」を送ることができるし、「死者を羨む」ほどに苦しむこと、つまり、こんなことなら死んだ方がマシだったと思えるほどに苦しむことはないだろう、というのだ。[20]カーンにとって、当時のアメリカの人口の10％に相当する2千万人の死は、ロシアを倒すために支払う価値のある代償だったのかもしれない。高まりを見せていた反核運動は、即座に彼の著書に「大量殺人に関する道徳の手引き書」の烙印を押した。スタンリー・キューブリックが、１９６４年の核風刺映画『ドクター・ストレンジラブ』でピーター・セラーズ演じるマッド・サイエンティストのモデルの一人としてカーンを起用したのも不思議ではない。カーンは、映画の中に自分の本のセリフがあまりたくさん出てくるので、監督に印税を要求したとも言われている。[21]

　シナリオ・プランニングという手法が軌道に乗ったのは、カーンに続いて、石油会社ロイヤル・ダッチ・シェルのプランニング責任者であるピエール・ワックが見事な成功を収めてからだ。１９７０年代初頭、ワックはカーンのアプローチを一貫性のある方法論に改良した。ワックいわく、その目的は、不確実性の増す世界においては不可能な「正しい予測」をすることではなく、「不確実性を受け入れるために、まずは理解に努め、そして予測を私たちの推論の一部にする」ことだ。[22]起こるべき単一の未来があるのではなく、近い将来に起こる可能性のあるたくさんの未来があるというのだ。ワックは、これらの異なる未来の三つまたは四つを特定することから始めた。そのうち少なくとも一つは通常通りのビジネスであり、もう一つは、確率は低いながらも影響の大きい選択肢だ。そして、それぞれの未来がどのように展開するか、詳細なストーリーを作成した。その目的は、組織がこれらの複数のシナリオに対応できるようにすることであり、例えば、予期される多様で幅広い結末に対して弾力的に対応する方法などが考案された。これは、すでに知られた過去の傾向の線的な延長から未来を仮定しようとする「統計に関する誤った推論」に抗するための手段だった。

ワックが企業戦略家の間で一躍有名になったのは、１９７３年にオイルショックの可能性をシナリオ・プランニングで予見したことによる。彼は、アラブのＯＰＥＣ加盟国が、数十年間比較的安定していた世界の原油価格を大幅に押し上げるために、供給制限を行う可能性があることに気付いた。ワックのアドバイスを受け、ロイヤル・ダッチ・シェルは操業コストを削減するなどして価格上昇の可能性に備えた。その結果、石油危機の嵐を乗り切り、10年後には世界最大級の収益力を持つ企業となったのだ。[23]

シナリオ・プランニングはすぐにビジネス界に旋風を巻き起こした。１９７７年には、米国のフォーチュン1千社のうち約20％の企業が導入し、１９８１年には約50％にまで増加した。[24] シナリオ・プランニングは次第に企業の枠を超えて普及し始め、人口統計学者、行政プランナー、環境活動家、開発ＮＧＯにも導入された。とはいうものの、やはり主にはビジネスツールとして、市場の動向や商機を見極め、財務リスクを軽減することで、企業が競争優位性を獲得するための利用が中心だった。[25]

それが変わったのは、２０００年台に入ってからの気候科学の台頭だ。それは人間の、明日の天気を予測したいという古くからの執着を、全く新しいレベルへと移行させた。１９９２年のリオ地球サミットと１９９７年の京都議定書をきっかけに、50年後、１００年後の気候を予測する研究者が何千人も現れ、シナリオ・プランニングの手法を用いた分析が頻繁に行われるようになった。いくつかの異なる地球温暖化シナリオがもたらす影響が、一般の人々の意識にも浸透し始めた。もし、２１００年までに気温が2度、3度、あるいは6度上昇したら、フロリダやバングラデシュのどの地域が水没するのか。海洋酸性化のレベルの違いによって、2050年までに世界の食糧供給はどれほどの影響を受けるのか。グリーンランドの氷床やシベリアの永久凍土の融解、アマゾンの熱帯雨林の大量枯死など、潜在的な転換点となりうる事象はどのように相互に作用するのか。気候変動に関する政府間パネルの報告書は、「長期」の公の意味を再定義し、企業が考える5年や10年という単位をはるか超えたものとなった。2030年から40年までのシナリオや予測は「短期」とされ、2080年から2100年までのものは「長期」とされた。さらに、海面上昇や大気中の二酸化炭素についてなど、2500年まで拡大して予測を行ったものもあった。[*26]

実質的に、この世代の気象科学者や環境リスク研究者は、シナリオ・プランニングをはじめとする予測手法を市場の支配から救い出すと同時に、人々の想像力を未来の時間へと解き放ったのだ。

地球の未来を考える時間軸を広げることで、人類の長期的な道筋を深く考える心の空間が生まれた。人類の文明の運命は、映画や小説、学術書の題材となった。生態系の危機がもたらす火の嵐や氷の嵐、そして現代のテクノロジーがもたらす無数の脅威を乗り切ることができるのか。それとも、社会の崩壊、さらには絶滅に至る運命なのか。これらの疑問について、S字曲線とシナリオ・プランニングという双子のツールを駆使して、掘り下げていこう。

## 人類文明の三つの道筋

人間社会の将来的な軌道を理解することは、長期思考の中心となる。文明の発展と衰退の可能性についていかなる仮説を持つかによって、立てる計画、作り出す運動、歩むキャリア、さらには子どもを持つかどうかの選択なども影響を受ける。長期的にどのような道筋があり得るのかというイメージを持つことは、未来に向けて私たちが集団的及び個別的な旅をうまく運ぶために、なくてはならない精神的な足場となる。しかし、何十億人もの人々からなる複雑な地球文明の巨大なスケールに存在するこれらの道筋を考えるとき、どこから手をつけたらよいのかを知ることは難しい。

手始めに、過去の文明の運命について私たちがすでに知っていることを見るのが役立つ。文明は生まれ、繁栄し、そして滅びるというS字曲線のロジックに従う傾向があるというのが、歴史的な真実だ。ケンブリッジ大学のリスク研究者であるルーク・ケンプによれば、「その規模や技術段階にかかわらず、文明にとって崩壊は正常な現象かもしれない」という。彼の見解は、3千年間にわたる87の古代文明を対象とした独自の研究に基づいている。ケンプは文明を「農業、複数の都市、継続的な政治構造、軍事的な地域支配を備えた社会」と定義し、また、崩壊を「人口、アイデンティティ、社会経済的な複雑性が急速かつ永続的に失われる段階」と定義した。フェニキア、中国の殷王朝、ローマ帝国、オルメカなどの例を見てきた彼は、古代文明の平均寿命はわずか336年であると結論づけた。[*27]

そもそも、なぜ文明は崩壊するのか。この問題をめぐっては、興味深い学説が出てきている。典型的な事例を挙げると、紀元前3000年頃に現在のイラク南部で台頭したシュメール文明は、高度な灌漑システムと、ウルやウルクのような素晴らしい都市を誇っていた。しかし、紀元前2000年までには大部分が消滅してしまった。それはなぜか。一つの有力な説は、乾燥した土地に大量の水を引く彼らの卓越した農業技術が、土壌に大量の塩分を堆積させることにつながったというものだ。考古学的な記録によると、初期の豊作期の後、この塩害のために小麦や、後には大麦の収穫量が大幅に減少し始めたが、王朝の支配者はほとんど気に留めていなかった。特にアッカド帝国時代には、運河を拡張し、農業生産を強化し、豪華な建造物のプロジェクトに着手した彼らは、贅沢と栄華を極めた生活にふけっていた。しかし、それを維持するためには、地域の生態系が吸収できるキャパシティを大幅に超えた資源利用が必要となってくる。最終的には、コパンのマヤ人のような他の多くの初期文明と同様に、進歩の基盤となっていた自然環境を破壊することによって、文明は崩壊に至った。[★28]

文明崩壊の原因としては、環境悪化が広く知られているが、シュメールの物語はエリートの支配と不平等という、別の説明を示唆している。支配階級のエリートが、自分たちが生み出した問題から身を守ることによって、その問題は掛け算的に拡大し、ついには経済の崩壊や社会の不安定化という形で彼らを追い詰める事になる。

ジョセフ・テインターのように、文明は最終的に自らの複雑性の重みで崩壊すると主張する人類学者もいる。例えば、広大なローマ帝国を管理・統制するには、あまりにもコストが高く、途方もなく巨大な官僚機構と軍事力を必要としたため、もはや自らを維持できない地点を超えてしまったというのだ。また、大干ばつのような大きな気候変動があった場合や、スペイン人による中南米への征服がアステカ帝国にもたらした致命的な暴動や感染症のような、外部からの衝撃によって文明が滅びることがあると指摘する人もいる。イースター島のような物議を醸す事例を前に、論争はますます白熱する。ジャレド・ダイアモンドが強く主張するように、イースター島が滅びたのは森林伐採という環境破壊によるものなのか、それともネズミの侵入や18世紀に到着したヨーロッパ人の影響など、他の理由によるものなのか。[★29]

文明崩壊についての十分に成熟した理論が確立されるのは、まだ先のことかもしれない。その一方で、私たち自身が文明崩壊に向かっているのかという、切実な問題が残されている。16世紀のヨーロッパ資本主義の台頭にまで遡ることができる、高度に相互依存する今日のグローバル化した文明の崩壊が間近に迫っていることを示す証拠は、日に日に増している。[30] 氷原の溶解、壊滅的な山火事、種の消滅、水不足など、時期ははっきりしないが、生態系の発する警告サインはすべて、私たちが地球システムの安定性の限界線を踏み越え、危険な転換点を通過しようとしていることを示している。科学者のウィル・スティーゴンとヨハン・ロックストロームが「ホットハウス・アース（温室化した地球）」と表現するような新時代に向かっているのだ。[31] 同時に、人類の存在に関わるリスクの専門家たちは、ＡＩや合成生物学のような暴走したテクノロジーの脅威がこれまで以上に大きくなり、今世紀中に１００万人単位というメガデス級の生命の損失を引き起こす可能性があると警告している。[32] これだけの証拠があるにもかかわらず、私たちは否定的な立場を取り続けている。ローマ帝国が滅亡したことは知っていても、自分たちが同じような運命をたどるかもしれないという現実を認めることはおろか、想像することもできないのだ。

だが、すべての文明がいずれ滅びる可能性があるからといって、現在の進路が変えられないわけではない。人類の歴史は、直線的な物語などではなく、新しい物語を形作り、シリーズの展開に変化を加えることのできる人物、観念、出来事に満ちた、予測不能なドラマだ。文明の未来の可能性について、私が「崩壊（Breakdown）」「改革（Reform）」「変容（Transformation）」と呼ぶ三つの道筋を考えてみることは有用だろう。それぞれの道筋は、よく知られているS字曲線の輪郭に沿っているが、これらを組み合わせることで、これから直面する可能性のある様々なシナリオを描くことができる。これら三つの道筋は、可能性のある未来を網羅したものではないが、グローバルリスク研究の分野の専門家が認識する主要な道筋を示している。[33]

今後たどる可能性のある道筋の一つは、「崩壊」だ。これは、物質的な進歩という目標に向かって努力を続けるものの、近いうちに社会的な崩壊点に到達してしまう、「お決まりのやり方」の道と言える。生態系やテクノロジーの危機の蔓延に対応できず、文明を崖っぷちに追いやる危険な転換点を越えてしまうのだ。崩壊にはさまざまな形がある。社会の混乱、大規模な飢餓、制度の崩壊（この可能性については次章で取り扱う）といった、新たな暗黒時代になるかもしれないし、グローバルシナリオの専門家ポール・ラスキンが「要塞世界」と表現したように、富裕層は保護された飛び地に退避し、大多数の貧困層はゲートの外で苦しむことになるかもしれない（スーザン・コリンズの小説『ハンガー・ゲーム』のように）。

最も可能性の高い道筋は「改革」だ。これは、世界的な危機には対応するものの、不十分で断片的な仕方で多かれ少なかれカーブを外側に広げるに留まるものだ。あらゆる既存の問題や不平等を抱えたまま、数十年、あるいはそれ以上の期間、現在の文明の道筋を何とか維持するが、やがては変曲点にぶつかり、崩壊シナリオほどではないにしても、曲線を下降させてしまう。比較的安定した時代にいるかのように見え

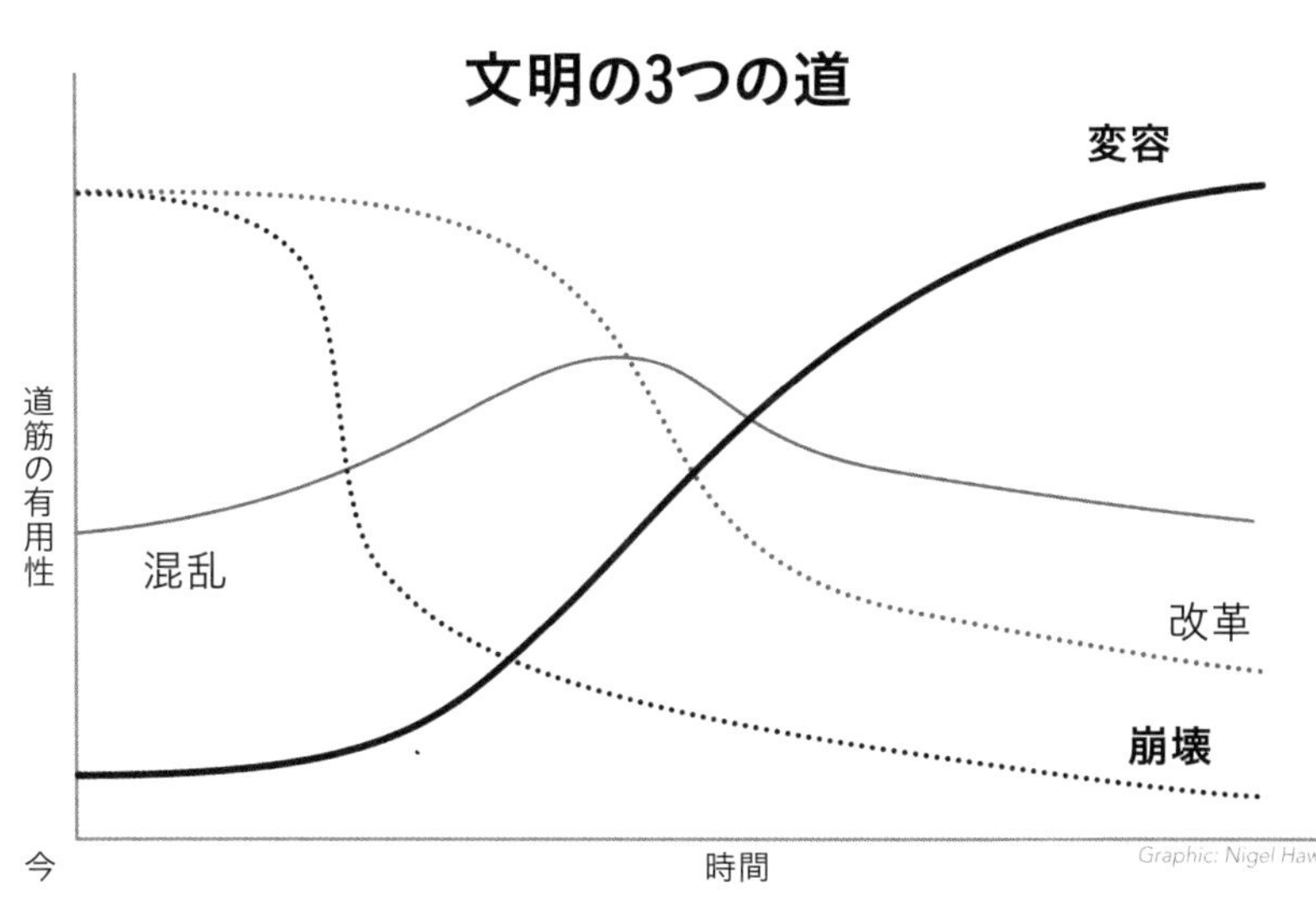

るかもしれないが、長い目で見れば、古いシステムを延命し、終焉を先延ばししているに過ぎない。

これは現在、ほとんどの国の政府、特に経済協力開発機構（ＯＥＣＤ）加盟国が追求している道筋だ。例えば、彼らの気候危機への反応は、「グリーン成長」や「資本主義の再発明」といった改革主義的な考えや、技術的論理的な解決策がすぐそこにあるという信念に信頼を置くことである。

彼らはせっせと不十分な二酸化炭素排出量の削減目標を設定し、国際交渉に臨むが、結果的には強制力のあるメカニズムを欠いた弱い妥協案が提示される。他の国よりも大規模な改革を行う国もあるが、新しい現実に適応するために経済や政治のシステムを大胆に変えようとしない点では共通している。気温上昇が1・5度の場合と比べ、気温上昇が2度にまで達すると、大気汚染だけで1億5千万人もの追加の死者が出るという研究結果があるにもかかわらず、地球の加熱温度を2度までに抑えることが価値ある達成だと考えられているのが、「改革」の道だ。『地球に住めなくなる日』の著者デイビッド・ウォレス・ウェルズは「そのような大きな数字は把握するのが難しいものだが、1億5千万人はホロコースト25回分に相当する」と指摘する。[*34]

第三の道筋である「変容」は、社会を支える価値観や制度の根本的な転換を表している。このような未来の可能性の種は、現在すでに見えている。問題は、この曲線に飛び乗って、新しいシステムが古いものに取って変わる上昇軌道を後押しできるかどうかだ。そのためには、歴史を積極的に自分たちの望む方向に導く必要がある。これは、多くのシナリオ・プランニングが、未来の創造を目指すのではなく、出現する未来に合わせることが多いのとは異なる。このような積極的なアプローチは、自分が望む未来を特定し、そこに到達するために必要となる可能性の高いステップを算出するもので、「バックキャスティング」と呼ばれることもある。

この「変容」の道筋については、さまざまなビジョンがあるだろう。例えば、人類が宇宙を征服し、他の世界を植民地化することで種の寿命を確保するなど、大きな先端技術の進歩によって文明の方向性を変える技術的な道だと予想する人もいる。ポール・ラスキンは、彼が「ニュー・パラダイム」と呼ぶ変容の道を想像し、希望を託している。それはすなわち、世界的な市民運動が起こり、生態系の危機に対処するための惑星レベルの新しい統治システムの構築に貢献するというシナリオだ。「2084年のマンデラ市」の視点から書かれた彼の物語では、2023年から2028年にかけての「全面的な非常事態」という激動の時代を経て、最終的には2048年に「地球連邦」が設立されることになる。[*35] 本書は、私が「長い今の文明」と表現した「変容」の道を志すものだ。その志は、深く埋め込まれた長期思考の精神に基づいて、来るべき世代のために地球上の生命が繁栄するのに必要な環境条件を保護し、促進することにある。そこに待つのは、代議制民主主義と成長依存型経済という古い制度が支配的な地位を失い、新しい政治的、経済的、文化的形態に取って代わられる世界だ。本書のPART3では、そのような世界を探求していく。

これから人類文明がたどる軌道は、破壊的なイノベーションや出来事に影響され、ある曲線から別の曲線に切り替わる機会を得るだろう。それは、ブロックチェーンのような新しいテクノロジー、地震のような自然災害、新しい政治運動の台頭などの形で現れるかもしれない。最近、世界中の学生が気候変動ストライキを行っているのは、そうした出来事の典型的な例だ。可能性としては、こうして世代間の公正のために闘っている「時の反乱者」たちが、既存の支配的なシステムに取り込まれ、政治家が若いデモ隊を壇上に招待しながら、彼らの要求にはリップサービスしかしないということも考えられる。その場合、単に「改革」の道のりを引き延ばし、衰退が始まるまでの時間を長引かせるだけだ。それでもなお、気候変動ストライキの参加者と人類絶滅への抵抗運動の活動家が多くの国で力を合わせているのを目の当たりにしたように、ストライキは「変容」を支持する人々にも同様に受け入れられ、変化のための新たな急進的運動に火をつけるのに役立つだろう。

この三つの道筋は、今後数十年を経る間に、ややこしい混合状態で共存することになりそうだ。「変容」に取り組む都市や組織がある一方で、「改革」を追求する国家や、「崩壊」が直撃するコミュニティもあるだろう。私たちは、個人生活、コミュニティ、職場、あるいは市民にかかわらず、どの文明の道筋をたどるかという選択に直面している。「変容」の道に飛び込むのが長引けば長引くほど、人類社会はS字カーブの下に容赦なく滑り落ち、耐えなければならない苦しみの量は増えていく。グッド・アンセスター、よき祖先は、一目見ればそのシステムが瀕死の状態かどうかがわかる。機能不全に陥った自分たちの文明を次世代に受け継ごうとする代わりに、成長の見込みがある新しい文明の種を蒔くという歴史的な一幕に参加し、将来長きに渡って人々の生活に資する条件を保つのだ。

## 心理歴史学の夢

アイザック・アシモフが1951年に発表したSF小説『ファウンデーション』では、ハリ・セルダンという天才数学者が「心理歴史学」という新しい科学を発明する。セルダンは膨大なデータを分析することで、戦争の勃発から帝国の興亡まで、銀河文明の大まかな未来を予測する方法を発見する。セルダンは、心理歴史学の洞察力を用いて、現在数百万の世界を支配している銀河帝国が衰退の過程にあり、廃墟から新たな帝国が出現するまで3万年は続くと思われる、野蛮な時代に突入していることを悟る。この暗黒時代の出現を止めるには遅すぎるが、賢明な計画を立てれば、その期間を1千年に短縮できる。そこでセルダンは、新しい銀河文明の種を育てるために、銀河系の両端に二つの新しいファウンデーション（基地）を設立するのだ。

心理歴史学は物語だ。しかし、だからといって、人類の未来が不確実性のブラックボックスであるわけではない。全体論的（ホリスティック）な予測によれば、自然界の生と死のサイクルと同じように、時間の経過とともに上昇と下降を繰り返すS字カーブのパターンが明らかになってくる。未来のことを何も知らないと主張することは、容易に無気力の言い訳となり、何もしない「不作為」のイデオロギーになりかねない。起こり得る未来の輪郭については、地球や生命のシステムに関する何千もの科学的研究から明確な知識を得ることができる。生態系の緊急事態の影響は、干ばつや異常気象、何百万人もの人々の食料や水の不安の増大という形で、すでに現実のものとなっている。特に、北半球の富裕国と南半球の発展途上国の両方で、貧困層や周縁化されたコミュニティが最も深刻かつ迅速な打撃を受けている。未来があまりにも現在化している。

この本を書きながら、暗い話題に差し掛かった時、この近視眼的な文明の崩壊を食い止めるには遅すぎるかもしれないと感じながら、私はしばしばアシモフの物語を思い出した。それは、ジョナス・ソークのエポックBのような長期的な意識を反映した、近視眼的で自滅的ではない文明が生まれることを可能にする「変容」の道へと、もしかしたら飛び移ることができるかもしれないという希望を与えてくれるものだった。銀河系の果てではなく、既存の社会の混乱の中で「今、ここ」で、自分たちの土台となるものを作る方法を見つけなければならないのだ。

# 第8章

# 超目標

## 人類を導く北極星

過去2千年の間に哲学思想がもたらした最大の発見の一つは、人間は、人生に目的と方向性を与えてくれる意味のある未来の目標に向かって努力することで成長するということだ。アリストテレスは、一人一人が「良い人生のために目指すべき何らかの目標を持つべきだ。（中略）というのも、何らかの到達点を意識して組み立てられていない人生は、あまりにも愚かだからだ」と断言した。ドイツの哲学者、フリードリヒ・ニーチェは、『何のために』生きるのかが定まっている人間は、『どのように』生きるとしても、たいてい耐えられる」という箴言（しんげん）を残している。アウシュビッツの生存者であり、実存的心理療法の創始者であるヴィクトール・フランクルは、彼が「具体的な任務」と呼ぶ、自己を超越した未来のプロジェクトや理想に身を捧げることで、人間は意味を見出すことができると考えた。[★1]

古代ギリシャ人は、この究極の目標や目的を「テロス」と呼んだ。テロスは、私たちの思考や行動の羅針盤として機能し、可能性の大海から何を選択すべきかを教えてくれる。がんの治療法を見つけること、宗教の原則に従うこと、病気の親の世話をすること、コンサート・ピアニストになることなど、個人としてのテロスはさまざまだ。天文学者のカール・セーガンは、社会全体もまた、彼の言う「長期的な目標と聖なるプロジェクト」へと自分たちを導くためのテロスを持つべきだと主張した。[★2]

このような人類の「超目標」を特定し、その達成のために努力することは、長期思考のための6つの戦略の中で最も基本的なものであり、遠い未来に向かって私たちの行動を導く北極星となる。このことは、政治的な王朝を築くことや、永遠の富を蓄えること、権力や特権を維持することといった利己的な野心に、長期思考が乗っ取られる可能性を考えると、特に重要だ。[★3]「長期思考、それは何のためか」という問いに答えること以上に重要なことはないかもしれない。

この章では、私たちの未来についての国民的な議論の最前線にある、人類にとっての超目標の可能性を5つ取り上げる（次ページ参照）。それぞれに興味の尽きないそれらの多様な超目標は、高度に技術的なものから深い生態学的なものまで、最終的に目指したい世界について、はっきりと区別されたビジョンに基づいている。これらはすべて、強力にモチベーションを与えてくれるものであり、そうした超目標が人類の長期的な幸福を確保するための最良のものであると信じる支持者に支えられている。5つの超目標はいずれも人の心をつかんで放さない質を備えたものだが、それぞれが単に先見性のある刺激的な目標であるだけでなく、私たちをグッド・アンセスター、よき祖先にしてくれるものであるかどうかを見極めることは価値がある。どの目標が、未来の世代の利益を最もよく守るために役立つのだろうか。

## 人類のための超目標

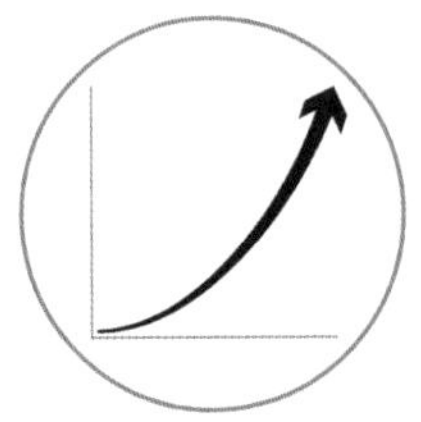

### 永続的な進歩

物質的な改善と終わりのない経済成長を追求する

### ユートピアの夢

政治的・経済的・宗教的な信念に基づいて理想の社会を創る

### テクノ解放運動

異世界を植民地化し、技術を駆使して人体をアップグレードする

### サバイバルモード

文明崩壊に適応し、基本的な人間の生存のためのスキルを開発する

### 一つの惑星の繁栄（ワン・プラネット）

豊かな地球が維持できる範囲内で、現在そして未来のすべての人々のニーズを満たす

Graphic: Nigel Hawtin

## 永続的な進歩――上昇し続ける曲線をさらに上向きに

物質的進歩の追求は、２世紀以上にわたって西洋社会の主要な長期目標となっており、その影響力は徐々に世界中に広がってきた。啓蒙主義の流れを汲むその目的は、日々の生活の質を向上させる継続的な経済発展と近代化を確かなものにすることにある。人類の目的（テロス）として、それは未来に向かって上昇する経済成長の曲線に最もよく表現されている。物質的な進歩が、人類の大部分に恩恵をもたらしてきたことは間違いない。18世紀以降、長寿化、公衆衛生、貧困の削減、教育の一般化、高速輸送、エアコンから携帯電話まで快適な生活をもたらした。アメリカの心理学者スティーブン・ピンカーが言うように、「啓蒙主義はうまくいった」のであり、進歩はその主要な理想の一つであった。[*4] しかし、このような進歩の物語は、長期主義の大志と相反する生来の短期主義によって蝕（むしば）まれている。

人類の進歩は、５万年前の後期旧石器時代に新たな狩猟技術と技法が発明されたことに端を発する。石器時代の祖先は、鋭利な武器と優れた戦略により、１頭のバイソンやマンモスだけでなく、何頭をも閉ざされた谷に追いやって罠にかけたり、崖っぷちに追い込んで仕留めたりできるようになった。それは、ごちそうに今日ありつきたいのであれば賢い方法だが、今後１００シーズン食べ続けたいのであれば、どうだろうか。カラハリ砂漠のサン族やイヌイットのような現代の狩猟採集民は、それぞれの生態系と調和した生き方を身につけているが、先史時代の人々は必ずしもそうではなかった。彼らによる初期の大陸移動の波は、文字通り他の種を狩り尽くして大量絶滅をもたらすことが多かった。考古学者が発見した産業規模の屠殺場では、ある場所では千頭のマンモス、別の場所では10万頭の馬が屠殺されていた。[*5] ヨーロッパではケサイ（更新世寒期のユーラシア大陸に生息した2本の角と長い毛皮を持つサイ）や直立する牙を持つゾウなどの壮大なメガファウナ（大型陸生動物）が急速に姿を消し（ロンドンのトラファルガー広場の地下深くでゾウやカバ、ライオンの遺体が発見されている）、オーストラリアでは巨大なウォンバットやカンガルーが消滅し、北米では巨大なバイソンやビーバーが犠牲となった。気候の変化によって消えた種もあるかもしれないが、現在では、人間が生態系を激しく急襲したことが主因だったという見方が広まっている。歴史学者のロナルド・ライトは、「絶滅の悪臭が世界中のホモ・サピエンスにつきまとっている」と指摘する。動物学者のティム・フラナリーは、もっとはっきりと、私たちの種の強欲さを「フューチャー・イーター（未来喰い獣）」と表現している。[★6]

18世紀の産業資本主義の発展は、進歩の追求を加速させた。[★7] 産業革命と都市化は、工場で汗を流し、鉱山で働くプロレタリアートを生み出し、封建制の名残を一掃した。時を経るにつれ、この新しい資本主義システムの利点は明らかになった。貧富の差が拡大したにもかかわらず、何百万人もの人々が貧困から脱却したのだ。しかし、その代償は莫大なものだった。なぜなら、何百万年もの間、地球に蓄えられていた化石燃料を燃やして動力を得ていたからだ。こうして物質的進歩の追求は、資源を枯渇させ、気候を不安定にし、生物界の生命維持システムに計り知れないダメージを与えるエネルギーシステムの中に、首尾良く組み込まれてしまった。歴史学者のトニー・リグリーは、「産業革命によって解き放たれた力は、未だかつて比肩するものがないほどの恩恵を与えると同時に、かつて知られたことのないほどの規模の被害をもたらす潜在的な力を持っていることが証明された」と結論づけている。[★8]

20世紀後半、産業資本主義に消費者資本主義が加わった。消費者資本主義は、私たちのマシュマロ脳に付け込み、消費者がインスタントな満足を求める短期志向の文化を育んだ。それは、ファストフード産業の台頭から、今日のオンラインショッピングでの即日配達に対する期待値まで、あらゆるものにはっきりと現れていた。それはまた、企業が目先の経済的目標を達成するためならば、空気を汚しても、森林を伐採しても、川を汚しても、ニコチンや砂糖の中毒を起こしても、家計がローンを抱えても構わないという、長期的な結果を顧みない姿勢にも示されていた。

このような消費者主導の進歩は、ＧＤＰの無限の成長を求めることで促進されてきた。経済学者のティム・ジャクソンは、「経済成長の追求は、過去70年間、世界中で最も普及した唯一の政策目標であった」と主張する。[*9] 政治的立場の左右を問わず、各国政府は、どれほど社会や環境にコストがかかっても、それが進歩に関わる唯一の尺度であるかのように、四半期ごとに成長曲線を上向きにし続けることに夢中になっている。

人類の目標である「進歩」への信仰が広まっていることは、実によく理解できる。中世の貧しさに比べれば、過去２００年間にもたらされた物質的な恩恵は並外れたものだ。しかし、今ではそれに伴って生じる巻き添えのダメージを無視することは難しくなっている。地球システム科学者は、これを「大加速（グレート・アクセラレーション）」と呼んでいる。特に１９５０年代以降、ＧＤＰや自動車保有台数などの物質的進歩の指標が上昇すると同時に、二酸化炭素の排出量、種の絶滅、あるいは他の環境劣化のレベルも急速に高まっている[*10]（次ページの図参照）。すべてこれらの急峻な上昇曲線は、進歩の追求がはらむ危険性を象徴している。

子孫がこの継承に感謝するとは考えにくく、むしろ非難する可能性の方が高いだろう。私たちがグッド・アンセスター、よき祖先となり、次の世代にふさわしい世界を創造することを目指すのであれば、永久的な進歩はもはや未来にはそぐわない過去の目標として手放すべき時が来ている。だとすれば、私たちの長期目標はどこに向ければよいのだろうか。

# 大加速

人間の生物界への影響は1950年代以降急速に加速しており、そこが人新世の始まりとされている。

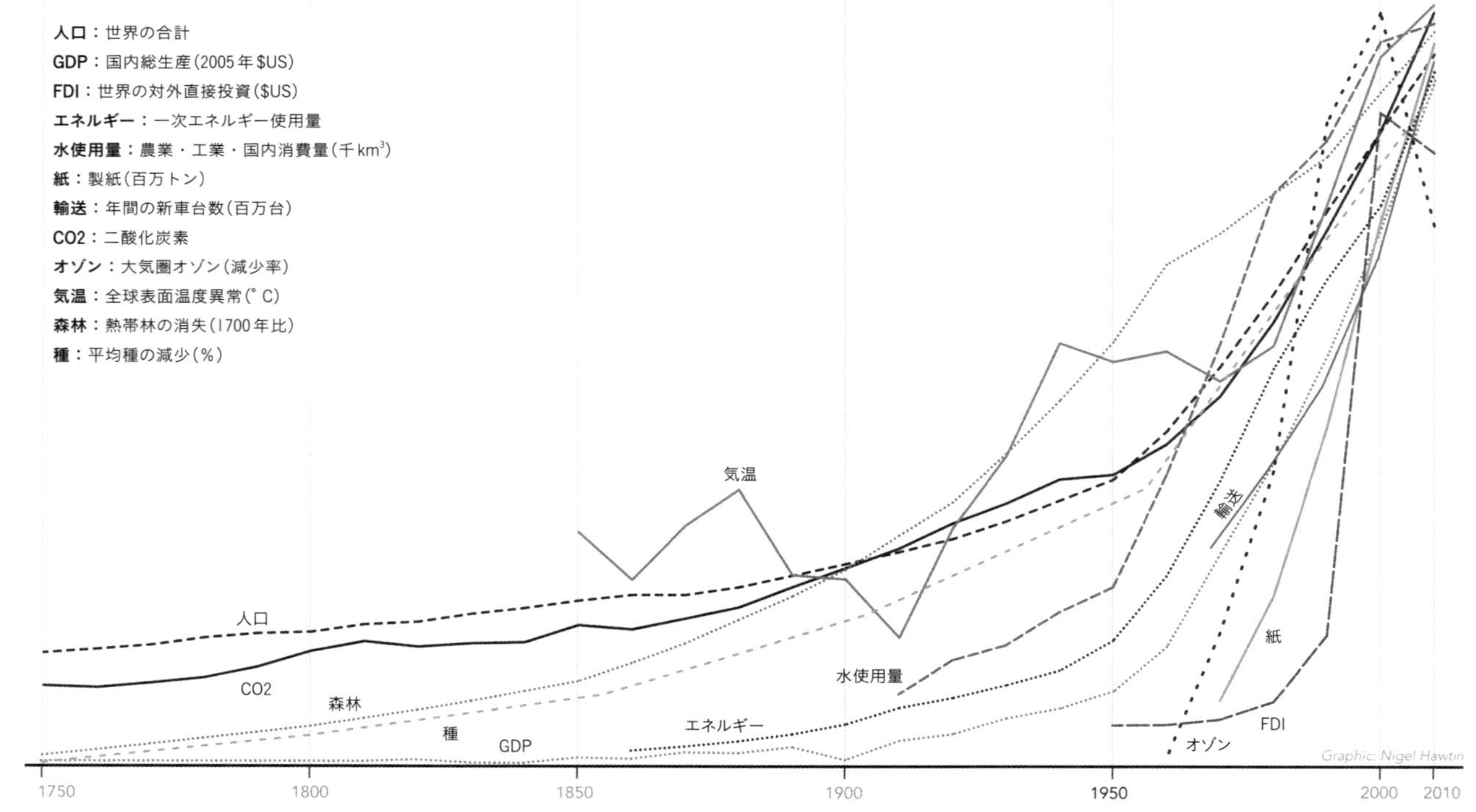

## ユートピアの夢――理想的な社会のビジョン

「ユートピアを含まない世界地図は、一瞥にも値しない」とオスカー・ワイルドは書いている。[*11] ユートピアは、まさにその性質上、長期主義で満たされている。一夜にして達成できるなどという幻想を抱かせることなく、目指すべき理想的な社会のビジョンを提示してくれるからだ。カール・マルクスは、すっかり確立された資本主義システムの前では、労働者の楽園を実現したからといってそれがすぐに勝利というわけではないと知っていたので、彼が影響を与えた革命運動は、より良い社会を築くために何十年もかけて階級闘争を追求した。同様に、モルモン教に代表されるユートピア的な宗教運動も、地上に天国を創る努力を長期的に見て、迫害や偏見にさらされながらも、徐々に信者のコミュニティを構築してきた。

平等、自由、社会正義などの理想に基づいて社会を再構築することに焦点を当てる「ユートピア社会主義」と呼ばれるものは、特に長期的な信頼が高い。歴史的に見ても、ユートピア社会主義は、たとえ極めて不利な状況にあっても、変化を求める運動を鼓舞し、それを維持することに著しく成功している。その時代の思い込みや信念に疑問を投げかけ、努力して追い求める長期的な目標としてより良い世界を描くユートピア的なビジョンがなければ、反奴隷組織も、労働組合も、参政権運動も、反植民地運動も、福祉国家も、存在しなかっただろう。文明評論家のジェレミー・リフキンは「未来のイメージは、西洋文化に存在する唯一の最も強力な社会主義化要因である」と主張する。[*12] だからこそ、マーティン・ルーサー・キング・ジュニアは、「私には夢がある」と宣言したのだ。社会主義的ユートピアは、人間の物語を再構成し、私たちの想像力が向かう新しい道を提供し、未来を根本的に変える希望の灯火となってきた。

これらのユートピア的ビジョンの力強い特徴は、その傾向として、共通の目標や人生の原則に焦点を当て、集団的で協調的な対応を必要とする現代のグローバルな危機に取り組む可能性を与えてくれることだ。しかし、グッド・アンセスター、よき祖先を目指す人ならば注意して欲しいのは、社会的ユートピアが20世紀後半に人類が生態系の崩壊という時代に入る前に策定されたものであるということだ。カール・マルクス、シャルル・フーリエ、ウィリアム・モリス、トマス・モアなどの初期のユートピア思想家たちは、グリーンランドの氷床が溶ける可能性があることを知らなかった。彼らの長期思考では、地球の生命維持システムの脆弱性（ぜいじゃく）が認識されていなかった。19世紀の無政府共産主義者ピョートル・クロポトキンのように、生態系に対する鋭い認識を書き留めた何人かの例外はあるが。

現代のユートピア思想は、時代とともに変化し、人類が直面している長期的な課題をより意識したものになってきている。１９７０年代以降、オルダス・ハクスリーなどの初期の作家に影響を受けたアーシュラ・ル・グウィンやアーネスト・カレンバックなどの作家による「エコトピア」小説（エコトピアは、エコロジーとユートピアからなる造語）が爆発的に売れている。さらに、環境保護の考え方を宗教的な未来像に取り入れている進歩的なユダヤ教のラビ、キリスト教の枢機卿、イスラム教のイマームらがおり、地球は神からの贈り物であって、将来の世代のために保護し保存しなければならないものと考えている。[★13]

既存の社会的テーマと現代のエコロジー的テーマを組み合わせた新しいユートピアニズムの例として、ジョナソン・ポリットの著書『The World We Made（「私たちが作った世界」）』が挙げられる。未来の学校の先生の視点で書かれたこの本は、「崩壊寸前だった世界を、２０５０年の現在の状態にまで回復させた方法を語る」ものだ。この新しい世界は、たくさんの労働者協同組合、週25時間労働、垂直型都市農園、電気飛行機で満たされている。ポリットの独創性は、より持続可能な社会への移行のきっかけとなった「Enough！（もう十分！）」と呼ばれる世界的な社会運動の勃興など、そうした新しい世界を作るために必要な長期にわたる闘争を描いている点にある。[*14] グッド・アンセスター、よき祖先がたどるべきはっきりとした信頼できる長期的な道筋を、目的と手段の両方を含むユートピア的なビジョンで示しているのだ。

人類にとって刺激的な目標を設定し、変革のための運動に活力を与え、力を与えるために、長期思考は常にユートピア的な理想を必要とする。「エクスティンクション・レベリオン」（非暴力の市民運動。地球温暖化に対する政治的な決断を促す）など、現代の危機に焦点を当てた今日の運動は、より良い世界を夢見ることでモチベーションと決意を得てきた社会的闘争の長い歴史の一部だ。ウルグアイのジャーナリスト、エドゥアルド・ガレアーノは、「ユートピアは地平線にある。私が二歩近づくと二歩後退し、私が十歩進むと十歩先に滑ってしまう。どこまで行っても、決して到達できない。では、ユートピアは何のためにあるのか。それは、我々を前進させるためである」と述べている。[*15]

では、私たちがユートピアを目指すにあたり、この世界の刷新を切望するのではなく、別の世界へ逃避することで、未来の世代の長期的な利益が最もよく確保されることは、あり得るだろうか。

## テクノ解放運動——運命は他の星にあるか

テクノロジーに関して、私たちの種は他の追随を許さない輝かしい才能を持ち合わせている。最初の石斧から最新のゲノム解読まで、人類はその進路を劇的に変えてきた。そうしたテクノロジーの可能性に対して、多くの長期思考の思想家たちは、大手企業による個人情報の窃盗やデジタル依存症の問題などを懸念する、世間の懐疑的な見方には理解を示しつつも、最終的な目標はテクノロジーの未来であるべきだと考えている。この長期目標には、「テクノ脱出（エスケープ）」「テクノ分裂（スプリット）」「テクノ修繕（フィックス）」という三つの主な形があり、それぞれ人類を導くための説得力のあるテロスを提供している。

テクノ脱出（エスケープ）は、私たちの種にとって最も魅力的な「超目標」の一つだ。人類の運命は他所の星にあり、地球の束縛から逃れて他の世界を植民地化することを目標にしなければならない、というものだ。その背景には、長期的には、小惑星の衝突、資源の枯渇、あるいは自爆などの理由により、すべての惑星社会が消滅の危機に直面するという議論がある。そうすると、長期的に生き残ることを望む文明は、ロマンティックな熱意からではなく、生き延びるための現実的な理由から、複数の惑星に分散する必要が出てくる。カール・セーガンは、独特の雄弁さでこう述べた。

> 古代中国の神話によれば、月には、不老不死の木が生えていた。不老不死とまではいかなくても、長寿の木は確かに他の世界に生えているようだ。もし我々が異なる星々で暮らしていたら、もし多くの世界に自給自足の人類共同体があったら、我々の種は大惨事から守られるだろう。（中略）もし我々の長期的な生存が危機に瀕しているのであれば、他の世界に進出するという自らの種に対する基本的な責任がある。[★16]

このビジョンは、テクノロジー分野の起業家でスペースX社の創業者であるイーロン・マスクにも共有されている。彼は、火星を植民地化することが人類の次の大きなステップであると信じている（おそらく、彼の会社が所有するロケットで行くことになるだろう）。「私は火星で死にたい。といっても、衝突の衝撃で死ぬのではなく」とマスクは言う。[★17]

テクノ脱出者（エスケーパー）たちが直面する問題の一つは、すべての作業にかかる時間の長さだ。火星は二酸化炭素に包まれた、生命のない、放射線の影響を受けやすい砂漠であり、マイナス１００度の気温にさらされ、地球から3千万マイル以上離れた場所にある。一人の人間が火星に足を踏み入れるには、２０４０年まで待たなければならないかもしれない。また、ほとんどの専門家は、たとえ十分な人数を安全に運ぶことができたとしても、人工的に新しい大気を作り出すこと（「テラフォーミング」と呼ばれる）によって実質的な人類の居住地にするには、数百年から数千年の時間が必要であり、最終的には実現できない可能性もある。[★18]しかし、宇宙植民地化の提唱者たちは、このような長期思考こそが必要だと主張する。もし本当にグッド・アンセスター、よき祖先になることを望むのであれば、火星や他の惑星に定住するという宇宙的な仕事にできるだけ早く着手するべきであると。長い時間がかかるかもしれないが、それが人類種の生存を保証する最善の方法だと彼らは言う。

より深刻な問題は、テクノ脱出（エスケープ）という目標が、深刻な副作用を生む可能性があることだ。他の惑星への脱出に希望を持てば持つほど、私たちの故郷たるこの星を守るために必要な努力が疎（おろそ）かになるだろう。実際、気候変動のような問題に取り組むことは困難に思えるかもしれないが、火星を植民地化することに比べればはるかに簡単だ。マーティン・リースが指摘するように、「南極やエベレストの頂上を含めてさえ、これほど穏やかな環境を提供してくれる場所は、太陽系内に他に存在しない」のだ。[★19]まず優先すべきは、私たちが知る唯一の生命維持可能な惑星の生物物理学的範囲内でいかに生きるかを学ぶことだ。この課題を克服した後は、好きなように火星でのテラフォーミングをすればいい。登山家なら誰もが言うように、危険な登頂に挑戦する前には、ベースキャンプの状態がよく保たれているか、十分な物資があるか、確認しなければならない。翻って、私たちのベースキャンプが整うまでにはまだ長い道のりがある。それまでは、火星への航海は、人類の究極の目標というよりも、イーロン・マスクをはじめとする超リッチな宇宙冒険家たちのエリート・マイノリティ・スポーツと考えるべきだろう。

成長を続ける人間を科学技術によって進化させようというトランスヒューマニスト運動は、「テクノ分裂」と呼ばれる別の長期的な目的を提示している。これは、私たちの種の未来は、テクノロジーを使うことで自分自身をアップグレードし、新しい種類の人間に進化的にジャンプするところにあるという考え方だ。事実上の、生物学的な祖先からの分離である。★20

新しい進化の次元に飛躍するには数世紀かかるかもしれないが、テクノ分裂の提唱者たちは、この変革の種はすでに現れていると指摘している。例えば、体の一部を移植したり、細胞の老化を止めるために遺伝子を操作したりすることにより達成される、医学的進歩の先に彼らが期待するのが、いわゆる「寿命脱出速度」の実現だ。これは、医学研究の進歩により、年を追うごとに人間の平均寿命が1年以上延びるというもので、理論的には（バスにでも轢かれない限り）死を乗り越えて不老不死を実現できることになる。他のトランスヒューマニストは、記憶力やその他の認知機能を高めるインプラントで脳をアップグレードし、「超知性」のレベルに達する日を待ち望んでいる。三つ目は、「全脳エミュレーション」の可能性に賭けるもので、クラウドにアップロードできる脳の人工バージョンを作るというものだ。ひとたび私たちが完全にオンライン化されれば、デジタル化された自分自身を銀河の隅々まで植民したり、宇宙を永劫に旅したりするこ

とが簡単にできるようになる、とマニアたちは主張している。★21

テクノ分裂（スプリット）には頭がくらくらしてくるが、それはサイエンスなのか、サイエンス・フィクションなのか。人工的に強化された人間の登場がすぐそこまで来ていることに疑いの余地はない。すでに多くの人がインターネットに接続されたペースメーカーを装着しているし、色盲のアーティストであるニール・ハービソンは頭にオーディオ・アンテナを埋め込んでいる。しかし、自分自身の電子的な複製を作ることができるという考えは、人間は本質的にコンピュータであり、ソフトウェアである心はハードウェアである生身の身体から切り離すことができるという、誤った類推（アナロジー）に基づいている。★22

何十年にもわたる神経学の研究により、心と体は密接に結びついていることが明らかになっている。例えば、私たちは感覚器官全体を通し

私たちはテクノ分裂（スプリット）の危機に瀕しているのだろうか。「世界初のサイボーグ」として知られる色盲のアーティスト、ニール・ハービソンは、頭蓋骨に埋め込まれたアンテナによって、色を頭の中で音の振動としてとらえることができる。Wi-fi対応、衛星データの受信も可能。

て学習し、感情が身体全体を駆け巡るのを感じる。彫刻家は指先に心を投影する。精神的ストレスは糖尿病を引き起こす。そして、心臓の鼓動と手のひらの汗は私たちが何者か、存在そのものの一部をなす。[★23] 私たちは、空に浮かぶ（クラウドの）大きなサーバーにコピー&ペーストできる情報のビット&バイトではない。また、意識が実際にどのように機能するのか、マイクロチップに埋め込まれた0と1の巧妙な配列から意識が生まれることがあるのかどうかについても、まだ分かっていない。クラウド上にあるものは、本当に「私」なのだろうか。

また、人工的に作られたサイボーグの超人が台頭するのではないかという懸念も高まっている。特に初期の段階では、人工的な強化を受けられるのは富裕層に限られるだろう（現在、脳を冷凍保存してアリゾナ州の倉庫に保管するには約8万ドルかかるが、いつ、どのようにして冷凍解除が可能になるのかは誰にもわからない）。危険なのは、新しい種類の不平等がいずれ出現し、アップグレードされなかった人々を従属的な下層階級として置き去りにする、真のテクノ分裂（スプリット）が発生することだ。歴史学者のユヴァル・ノア・ハラリが主張するように、このような事態がどのように起こるかを本当に理解したいのであれば、19世紀にヨーロッパ人が植民地の人々をどのように扱ったか、あるいは今日私たちが動物をどのように扱っているかを考えるべきだ。[★24] 私たちは本当に、ナチスの「ウンターメンシュ（劣等人種）」イデオロギーをテクノロジーで再現したような世界に、未来の世代を追いやる覚悟があるのか。これでは、グッド・アンセスター、よき祖先と賞賛されるどころか、自分たちの行動がもたらす長期的なリスクをあまりにも考慮していないと言われても仕方ない。

テクノ解放運動の最終形態は、テクノ脱出（エスケープ）やテクノ分裂（スプリット）よりもはるかに見劣りする。テクノ修繕（フィックス）、それは「直面する問題を解決するため、人は常に新しい技術を考案するという信念」と定義できる。都市が混雑してきたら、高層ビルが生まれた。食料が必要になれば、緑の革命が起こった。このように、人間は自らが作り出した生態系の危機から抜け出す方法を自ら見つけ出すことができるというのだ。その最たるものが、炭素回収・貯留（CCS）や、クリーンで健康的な大気のための地球工学といった技術だ。テクノ修繕（フィックス）という考え方は、人類の壮大な長期目標としてしっくりこないかもしれないが、そう感じる裏には、私たちの種の目標として、今までにすでに行っていることなら何であれ、これからもやり続けるに違いないという考えがある。言い換えれば、自ら招く環境問題を解決する技術的な解決法（ソリューション）は現れるのだから、現代のような物質主義的な消費社会を遠い未来まで維持できるのだ、ということになる。

　このような楽観主義が正当化されるだろうか。地球工学を考えてみよう。化石燃料の燃焼による加熱効果と相殺（そうさい）する地球冷却効果を生み出すことを期待して、光を反射する硫酸エアロゾルを成層圏に散布する。この解決策は、惑星規模でテストすることができないため、何十億もの人々が食糧生産に利用している季節毎のモンスーンによる雨を妨げるなど、予測できない甚大で不可逆的な副作用が生じる可能性がある。さらに、地球工学は政治的にも複雑で、気温を合意されたレベルに保ち、技術を数年間だけでなく、戦争や飢饉など未来に何が起きても永続的に機能させるために、前例のない世界的な調整が必要になる。[*25] 地球工学はうまくいくかもしれないが、何世代にもわたって巨大な賭けを押し付けることになる可能性もある。

　この賭けは、「ある活動が人の健康や環境に害を及ぼす恐れがある場合、因果関係が科学的に完全には確立されていなくても、予防措置を講じるべきである」という、環境政策の基本的な考え方である予防原則に抵触する。[*26] これはまさに、古代医療の原則である「まず、害を与えないこと」を、より高度な言い方で表現したものだ。私たちは個人としては、がんそのもので死ぬよりも早く死ぬリスクのある新しいがん治療を選ぶかもしれない。しかし、地球の健康を回復するために、同じようなリスクのある治療法を、現在と未来の何十億人もの人々に課す権利があるのだろうか。[★27]

テクノロジーは、私たちの想像力を何百年、何千年も先に進めてくれるような、人類のビジョンとなる目標を提供する。しかし、経済歴史学者のカルロタ・ペレスが指摘するように、「テクノロジーは選択肢を提供するが、社会は未来を選択する」のだ。優先しなければならないのは、どの選択肢が未来の世代のウェルビーイングに最も役立ち、彼らの生命や暮らしを脅かすことがないか、賢明な選択をすることだ。

## サバイバルモード——文明破壊に備える

人類にとって四つ目の重要な目標である「サバイバルモード」を提唱する人たちにとってみれば、永続的な進歩、ユートピア社会、テクノ解放運動といった理想は、空想に過ぎない。彼らによれば、あまりにも長い間、地球の運命を否定してきたため、慣れ親しんできた文明の崩壊はもはや避けられない。人類が最終的に生き残るためには、サバイバルのための基礎的なスキルを身につけて、最悪の事態に備える必要がある。私たちは、そうした現実に向き合わなければならないというのだ。

この考え方の大前提は、地球環境の危機は、私たちが承認に合意できる範囲よりもはるかに深刻であるということだ。気候変動に関する政府間パネルなどの組織は、コンセンサスを得る必要があるため、危機の程度をシステム的に過小評価している。すべての指標が今後数十年以内に世界的に深刻な食糧・水不足に直面することを示唆しており、生態系は崩壊の危機に瀕している（実際に、サンゴの白化や昆虫たちの絶滅危惧など、すでに起こっている）。温室効果ガスの削減については、１９９０年代初頭から本格的な進展がなく、このパターンが変わるとは考えられない。そのため、国際的な目標である1・5度の温暖化を抑えることはできず、実際には少なくとも3〜4度という破滅的なレベルに向かっているのだ。持続可能性の研究者であるジェム・ベンデルは、私たちの文明は、おそらく今後10年から20年以内に「気候変動による近い将来の崩壊」が避けられず、「現在の人々が生きている間に地球環境の大惨事を回避するには遅すぎる。（中略）破壊的で制御不可能なレベルの気候変動が起こり、飢餓、破壊、移住、病気、戦争をもたらすことになるだろう」と主張している。気候哲学者のロイ・スクラントンは、さらに端的にこう述べている。「もうダメだ。残された問題は、どれくらい早いか、どれくらいひどいかだ[*28]」。

「サバイバルモード」の信奉者の中には、コーマック・マッカーシーの小説『ザ・ロード』に登場する暴力的で無慈悲な、大破局後の終末世界のような未来を思い描いている人もいる。この17世紀イギリスの哲学者ホッブズ的な自然状態においては、人生は孤独で、貧しく、意地悪で、残忍で、短いものだ。彼らにとっては、銃を持ち、高台に向かい、橋を遮って道を分断することが、最良の戦略となる。さすがにそのような行動はあまりにも個人主義的過ぎるとはいえ、ベンデルが「深い適応」と表現するものによれば、来るべき崩壊の広範囲にわたる影響に備えるため、私たちは直ちに協力し始めるべきだということになる。ベンデルが提案する行動は、水没する海岸線から人口を撤退させること、技術不全や社会混乱によってメルトダウンする可能性のある原子力施設を閉鎖すること、コミュニティレベルでの食糧生産を増やすこと、そして、「飢え死にする前に暴力で殺されそうな恐怖」が現実化しかねない「気候の悲劇」に対して心の準備をすること、などだ[*29]。

生態系の危機は、多くの人が考えているよりも激しく、速く襲いかかる可能性が高いと思われる一方、だからといって、文明の崩壊が「必定」であると言えるだろうか。人間社会は予測不可能で複雑な非線形システムであり、あらかじめ必ず定まった道筋などは何一つない。キリスト教の興隆、インドからの仏教の伝播（でんぱ）、黒死病で人口の3分の1を失ったヨーロッパの経済復興、ルネッサンス期のヒューマニズムの誕生、多軸紡績機の社会的影響、19世紀以降の人類の寿命の伸長、アパルトヘイト撤廃や東欧における国家社会主義の終焉（しゅうえん）、インターネットの発展などを、誰が予想できただろうか。気候変動によって、何億人もの人々が餓死し、国際貿易が崩壊し、複数の破綻国家が生まれ、内戦が勃発し、信頼やその他の社会的規範が組織的に崩壊するという事態に直面する可能性は十分にある。しかし、そうした文明崩壊が起こらない可能性もあるし、少なくとも「サバイバルモード」の信奉者が主張するような規模ではないかもしれない。[30] これまで、惑星レベルの生態系の危機に見舞われたことはないため、それが過去1万年にわたって発展してきた広大な網のような人類機構全体にどのような影響を与えるかはわからない。

しかし、人間は危機に対して非常に効果的に対応できることがわかっている。第二次世界大戦では、アメリカと旧ソ連が同盟を組んでドイツに対抗したし、ハリケーン・カトリーナや9・11などの大惨事に見舞われた地域社会では、驚異的な社会的協力が生まれた。レベッカ・ソルニットは著書『災害ユートピア』の中で、「災害になると、利己的でパニック状態に陥る、あるいは逆に凶暴化するという人間のイメージは、ほとんど真実ではない」と書いている。むしろ「災害時の一般的な人間の性質は、回復力があり、機知に富み、寛大で、共感でき、勇敢」なのだ。[31] ゲームオーバーを宣言するにはまだ早い。私たちは、文明崩壊の見通しについて不可知論者である必要がある。つまり、起こるかもしれないという現実的な覚悟を持ちつつ、起こらないかもしれないという可能性にも心を開いておくということだ。もしその可能性が存在するなら、行動を起こさず将来の世代に背を向けることは、道徳的に許されない。災害を回避し、文明が変容を遂げる道筋に飛び移るチャンスがまだあるのに、もしあきらめることを選んだら、将来世代の彼らは決して私たちを許さないだろう。

崩壊は必定であるという考えは、経験的に証明されていないだけでなく、運命論的な惰性と無関心を助長する。文化思想家のジェレミー・レントは、「人々の関心を、構造的な政治的・経済的変化に向けるのではなく、破滅への準備に向けることによって、ベンデルのいう「深い適応」は社会変革への努力を弱めて崩壊のリスクを増大させ、その予言が自己達成的に実現されてしまう恐れがある」と述べている。[*32] 誰かから「失敗するに違いない」と言われ、自分の心の中でもそれを繰り返し再生していると、一般的にそのような結果になる可能性が高まる。「崩壊は必定である」というフレーミングは、人に行動を促すラディカルな希望ではなく、人を受け身にさせる絶望のフィードバック・ループ（フィードバックを繰り返すことで結果が増幅されていくこと）を生み出す。「もし我々が破滅の運命にあると思えば、我々は間違いなく破滅する」と、「エクスティンクション・レベリオン」の主要人物の一人である哲学者のルパート・リードは記している。だからこそ「我々は軌道修正が大いに『可能』であると確信する必要がある」のだ。[*33]

サバイバルモードとは、気候危機の否定を他の形の否定、つまり、変化が起こりうることや、行動を起こせば人類文明の運命を大きく変えうることの否定に置き換えたものだ。今は、誤った楽観主義に陥る時ではない。集団的な努力、断固たる意志、そして刺激的なビジョンによって、人類は長期的視野で考え、行動し、歴史の輪郭を再構成しうるのだと、認識すべき時だ。

## 一つの惑星の繁栄（ワン・プラネット）——自然界の境界内で生きる

この半世紀の間に、持続可能性科学、システムデザイン、エコロジー思想などの分野から、人類にとって5つ目の長期目標が生まれた。これは、「一つの惑星の繁栄（ワン・プラネット）」という概念に集約される。これは、地球が一つの生態系として元気に繁栄し続けられる資源の中で、現在と未来のすべての人々のニーズを満たすという考え方だ。実行面では、自然界の生命維持システムの範囲内で生活するということは、地球が自然に再生できる以上の資源を使用しないこと（例えば、木の再生スピードを超えるペースで木材を伐採しないこと）や、地球が自然に吸収できる以上の廃棄物を発生させたりしないこと（例えば、海などの二酸化炭素吸収源が賄（まかな）える以上のスピードで化石燃料を燃焼させないこと）が必要となる。言い換えれば、今後何百年も何千年も先までバランスをとりながら繁栄していくということだ。

これは紛れもなく野心的な目的（テロス）であると同時に、すぐに測定可能なものでもある。現在、地球が1年間に再生・吸収できる量のおよそ2倍の割合で天然資源が使われている。カレンダーの1年間で考えれば、1月1日から数えて7月29日を過ぎる頃、つまりわずか7カ月後には、森林伐採、生物多様性の喪失、土壌浸食、大気中の二酸化炭素の蓄積などにより、地球の生態系キャパシティを超えることになるのだ。[★34] 最終的には、地球の使いすぎ状態を警告する「アース・オーバーシュート・デー」として知られているその日付を1年の真ん中から12月31日に戻す必要がある。そうすれば、私たちはこの一つの惑星（ワン・プラネット）の中で真の意味で繁栄し、自分たちと同じように未来の世代が生存のために必要とする生態系を、これ以上破壊することはなくなる。

この理念を最も豊かに表現しているのが、生物学者でバイオミミクリー（自然、生物の仕組みを学習や技術に活かそうとする考え）のデザイナーのジャニン・ベニュスの作品だ。彼女によれば、自然界によってなされてきた38億年に及ぶ研究開発の取り組みから、私たちは長期的に生き残るための教訓を得るべきだという。

求める答え、つまり持続可能な世界への秘訣は、文字通り我々の周りにある。もし、人生の天才を真に模倣することを選択したなら、見える未来は、美しさと豊かさ、そして確実に後悔の少ないものになるだろう。自然界では、成功の定義は「生命の継続」だ。自分が生きていて、自分の子孫が生きていること。それが成功。しかし、それは今の世代の子孫ではない。成功とは、自分の子孫を1万世代以上にわたって存続させることだ。そこで出てくる難問は、1万世代後の子孫の面倒を見ようといっても、その時にはすでに自分は存在していないということ。そこで生物は、自分の子孫の面倒を見てくれるであろう、場所の面倒を見ることを学んだのだ。生命は、生命にとって助けとなる良い環境を作ることを学んできた。これがまさに魔法の核心であり、今の我々にとってのデザインブリーフ（設計指針）でもある。我々はその方法を学ばなければならない。[*35]

この一節は、長期思考へと導くユニークな洞察を与えてくれる。それは、長期思考は、時間の領域から外へ一歩踏み出すことによって深められること、そして、それは時間を再考することと同じくらい場所を大切にすることに関わる、ということだ。人類種を含め、どの種もその寿命を延ばすためには、その種が組み込まれている生態系に完全に適応し、それを維持することがベストだ。それは、川や土、木、花粉媒介者、そして呼吸する空気を大切にすることを意味する。それはつまり、私たちの進化を可能にした、生命の網の入り組んだ関係性を尊重することだ。自然界の生態系キャパシティを超えてしまうと、自分たちの子孫を育くんでくれる場所を自分たちで育むという任務が果たせなくなる。[36]

簡単に言えば、何千世代にもわたって生き残り、繁栄していきたいのであれば、巣を汚すな、ということだ。

にもかかわらず、人類が最初の道具を作って以来、ものを蓄積することに固執するようになって以来、そして、「もう十分」と言う能力を失い、物質的進歩を求めた「大加速」の危険な上昇カーブに捉われた種族になって以来、ずっとし続けてきたのが、まさに巣を汚すことだった。

「一つの惑星の繁栄（ワン・プラネット）」という目標は、人間は自然から切り離された存在ではなく、生きている地球全体の中で相互に依存し合っている存在であるという認識が広まることによって、強化されてきた。このような全体論的な考え方は、母なる大地への崇拝や、7世代の原則などの慣習に見られるように、先住民族の文化に顕著だ。しかし、それは西洋の考え方にも取り入れられつつある。２０１１年、ロン・ギャランは国際宇宙ステーションで半年間の生活を送った。彼は科学実験や技術的な修理などの過酷なスケジュールの中で、時々、眼下にある「壊れやすいオアシス」を見つめる機会があった。

長期滞在型の宇宙飛行の面白いところは、数週間から数カ月の間に地球が変化していく様子を見られることだ。氷の砕ける様子や、季節の変わる様子。そのような視点からしばらく眺めていると、人間というものは、この宇宙の暗闇の中に浮かんだ、生きて呼吸する生命体に乗って、ただ銀河を駆け抜けているだけなのだと実感できる。[37]

宇宙から地球を観察した他の人々も同様の直感を得ており、それが「オーバービュー効果」として知られるようになった。突然、地球が一つの生命システムであることを理解し、この希少で壊れやすい有機的な全体性を敬い保護すべきであり、人間は相互に結びついた生命の網の中の小さな一部分に過ぎないという考えに至るのだ。1968年、アポロ8号の宇宙船から撮影された地球の部分的な画像「アースライズ（月から見た『地球の出』）」を初めて見たとき、そして1972年、アポロ17号の宇宙飛行士が「ザ・ブルー・マーブル」と呼ばれる地球全体の写真を送り返してきたときに、多くの人がこのオーバービュー効果を体験した。その写真はすぐに環境保護運動の象徴となった。このような全体論的な視点は、1970年代に登場したジェームズ・ラブロックとリン・マーギュリスの「ガイア理論」にも表れている。これは、地球が自己調整機能を持つ生命体のように機能しているというものだ。ブライアン・イーノが「ロング・ナウ（長い今）」に併せて考案した姉妹概念の「ビッグ・ヒア（大きなここ）」と呼ばれる感覚が、ここ数十年の間に徐々に育ってきている。[*38]「ビッグ・ヒア」は、未来に対する私たちの責任がどこにあるのかという空間的な領域を拡大し、自分の家や隣人、国よりも大きな「ここ」を包含するものだ。それは、地球そのものの大きさを持つ「ここ」である。

一つの惑星（ワン・プラネット）の繁栄という超越的な目標は、私たちに、惑星全体との共生関係を認識し、その自然の限界と容量を尊重することを求める。また、それは、私たちの目を「時間」ではなく、種の永続を確かなものにする鍵となる「場所」へと向けさせてくれる。一つの惑星（ワン・プラネット）の繁栄は、先に述べた他の形態の目的（テロス）とは異なり、40億年近い進化の過程での学びや知恵を駆使して、生命そのものの可能性を何世代にもわたって守ることに本質的に関わる。それは、「地球というベースキャンプ」を守ることであり、私たちの子孫が生きられるように進化してきた唯一無二の惑星で、生存可能な未来を確かなものにすることだ。それこそが、グッド・アンセスター、よき祖先になる道のりの中でも、最もよく私たちを導いてくれる長期目標と考えられるゆえんである。

生物界を人類の羅針盤として機能させよう。モヒカン族の「地球よ、ありがとう。あなたは道を知っている」という祝福の言葉に表現されているように。[*39]

私たちは今、旅の転換点に立っている。ここまで来て、今、私たちのどんぐり脳は、長期思考に必要な認知スキルを身につけて、正真正銘、しっかりとスイッチが入ったはずだ。心は広大なディープタイムを旅してきたし、遺産を求めて死の境界を越えてきた。また、世代間の公正という原則にもしっかりと根ざし、大聖堂思考に触発されて、全体論的（ホリスティック）な予測のS字曲線を発見した。そして、一つの惑星（ワン・プラネット）の繁栄を導く目的（テロス）を得た。それは、特定の政府や経済の形を示す詳細な青写真ではなく、長期思考が未来の世代の利益に向けられていることを確かなものにするための北極星となる。さあ、観念を行動に移すための次のステップを踏み出すための、心身の準備は整った。人類を新たな文明の道へ送り出す野心を抱いて、長期思考の6つの方法を実践している、時の反乱者たちに会う時が来たようだ。

# PART 3

# 時の反乱者たち

# 第9章

# ディープ・デモクラシー

## 近視眼的な政治への対抗手段はあるか

観念には世界を変える力があると言っても、真価が発揮されるのはそれが実践されたときだけだ。以下の章では、活動家、オーガナイザー、学者、政策立案者、学生などの人々のネットワークが、政治、経済、文化の3つの領域で、長期思考の6つの方法を広めることにいかに情熱を注いでいるかを明らかにしていく。時の反乱者たちは手ごわい障壁に直面し、勝利を確信するには未だほど遠いといえども、未来を脱植民地化し、歴史の輪郭を再構築することを決意している。

想像してみてほしい。もし、明日の世代が今日の政治議論に自分たちの声を届けることができたとしたら。もし、彼らの未来が、近代の短期主義が支配する政治に踏みにじられることなく、その利益を代表し得る方法があったとしたら。もし、「デモ」（古代ギリシャ語で「人民」の意）の境界が、現在、投票権をもたない若者のみならず、これから生まれてくる多くのまだ見ぬ市民をも含むことができたとしたら。

メディアでは報道されていないかもしれないが、まさにこのような意図を持った静かな革命が起きつつある。それを主導するのが、時の反乱者たちの先駆的な世代だ。彼らは、私が「ディープ・デモクラシー」と呼ぶ、新しい政治モデルを作る急進的なプロジェクトに乗り出した。その大きな狙いは、民主主義（デモクラシー）の統治の時間軸を延長し、選挙や世論調査、24時間365日のニュースの渦に巻き込まれている近視眼的な政治家たちから、民主主義を救うことだ。

ちょうど、ディープタイムという考え方が、私たちの時間的な想像力を、宇宙大にまで広げてくれるように、ディープデモクラシーは、私たちの政治的な想像力を、政府の心臓部に巣食う近視眼性を超えて広げてくれる。そのために、PART2で取り上げた、世代間の公正、大聖堂思考、第7世代の原則、一つの惑星（ワン・プラネット）の繁栄、超目標などの、長期志向の理念を利用していく。

民主主義を再発明しようとする先駆け的な反乱ムーブメントは、まだ正式な名称もなく、断片的なままだが、世界中で急速に勢いを増している。この運動の見通しを完全に把握するためには、いくつかの問いに答える必要がある。政治的近視眼の根本的な原因は何か。長期的な課題に対処するために民主主義が最適なシステムなのか、それとも権威主義的なシステムのほうがより効果的な選択肢なのか。また、強力な反対勢力に直面しながらも、時の反乱者たちはどのようにしてディープ・デモクラシーを実践しているのか。

この民主主義革命の到来を予期している人はほとんどいない。しかし、1989年にベルリンの壁を崩壊させた抗議活動のように、歴史の進歩的な力が一直線に並び、長期視点の政治の新時代の到来を阻んでいる壁を打ち破る可能性は、少ないながらも間違いなくある。

## 政治の現代中心主義——未来の世代はいかに民主的な政策から排除されているか

１７３９年、デイヴィッド・ヒュームは「市民政府の起源は、人が、遠いものよりも現前のものを好むような心の狭さを、自らにおいても他者においても根本的に治すことができないことにある」と書いた。[★1] このスコットランドの哲学者は、選挙で選ばれた代表者や議会での議論といった政府の制度が必要なのは、人間の衝動的で利己的な欲望を抑え、社会の長期的な利益と福祉を増進するためであると確信していた。もしそうであったならばよかったのだが、現実はそうではなかった。

今日では、ヒュームの見解は希望的観測に過ぎないように見える。というのも、政治家や政治システムそのものが、短期主義の治療薬どころか蔓延の原因となっていることが、驚くほど明らかだからだ。西洋の代表制民主主義国家は、市民サービス、警察、司法などの長期的な制度を発展させてきたが、「現在主義政治」と呼ばれるものも同様に広まっている。目先の政治的利益や決定を優先し、将来世代よりも現在世代を優遇するような偏りのことだ。[★2] ２０１９年６月、チェコのアンドレイ・バビシュ首相は、ＥＵ加盟国が２０５０年までに二酸化炭素の排出量を正味ゼロにすることを約束する合意をなぜ阻止したのか訊ねられたのに対し、「２０５０年に何が起こるかを、なぜ31年も前に決めなければならないのか」と答えた。[★3] 政治の支配階級は概して、未来を自分たちの責任として見ようとない。

現在主義政治の苦悩は、民主主義の性質そのものに巣食う五つの要因に根ざしている。第一に、選挙サイクルという時間的な罠だ。これは、政治の時間軸が短くなってしまうという、民主主義統治の仕組みに内在する設計上の限界である。[4] 政治家とその政党は、次の選挙で有権者を惹きつけるために必要とあらば、いかなるものにも飛びつく。その様は、まるで時間そのものが選挙のサイクルに呑み込まれているかのようだ。1970年代、経済学者のウィリアム・ノードハウスは、この問題を「政治的景気循環」と呼んでいた。選挙に向けて政府が支出を拡大し、政権を取った後には過熱した経済を抑えるために緊縮財政を導入するというサイクルを繰り返していることに気づいたのだ。彼が懸念したのは、これが「将来の世代を無視した、純粋に近視眼的な政策」を生み出す可能性があることだった。[5] その結果、生態系の破壊への対応や年金改革など、政治家がすぐには政治的利益を得られない長期的な問題が、永久に後回しにされることが多くなってしまった。

第二の要因は、特別な利益団体、特に企業が、目先の政治的利益を確保する一方で、長期的なコストを社会の他のプレイヤーへ転嫁する力を持っていることだ。[6] これは今に始まったことではない。1913年、第28代米大統領ウッドロー・ウィルソンは憤慨して、「米国政府は、メガバンク、巨大メーカー、大投資家といった、特別な利害関係者の養子のようなものだ」と言い放った。[7] 最近では、アル・ゴアが「アメリカの民主主義はハッキングされている。そのハッキングとは選挙資金である」と公表した。[8] 化石燃料企業が、公有地での掘削権を政府に働きかけて獲得したり、二酸化炭素削減のための法案を阻止したりすることは、株主利益の名のもと、未来を人質に身代金を要求していることになる。同様に、2008年の金融危機では、原因となった米国と英国の銀行が政治的影響力を行使して、税金を使った巨額の救済措置を講じたが、これは長期的な改革ではなく、短期的な応急処置に過ぎなかった。ジャレド・ダイアモンドによれば、文明崩壊の主な原因の一つは、「権力を握った意思決定エリートの利益と、それ以外の社会の利益とが衝突すること」

であり、「特に、そのエリートが自分の行動の結果から自分自身を守ることができる場合には」それが起きるという。[*9] よく念頭に置いた方が良いだろう。

現在主義政治の最大の問題は、代表制民主主義が未来の人々の利益を組織的に無視していることにある。明日の市民には何の権利も与えられておらず、彼らの生活に間違いなく影響を与えるはずの今日の決定についても、大多数の国では、彼らの利益や潜在的な意見を代表する公的機関も存在しない。[*10] これは、あまりにも大き過ぎるがゆえにほとんど気づかれていない盲点だ。私は政治学者として民主主義のガバナンス（統治・支配・管理）の研究を10年間続けてきたが、過去に奴隷や女性がされていたのと同じように、未来の世代が差別され選挙権を奪われていることには、まったく思い至らなかった。しかし、これが現実なのだ。だからこそ、世界中の何十万人もの学生が、富裕な国々に二酸化炭素の排出量の削減を求めてストライキを行っているのだ。彼らは、自分たちが声を上げられず、力を持たせてもらえない民主主義システムにうんざりしている。また、英国の多くの若者、特に投票年齢に達していない若者が、ＥＵから英国が離脱する国民投票の結果に裏切られたと感じた理由もそこにある。65歳以上の高齢者がＥＵ離脱に投票する割合は、25歳以下の有権者の2倍以上だった。つまり、高齢の有権者が、彼ら自身の残りの人生にはほとんど関わりがないはずの未来に影響を与える意思決定において、強い影響を持ったのだ。[*11]

ソーシャルメディアや24時間３６５日のニュースなど、デジタルの台頭が現在主義政治の問題を拡大させている。１９５０年代にテレビがマスコミュニケーションの媒体として普及したことで、サウンド・バイト（ニュースなどの放送の際、内容を印象付けるためにまとめた短い言葉）やポリティカル・スピン（政治的情報操作）の新時代が到来したが、現在では、政治家がソーシャルメディアやケーブルニュースチャンネルで即座に意見を述べたり、トレンド入りを目指して常に評判を競ったりすることに時間を費やす「ツイッター民主主義」の世界に住んでいるかのようだ。[*12] ドナルド・トランプの一つのツイートが、すぐに政治家やメディアの話題を何日も占拠する本格的な政治ドラマへと展開していく。その結果、サハラ以南のアフリカで深刻化している干ばつや、よくある病気の抗生物質耐性が高まっているという新しい政府間報告など、急いでツイートするほどでもない長期志向の「スローニュース」から人々の注意がそらされ、政治の時間軸がますます短期志向になっていく。[*13]

最後の政治的課題は、民主主義政府そのものではなく、民主主義政府を存在させるより大きな組織である、国民国家にある。18世紀から19世紀にかけて、帝国や公国という古い秩序に代わって国民国家が誕生したとき、国民国家が短期主義の危険な源であったわけではない。例えば、イタリアやフランスでは、長期的なビジョンを持って、市民サービスや教育システムなどの公共機関とともに、強固な国民的アイデンティティを構築していた。[*14] しかし、時代は変わった。気候危機など、今日の最も深刻な長期的問題の多くは、グローバルな性質を持ち、グローバルな解決策を必要としている。人間の集団行動に関して、文化、歴史、経済、優先事項といった要素の大きく異なる複数の国が、それぞれの違いを乗り越えて共通の基盤を見出すことほど、困難な課題はないだろう。1987年のオゾン層保護のためのモントリオール議定書のように、まれに協力が行われることもあるが、より一般的には、国家間共通の長期的リスクよりも個々の国家の特定の利益が重視されがちだ。米国やオーストラリアのような国は、自国の鉱業や経済の減速を恐れて、二酸化炭素削減に関する世界的な合意を批准することを拒否するかもしれない。また、インド、パキスタン、イスラエルのように、独自の核兵器を開発するために核不拡散条約から脱退する国もあるだろう。EUのような、比較的、同質性の高い地域でも、各加盟国が受け入れるべき難民の数や、漁獲量の割り当てなどの問題で、合意に達することに苦慮している。

我が家の11歳の双子と同じように、国民国家は常に喧嘩をし、いつもケーキの一番大きな一切れを欲しがり、家事の分担を避けようと一生懸命だ。だが、我が家の双子と違うのは、国民国家は成長とともにそこから抜け出しそうな気配がないことだ。

## 世代間連帯指数――民主国家と独裁国家の長期的な政策パフォーマンスを測定する

民主主義政治における短期主義の問題があまりにも深刻になったため、その解決策として、「良心的な独裁」や「啓蒙的な専制」を支持する声が高まってきている。特に、気候変動という緊急事態に対処するために必要な、厳しい措置を実行する方策として有効だというのだ。第6章で述べたように、そうした感情は、科学者のジェームズ・ラブロックのような著名人だけでなく、一般の人々の間でも増えており、オンラインのフォーラムやソーシャルメディアでは「エコ独裁主義」といった言葉が頻繁に見られるようになったし、私の長期思考に関する講演では、政治的近視眼に対する対抗手段としての独裁政府を聴衆から提案されることもある。[*15] 彼らの定番の主張としては、長期的な政策立案、特にグリーン・テクノロジーへの投資に関して実績があるように見える中国や、あるいは、市民的・政治的な自由に多少の制限を設けても、教育改革から都市計画に至るまで、先見性のあるアプローチをとることができるシンガポールを取り上げ、私たちは彼らを目指すべきだという。

確かに、ほとんど自分のキャリアにしか興味がなく、内輪揉め（うちわもめ）ばかりしている民主主義国の政治家などは無視して、人類が直面するいくつもの危機に対し、協調して長期的な行動をとる意思と能力のある独裁政権に信頼を置くことの方が、いかにも魅力的に聞こえるのは無理もない。

このような考え方は、中国やシンガポールといった国で取られたような最良の政策が実現される一方で、サウジアラビア、ロシア、カンボジアといった一党独裁国家や権威主義寄りの政権が過去に行ってきたことに目を伏せている点に問題がある。根拠の検証は大切だ。将来の世代に利益をもたらす長期的な公共政策に関して、独裁制の方が民主制よりも優れているというのは、本当に正しいのだろうか。

過去10年間、学者や政策専門家は、各国政府の長期的な政策志向を測定・比較する定量的な指標を考案し始めている。このような指標は、紙面上の政策公約ではなく、政策の成果を評価することに焦点を当てており、世界経済フォーラムや世代間財団などの組織、あるいは学者個人によって作成されている。[*16] 以下の分析は、数ある指標の中でも最も概念的に一貫しており、方法論的にも厳密で、地理的にも包括的であると思われる指標に基づいている。それは「世代間連帯指数（ISI=Intergenerational Solidarity Index）」と呼ばれ、学際的科学者であるジェイミー・マクイルキンが作成し、学術雑誌『世代間の公正に関するレビュー』で初めて発表された指標だ。[*17]

ＩＳＩはどのようなもので、民主制と独裁制のどのような利点を教えてくれるのだろうか。ＩＳＩは、２０１５年から２０１９年にかけて、１２２カ国を対象に、環境、社会、経済の側面における長期的な政策実践を示す10の指標を組み合わせた複合指標だ。[*18] 環境的側面では、森林の枯渇が少なく、二酸化炭素排出が少量で、エネルギーシステムに再生可能エネルギーを多く取り入れている国が、良い評価を与えられる。また、化石燃料の生産量が多い国は、マイナス査定となる。社会的側面では、小学校の一クラスの人数が少ないこと、一定のＧＤＰレベルで子どもの死亡率が低いこと、人口増加率が人口置換水準をわずかに下回っていることなどが、プラスに査定される。経済的側面では、富の不平等が少ないこと、純貯蓄が多いこと、経常収支が健全であることという、三つの指標で評価される。1から100までの最終的な指数スコア（世代間連帯の高低）を作成するために、各指標は環境、社会、経済の3側面で均等荷重のうえ集計された後、各次元間で幾何学的に処理される。この方法において、単一の指標や側面が指数を支配するようなことはない。

その第一歩として、まず各国のスコアを俯瞰してみよう。未来の世代のために行動していると正当に主張できるのは、どの国だろうか。表は、2019年の指数で上位にランクされた24カ国を示している。アイスランド、ネパール、コスタリカ、ウルグアイなど、高得点を獲得した国々は、地理的にも所得水準的にも多岐にわたっているのが印象的だ。裕福なOECD諸国が、上位の多くを占める一方で、ドイツは28位、英国は45位、米国は62位というように、だいぶ順位の低い国もある。中国が25位と上位に食い込めなかったのは、カーボンフットプリントや再生可能エネルギーなどの評価が低かったことが主な理由だ（中国では、再生可能エネルギー部門が成長しているにもかかわらず、いまだに一人当たり多くの化石燃料を消費している）。シンガポールは、再生可能エネルギーの発電量が少ないこともあり、41位とさらに低い。

政治学者として数年間、政府のパフォーマンスの測定を専門としてきた私は、どのような指標の結果も割り引いて見るべきことはよく理解している。[19] データは往々にして不完全であり、指数の各構成要素は、それが反映しようとする基本概念の代用でしかない。現実世界の複雑さを定量化しようとすると、どうしても困難が生じる。だからこそ、ＩＳＩのような指標は、特定のケースについて明らかにするよりも、大まかな傾向を示すのに適している。[20]

では、「独裁制の政権は民主制の政権よりも長期思考に長じているのか」という大きな疑問についてはどうだろう。マクイルキンと共同で行ったこの分析で用いる指標は、近年作成された数々の民主主義指標の中から選択する必要があった。私たちが選んだのは、政治学者の間でゴールドスタンダードとされている、スウェーデンのヨーテボリ大学で作成された「V-Dem自由民主主義指数（V-Dem Liberal Democracy Index）」だ。この指標では、自由で公正な選挙、表現や情報の自由、法の下の平等、市民的自由、行政・立法・司法の三権分立などを基準に、専門家が、0から1の間で各国を評価している。これに該当しない国は独裁国家に分類される。なお、この指標が測定するのは、一般的に「自由民主主義」や「代表制民主主義」と呼ばれるもので、「参加型民主主義」

## 世代間連帯国ランキング

| ランク | 世代間連帯指数 | 国 | ランク | 世代間連帯指数 | 国 |
|---|---|---|---|---|---|
| 1 | 86 | アイスランド | 13 | 72 | スロベニア |
| 2 | 81 | スウェーデン | 14 | 72 | スペイン |
| 3 | 78 | ネパール | 15 | 72 | フィンランド |
| 4 | 77 | スイス | 16 | 72 | スリランカ |
| 5 | 76 | デンマーク | 17 | 72 | クロアチア |
| 6 | 76 | ハンガリー | 18 | 71 | オランダ |
| 7 | 76 | フランス | 19 | 71 | ブルガリア |
| 8 | 75 | コスタリカ | 20 | 71 | ベラルーシ |
| 9 | 75 | ベルギー | 21 | 70 | ベトナム |
| 10 | 75 | ウルグアイ | 22 | 70 | ニュージーランド |
| 11 | 74 | アイルランド | 23 | 70 | イタリア |
| 12 | 73 | オーストリア | 24 | 70 | ルクセンブルク |

注：世代間連帯指数(ISI)1(低い)から100(高い)までの分類。全てのデータは2019年の指標

のような別の形態は当てはまらない。[21]

各国の民主主義スコアと世代間連帯スコアを図式化することで、政治システムとその長期的な政策パフォーマンスを国レベルで把握することができた（左図参照）。また、それぞれの指数を中間点で分割することで、各国を「長期民主制」「短期民主制」「長期独裁制」「短期独裁制」の四つのカテゴリーに分類した。[22]

データにはいくつかの明確なパターンが見られる。

ＩＳＩのスコアが最も高かった25カ国のうち、21カ国（84％）が民主制である。ＩＳＩのスコアが最も低い25カ国のうち、21カ国は独裁制である。

民主制60カ国のうち、75％が「長期民主制」であるのに対し、独裁制62カ国のうち、「長期独裁制」は37％にとどまっている。民主制国家の世代間連帯スコアの平均は60であるのに対し、独裁制国家の平均はわずか42である。つまり、独裁制は短期主義の傾向があり、民主制は長期主義の傾向があるということになる。

最も密度の高い部分は、長期的な民主制と短期的な独裁制だ。もし、独裁的な政権が長期的な政策パフォーマンスに著しく優れているのであれば、長期志向の独裁制と短期志向の民主制が最も密度が高くなるはずだが、そうでないことは一目瞭然だ。

この分析により、独裁制を支持する主張の根本的な弱点が明らかになった。つまり、将来世代の利益につながる長期的な政策に関して、独裁政権が民主主義政権よりも優れているという系統立った経験的証拠はな

# 未来の世代に役立つのは、民主制と独裁制のどちらか？

世代間連帯指数の国別のスコアを
V-Dem自由民主主義指数の国スコア（点線のトレンドラインを含む）と比較して図式化。

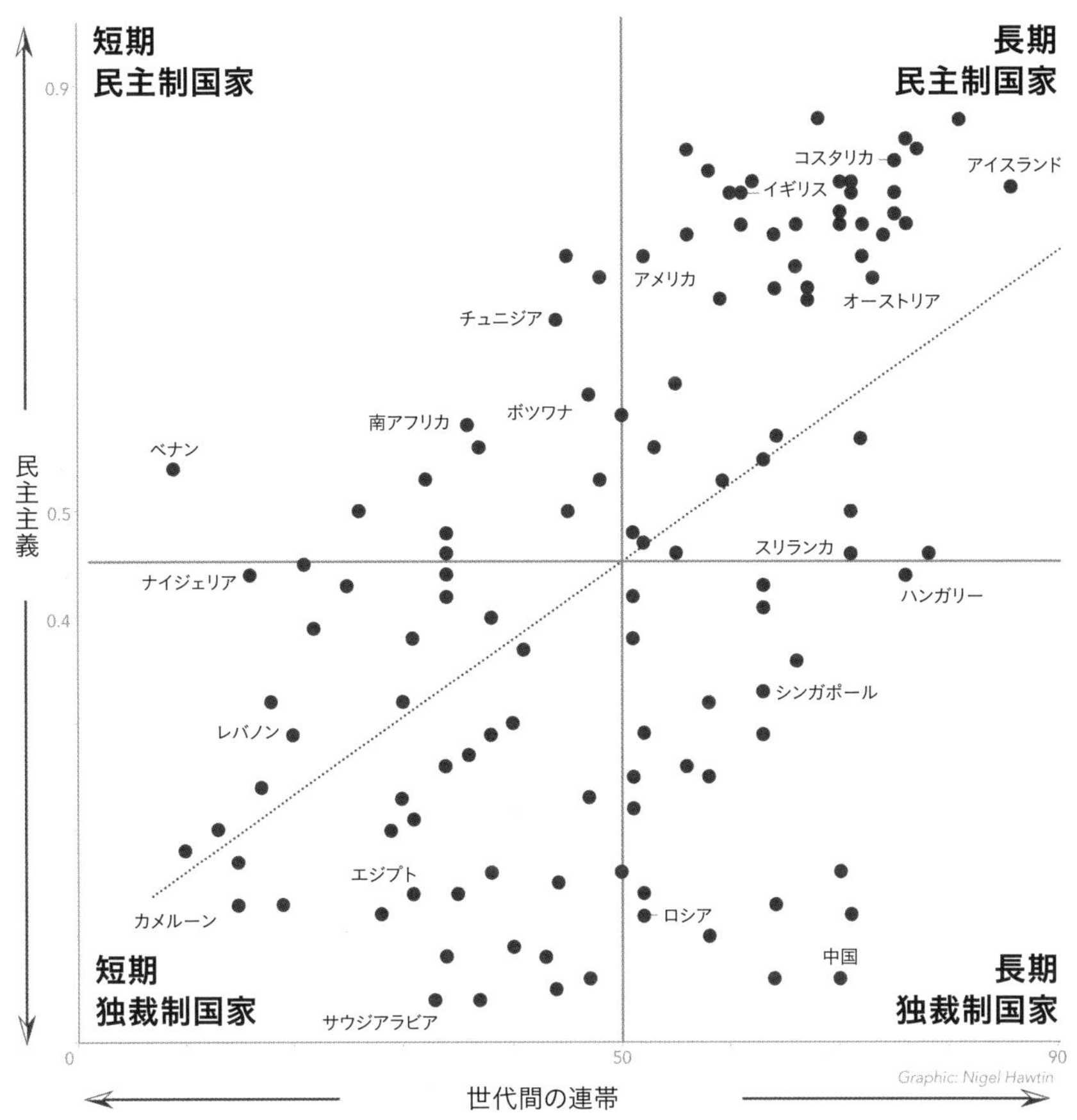

いのだ。それどころか、データはその逆を示している。民主主義国家の平均ＩＳＩスコアは、独裁国家よりもはるかに高い。

つまり、古典的な軍事独裁国家や一党独裁国家などの独裁制よりも、民主制の方が高いレベルで世代間の連帯感を得られる可能性が高いということだ。さらに、左下から右上に伸びるデータのトレンドラインは、民主主義の度合いが高いほど、長期主義の度合いも高くなることを示唆している。さらに忘れてはならないのは、独裁政権は、政治的自由や人権など、私たちが重視する他の項目についても、高いパフォーマンスを発揮する可能性は低いという点だ。

だからといって、民主主義国が安閑としていて良いということにはならない。世界中のすべての民主主義政府は、スウェーデン、フランス、オーストリアのようなトップレベルの政府であっても、ＩＳＩでより高いスコアを得るために努力する余地がある。民主主義を再設計し、現代の長期的な課題にもっと効果的に対応できるようにすることが急務だ。と、そのように言うのは簡単だが、具体的にはどうすればいいのだろうか。

## ディープ・デモクラシーの設計原則

この20年の間に、政治活動家、政策立案者、熱心な研究者たちは、民主主義の制度の中に長期思考を組み込むための70以上の異なる方法を提案してきた。[★23] 彼らの多くは、その観念を現実のものにするため、キャンペーンや組織を立ち上げ、法的措置を講じている。点と点を結ぶと、それは「ディープ・デモクラシー」という新しい種類の政治を目指す運動のように見えてくる。彼らの最も強力で革新的な提案は、「未来の

## ディープ・デモクラシーの設計原則

### 未来の守護者（ガーディアン）

権利を奪われた若者と将来世代の利益を代表し、保護する政治機関

### 市民議会

長期的な問題に関する政策を形作るための審議機能を持つ集会に、くじ引きによって参加できる市民社会

### 世代間の権利

将来の世代の権利と福利を保証し、世代間の公平性を確保するための法的メカニズム

### 自治都市国家

短期主義的な政治、経済エリートの影響力を制限するために、国単位から都市単位へ、急進的な権限委譲を行う

*Graphic: Nigel Hawtin*

守護者（ガーディアン）」、「市民議会」、「世代間の権利」、「自治都市国家」という四つの主要な分野に分類される。これらの提案は、既存の政治システムに押し付けるべき青写真ではなく、民主主義の構造に、はるかに深い時間感覚を注入する設計原則と考えるべきである。これらの原則に共通する特徴は、それをすでに実践している熱心な時の反乱者がいるということだ。真の課題は、これらの原則が、現在主義政治の弊害を克服するために、十分に広く普及し、十分な速さで拡大できるかどうかだ。

しかし、長期的な政策を支持する政治家に投票すればよいだけであれば、本当に民主主義を再設計する必要があるのだろうか。ここにある問題点は、先見の明のあった過去の政権が進めてきた長期的な政策を、次期政権がいとも簡単に覆（くつがえ）してしまうのを止める術（すべ）がないことだ。更にはたとえば、選挙サイクルに焦点を当てた近視眼など、代表制民主主義のＤＮＡに短期主義が深く組み込まれていることを見過ごしてはならない。既存の民主主義が自発的に短期志向を捨てて、世代間の公正の推進者になることを指をくわえて期待するのは、あまりにも危険だ。四つの設計原則の価値は、これから見ていくように、近視眼性が組み込まれた政治システムからそれを取り出し、正しく設計し直すのに役立つ点にある。

## 未来の守護者（ガーディアン）

最もよく知られている選択肢の一つは、「未来の守護者（ガーディアン）」の創設だ。これは、伝統的な民主主義のプロセスから取り残されている未来の市民（現在の子どもたちだけでなく、まだ生まれていない世代も含む）を代表するという、特別な任務を持った公務員や機関を指す。

これらの組織の多くは、１９９３年にフィンランドの国会で設立された「未来委員会」にインスピレーションを得ている。この委員会は、選出された17名の国会議員で構成され、政府の政策が将来の世代に与える影響、特に技術、雇用、環境問題などを検討し、長期的なシナリオプランニングを行っている。２００１年、イスラエル議会は大胆にも「将来世代委員」を任命した。この委員は、大気汚染や遺伝子生物学などの長期的な懸念事項に関する法案を精査し、延期する権限を持っている。しかし、皮肉なことに、この制度は長くは続かず、２００６年に委員の権限が強すぎるという理由で、議会によって廃止された。[*24] しかしこのような挫折が、他の国々の異世代間のバトンタッチに水を差すことはなかった。２００８年から２０１１年にかけて、ハンガリーには環境政策に大きな影響力を持つ「将来世代のためのオンブズマン」が設置され、マルタにも２０１２年に同様の役職が設けられた。[*25] チュニジアでは２０１４年の新憲法で「持続可能な開発と将来世代の権利のための委員会」が設置され、スウェーデンでは２０１５年に「未来に関する評議会」が開設され、そのリーダーであるクリスティーナ・パーションは世界初の「未来担当大臣」として知られることとなった。アラブ首長国連邦では、「閣僚会議・未来省」が設置されている。

このように拡大する守護者（ガーディアン）グループの中で、今日最もよく知られているのは、２０１５年の「将来世代のためのウェルビーイング法」に基づいて設立された、イギリス、ウェールズの「将来世代委員」だ。現在の担当者であるソフィー・ハウは、世代間の公正を求める世界的ムーブメントの盛り上がりの中で、時の反乱者として活躍している。ハウは、住宅、教育、環境、交通など、さまざまな分野の政策を検討し、国際的に認められている「持続可能な開発」の定義（将来の世代が自らのニーズを満たす能力を損なうことなく、現在の人々のニーズを満たすこと）に合致しているかどうかを確認する役割を担う。ハウは、「世代間の公正とは、短期的な利益よりも長期的なニーズを優先することである」と言う。彼女は政治的現実主義者であり、自分の影響力が限られていることを真っ先に認めている。その役割に関する政治的課題について私と議論する中で、彼女は「私は誰かに何かを強制することはできないし、政府に何かをやめさせることもできないけれど、私には名指しで恥をかかせる審査権がある。もっと権限が欲しいかといえば、それはもちろん」と私に語ってくれた。[*26]

こうした制約にもかかわらず、彼女はついに将来世代の問題を社会的な議論の主流へと押し上げた。16億ポンドを投じて行われたM４高速道路の延伸計画に対し、彼女は「20世紀型の解決策であり、低炭素社会を推進できない」という理由で反対し、この計画の廃止に貢献したと考えられている。[*27]

また、彼女は予防医療を積極的に提唱しており、国民健康保険は本来「国民のウェルビーイングのためのサービス」であるべきなのに、実際には「国民を病気にするためのサービス」になっていると主張する。現在の有権者に、明日の市民のために税金を配分するよう説得するのは難しいかもしれない。そこでハウは、ヘルスケアや環境など、現在と未来の両方の世代に利益をもたらす問題に焦点を当てる現実路線を取った。

しかしながら、彼女の与えた最も大きな影響は、他の人々が彼女の後に続いたことかもしれない。２０１９年には、英国の反貧困活動家で雑誌「ビッグイシュー」の創設者であるジョン・バード氏が、ウェールズのモデルを参考にしてイギリス全体に「将来世代委員」を設置するキャンペーンを、貴族院で立ち上げた。気候変動が貧困層に最も大きな打撃を与えるという信念に突き動かされたバード卿は、仲間の貴族たちに将来世代のための個人的な訴えを力強く行った。

我々は大きな問題を抱えている。未来について神経が過敏になっているのは、我々だけではない。一般の人々はさらにだ。私の12歳の娘は、環境問題に関するストライキを組織しているが、やはりそうだ。14歳の息子も、43歳の息子も、53歳の娘も、42歳の娘も、私の周りにいるすべての人が神経を過敏にし、未来を変える可能性について興奮している。これは、我々がもっと未来を近づけなければならないということだ。最良の方法は、「将来世代法」を採択することである。

続いて行われた討論会をギャラリーで見ていた私は、社会学者のアンソニー・ギデンズ、経済学者のリチャード・レイヤード、宇宙物理学者のマーティン・リースなど、多くの著名人がこのイニシアチブを支持していたことに驚いた。世代間の公正の問題が、ついに政治の舞台でまともに取り上げられる時代が来たことは、一目瞭然だった。そこでは、大聖堂思考や、ジョセフ・バザルゲットのヴィクトリア朝の下水道の長期的な教訓についても言及があった。[★28]

しかし、課題も大きい。英国に独自のコミッショナーが誕生したとしても、本気で影響を与えるためには、実質的な権限が必要だ。例えば、政府機関が子どもの貧困緩和や二酸化炭素削減などの分野で長期的な政策を達成する公的義務を果たしていない場合、裁判所に提訴することができるなどの権限だ。下院議員を説得してこのような権限を付与するためには、国民からの大きな圧力とともに、おそらく1858年の大悪臭のような危機が必要となるだろう。一方、運動家の中には、国連の未来世代高等弁務官や未来世代グローバル・ガーディアン・カウンシルなどの国際的な守護者（ガーディアン）の設立を目指すといった、異なるアプローチを取る人もいる。しかし、国際的に強制力のある権限を持つ守護者（ガーディアン）を創設することは、国レベルの場合よりもさらに難しいかもしれない。[★29]

しかし、最大の課題は、未来の守護者（ガーディアン）を置くという観念自体が、民主的な正統性を欠いていると批判されることだ。気候変動ストライキを行う怒りに満ちた10代の若者たちが、なぜみずから発言するのでなく、大人の代理人に頼らなければならないのか。さらに、守護者（ガーディアン）の責任を誰が追及し、また、さまざまな社会的背景を持つ未来の市民の多様な視点を、守護者（ガーディアン）が本当に表明しているかどうかを誰が確認するのか。[*30] そのようなことから、この守護者（ガーディアン）のモデルは、より急進的で参加型の民主主義再生の形である「市民集会」への第一歩と考えられるのだ。

## 市民議会

生物学者のデヴィッド・スズキ氏は、脱炭素化を約束したにもかかわらず化石燃料産業への支援を続けるカナダ政府についてのインタビューで、「理念や理想が何の意味も持たない」政治システムへの不満を表明した。政治的な短期主義の問題を解決するにはどうしたらいいかという質問に、彼はこう答えた。

> 陪審員を選ぶのと同じように、政治家を「一つの帽子」から選び出すシステムが必要だ。政治家には政党はなく、自分の能力を最大限に発揮して統治することだけに6年間従事するべきだ。そんなことが実現する可能性は皆無だが、よく考えてみると、これこそ、機能する唯一のシステムだ。[*31]

スズキの夢は、政治的な現実からそれほどかけ離れているわけではない。２０１６年、アイルランド議会は１００人の一般市民からなる「市民議会」を設立し、中絶、気候変動、高齢化などの問題について数カ月間にわたって審議を行った。中絶の合法化を求める市民議会の提言を国の議会が受け止め、国民投票の結果、中絶禁止を覆すという憲法史に残る出来事となった。スペインとベルギーの都市では、市政に反映される常設の市民議会が設置されており、カナダではおよそ60人に1人近くが国内の町で開催される市民議会に招かれている。[*32] 2019年、イギリス議会は、国として気候変動の緊急事態にどのように対応すべきかを議論し、2050年までに炭素排出量を正味ゼロにするという政府の目標を実現するための市民団体、「英国気候市民会議」の設立に合意した。

市民議会の台頭は、近代民主主義の歴史における驚くべき発展、古代アテネの参加型民主主義モデルの復活を示している。しかし、男性のみが参加できた五百人会議のようなアテネの組織とは異なり、今日の議会ははるかに色々な人が参加できるよう開かれた設計がなされている。[*33]

討議民主主義の専門家によれば、市民議会が短期主義を克服するために非常に効果的である理由は、主に三つある。第一に、多様なバックグラウンドを持つメンバーを選ぶことで、議会が単に社会的に恵まれたグループによる未来の懸念を反映したものとなるのを避けられる。第二に、一般市民を無作為に選ぶ（「くじ引き制」と呼ばれる市民参加の政治手法）ことで、短期的で利己的な利益を追求する強力な政治的・経済的関係者による支配を抑えることができる。第三に、市民議会は「スロー思考」の実践であり、参加者は社会が直面している長期的な問題について学び、考えるための時間と空間を得ることができる。政治学者のグラハム・スミス氏は、このような要素が、市民議会が「参加者に物事の長期的視点での推測を促すという点で、伝統的な民主主義機関よりも優れている」理由になると指摘している。[*34]

しかし、現在の市民が将来世代の身になって、彼らの利益を効果的に代表することが本当にできるのだろうか。日本のフューチャー・デザイン運動は、まさにこの疑問に答えようとしている。京都の総合地球環境学研究所の西條辰義氏が中心となり、アメリカ先住民の「第7世代の原則」にヒントを得て、全国の自治体でユニークな市民集会を展開している。一つの参加者グループは現在の住民の立場に立ち、もう一方のグループは2060年の「未来の住民」になったつもりで、場に臨む。その際、特別な儀式用の衣を身につけることで、想像力をはるか未来の時間へと飛ばすのだ。複数の調査によると、未来の住民は、現在の住民に比べて、特に環境政策や医療について、はるかに過激で進歩的な都市計画を立案することがわかっている。通常、参加者は大人だが、東京などの都市では、高校生を参加させる試みも始まっている。2019年4月には、島根県浜田市が彼らの手法を長期的な都市計画の基礎として採用するという大きな成果を上げている。最終的には、中央政府に「未来省」を、すべての地方自治体に「未来局」を設置し、彼らの集合モデルを使って政策立案を行うことを目指している。「我々は、自分の中にある未来性を活性化

2060年の未来からやってきた市民は、式典用の衣装を着ている。

させる社会構造を設計しなければならない。そうしなければ、我々の存在自体が危うくなる」と西條氏は言う。[35]

これこそが、民主世界において、私がいつか見たいと願う未来だ。数年に一度、12歳以上の市民が無作為に選ばれ、日本のフューチャー・デザイン運動やアイルランドの市民議会を参考にした、グッド・アンセスター、よき祖先の市民議会に参加する、そんな未来だ。[36] これらの「世代間陪審員」は、その時々の長期的な課題について議論するだろう。例えば、二酸化炭素の排出量を正味ゼロにするという政府の目標を10年前倒しすべきかどうか、AI技術に新たな規制が必要かどうか、などについてだ。全国各地で開催される集会では、専門家の立会いのもと、若者を含むすべての参加者が平等に発言できる。彼らは県議会や市町議会に匹敵する権限を持ち、未来の人々の基本的な権利に悪影響を与える政策を延期したり、拒否権を行使することができ、エネルギー、水、住宅、子どもの貧困など、長期的に重要な政策分野で立法を推進する権限を持つ。議会は、将来世代委員会などの他の機関の役割を補完するものだが、はるかに民主的なものになるだろう。国によっては、立法機関である参議院に取って代わり、よき祖先のための人民議会となるかもしれない。[37]

民主主義は、過去2500年の間にさまざまな形をとり、何度も再発明されてきた。18世紀に登場した代表制民主主義は短期主義に支配されてしまい、もはや賞味期限が切れており、私たちが直面する長期的な課題に取り組む能力はほとんどないかもしれない。今こそ、市民議会の政治的な勢いを利用して、参加型民主主義の新しい流れをシステムに注入する必要があるのではないだろうか。

## 世代間の権利

効果的なディープ・デモクラシーの第三の設計原則は、将来世代の権利を法制度、特に憲法に組み込むことだ。法律が重要なのは、フューチャー・ホルダー（未来の持ち主）の利益を囲い込み、現職の政治家の短期主義から彼らを守る手段のみならず、将来の世代の委員や市民議会が政府を判断し、責任を負わせるための基準点として機能するからだ。

生存しているわけでもなく、権利を主張することもできない人たちに権利を与えることは可能なのだろうか。胎児や、昏睡状態で自分の意見を言えない人の権利を保護する法律はすでにあるが、今後何十年も生まれるのかどうかわからない、未だ私たちの想像の中にしか存在しない人たちに法的保護を与えることは、まだ現実的ではないと思われるかもしれない。それでもなお、世界中の法律活動家がそれを実現し始めている。

１９９３年、環境弁護士のアントニオ・オポサは、フィリピン政府が発行した原生林を伐採する期限付きライセンスは、「自然のリズムとの調和」を保全する健全な環境に対する、現在および将来の世代の権利を侵害するとして、自らの子どもを含む43人の子供の代理人として最高裁判所で訴訟を起こし、結果、政府は発行を取り消すという画期的な勝訴を得た。最近では、２０１９年に、オランダの環境ＮＧＯ「アージェンダ」による温室効果ガスの削減をめぐる訴訟で、裁判所は欧州人権条約に基づき、政府は温室効果ガスの排出量削減目標を達成することで、気候変動の将来的な影響から市民を保護する法的注意義務があるとの判決を下している。[*38]

アメリカでも、12歳から23歳までの21人の若者が、化石燃料産業を支援する連邦政府を提訴することで、「現在および将来のすべての世代のために、安全な気候と健全な大気に対する法的権利」を確保しようとしている。この訴訟は、「アワー・チルドレン・トラスト」という団体が提起したもので、気候学者のジェームズ・ハンセンや経済学者のジョセフ・スティグリッツなどの有力者や、第７世代の原則に触発された若者

主導のキャンペーン団体「アース・ガーディアンズ」などが支援している。[★39]

原告の一人、先住民族の音楽アーティスト、シューテズカトル・マルティネスは、6歳で環境保護活動を始め、15歳で初めて国連総会に出席している。先人から受け継いだ遺産とその管財人精神（スチュワードシップ）に対する彼の感覚の根は深い。「地球を守ることは、我々の祖先に責任があったように、私にも責任があると、父は私に教えてくれました。自分たちは若者として、何を作り、何を残したいのか、問いかけています」と彼は言う。[★40] 彼ら21人の時の反乱者は、裁判を阻止しようと必死になっているトランプ政権との「ダビデ対ゴリアテ」の戦いには成功しないかもしれないが、彼らが得た大きな社会的支持とメディアの注目は、世代間の公正を求めて活動する世界中の運動家を鼓舞する遺産（レガシー）をすでに生み出している。[★41]

このように、権利に基づく政治運動が直面する課題は、執行メカニズムの欠如だ。国内法や世界人権宣言などの国際文書が存在するにもかかわらず、政府による先住民や少数民族、女性、労働組合員、ジャーナリスト、子どもなどの人権侵害が世界各地で続いている。もし政府が、今に生きている人々の権利を守ることが出来ないことがあまりにも明白だったとしたら、どうして政府は未来の人々の権利を守ってくれると期待できるのだろうか。

今生きている人たちの権利を守らない政府に、なぜ未来の人たちの権利を守ることを期待できるだろうか。むしろ、将来の世代のことを考える前に、現在の世代の権利を確保することに注力すべきではないだろうか。しかし、これらの問題は決して相互背反するものではなく、同時に追い求めていくことができるものだ。今生きている子どもたちは、彼ら自身が将来の世代の一部である。彼らの権利を実現するために努めること、たとえば彼らの健康管理や教育に投資することで、私たちは世代間の公正という価値観を実現していることになる。「世代間連帯指標」に、子どもの死亡率や小学校の学級数などの指標が含まれているのは、まさにそのためなのだ。言い換えれば、子どもの権利のために戦うことは、将来の市民の権利をより広く確保するための足がかりとなるということだ。同様に、オランダのアージェンダ訴訟では、生まれていない世代の権利ではなく、生きているオランダ国民が将来にわたって安全な気候を享受する権利に基づいて勝訴したが、その恩恵は多くの世代に及ぶだろう。ほとんどの国で未来の人々の権利が完全に認められるまでにはまだ時間がかかるかもしれないが、私たちはその方向を目指して法整備するあらゆる機会を捉えるべきだ。

別の法的アプローチとして、将来の世代のための権利ではなく、地球自体のための権利を確立することに焦点を当てるものがある。惑星のような人間ではないものに権利を与えるのは空想的だと思われるかもしれないが、思い出して欲しい。1886年にアメリカの最高裁判所が、解放された奴隷を保護するために制定した権利として「法の正当な手続き」を企業に与えるべきだと判断して以来、企業は法的な人格を与えられていることを。[42] 2010年、ボリビアは自然に対して人間と同等の権利を与える「母なる大地の権利法」を制定し、惑星の権利を求める新たな闘いの先頭に立ち始めた。2017年にはニュージーランドがこれに続き、マオリ族の聖地であるファンガヌイ川に人間と同等の法的地位を与えることで、採掘などの生態系侵害からの保護を強化した。[43]

このプロセスの次の論理的ステップは、自然の生物界を広範囲に破壊する「エコサイド」を国際法上の犯罪として確立することである。その代表的な提唱者である英国の環境弁護士ポリー・ヒギンズ（2019年に死去）は、エコサイドを「現代において見過ごされている国際犯罪」と表現した。彼女は、エコサイドをジェノサイドや民族浄化と同等の法的犯罪とみなすべきであり、CEOや政府閣僚などの主な責任者は、ハーグの国際刑事裁判所（ＩＣＣ）で起訴されるべきだという、説得力のある主張を行った。そして、この法律を制定するには、ＩＣＣ加盟国の３分の２の国が署名するだけで十分に実現可能であると。木材伐採企業がアマゾンの熱帯雨林の生態系を破壊したり、石油会社が故意に気候を不安定にしたりする行為がエコサイドの定義に合致することは、法学者の間で広く認められている。地球を不活性な私有財産としてではなく、生き物として扱うという法的な考え方に切り替えることで、「長期的な視点での見方が大きく変わる。なぜなら、自分たちを信託者や守護者と捉えることで、我々は将来の世代に対する責任を負い始めるからだ」とヒギンズは指摘している。[★44]

エコサイドを批判する人たちは、ＩＣＣは信頼を得られる機関ではないと主張する。２００２年に設立されて以来、戦争犯罪やジェノサイドなどの罪で起訴されたのは50人にも満たず、有罪判決を受けたのはほんの一握りだ。しかし、法制度も法律と同様、変化することを忘れてはならない。エコサイドを犯罪として扱おうとする動きは、ビジネス界からの反発の強さは言うまでもなく、その志と潜在的な影響力の点で、１７８０年代に奴隷制度を廃止しようとした初期の運動に似ている。ポリー・ヒギンズは、18世紀の偉大な反奴隷制運動家たちのように記憶されるかもしれないし、また、グッド・アンセスター、よき祖先としても記憶されるかもしれない。

## 自治都市国家

古代ギリシャの神話では、ペルセウスは盾に映ったメドゥーサを見るという巧妙なやり方で彼女の視線を避け、メドゥーサを退治した。今日、私たちは短期思考という名のメドゥーサを、同様の間接的な戦略で退治することができるかもしれない。それは、国民国家から権力を根本的に委譲するという急進的な戦略だ。民主主義を再設計するこの最終的な方法は、将来世代の発言力や権利を拡大することを直接目的としたものではないが、通常、短期的な利益を得ようとする腐敗した利害関係者やその他のパワーブローカーに権力を奪われている中央政府から、その意思決定権を分散させることで、彼らの利益に貢献することができる。先にも登場した「世代間連帯指数（ＩＳＩ）」に基づく分析は、そのことを裏付けている。政府の意思決定がより分権化されているほど、長期的な公共政策の面では有利だ（従って、スイスのように高度に連邦制化された国は特に高いスコアを獲得している）。[＊45]また、政府の意思決定が分権的であればあるほど、長期的な公共政策のパフォーマンスは向上することが、裏付けられている。この転換を推し進めることで、ノーベル経済学賞受賞者、エリノア・オストロムが「ポリセントリック・ガバナンス」と呼ぶ、政治権力が地域レベルから世界レベルまで入れ子状に複数の統治層に分散している状態がもたらされる。[＊46]

国の政府から権力を奪うのは簡単ではない。では、どうすればこのビジョンを現実のものにできるのだろうか。他の何にもまして追及する価値のあるアプローチが一つある。それは、古代ギリシャの理想である「ポリス」（自治都市国家）を復活させることだ。そうすべき最も明白な理由は、それがすでに起こりつつあるからだ。世界中で、国家レベルの民主主義政治への不満が高まり、フィレンツェやヴェネツィアのようなルネッサンス期の都市国家の時代以来の規模で、都市の存在感と自治権が高まっている。

人類の未来は都市にある。人口２１００万人の大サンパウロ都市圏（サンパウロを中心とした周辺の自治体）から、８０００万人を超える人々の暮らす、東京・名古屋・大阪といったメガロポリスをつなぐ太平洋ベルト地帯まで、世界の人口のうち、都市人口だけでなく人口１０００万以上の「メガシティ」に住む人の割合が増え続けている。中国では現在、それぞれが1億人規模のメガシティとなる20数個のクラスターの再編が進んでいる。国連の予測では、2030年には世界の人口の3分の2が居住し世界の富の大部分が集中する、43のメガシティのクラスターが生まれることになる。[*47]

都市はより多くの人々を吸収するだけでなく、政治力も強めている。2017年6月、ドナルド・トランプが米国のパリ協定からの離脱を発表したわずか1週間後、米国人の5人に1人を代表する279人の米国内の市長たちがそれに反抗し、ボストンやマイアミなど自分の都市で協定を守ることを誓った。イギリスでは、直接選挙で選ばれた市長は2000年初頭にはいなかったが、現在ではロンドンやマンチェスターなどの大都市を含む23人の市長が存在しており、その選挙戦においては注目を集める候補者が増えている。自立した新世代の都市は、気候変動対策に取り組むC40都市気候リーダーシップグループ、グローバル市長議会、ロックフェラーの「100レジリエント・シティ(回復力の高い100の都市)」など、相互に依存したネットワークを組織している。これらのネットワークは、温室効果ガスの削減に関する拘束力のある国際協定の作成など、国家間の膠着状態を打開するために不可欠なものとなっている。グローバル戦略家パラグ・カンナは、15世紀から16世紀にかけて北欧のハンザ同盟の200近い都市が行ったように、都市が国家政府を回避して、貿易やその他の問題について互いに独立した合意を行う「都市外交」が出現していると主張する。「我々は、国家よりも都市の方が重要となる時代に入りつつある」とカンナは結論づけている。[*48]権限移譲は政治的宿命となりつつある。ヨーロッパが21世紀の都市国家の連合体であることを想像してみてほしい[*49](次ページの図参照)。

このように都市の力が復活した背景として、生態系のキャパシティオーバー、移民問題、富の不平等など

# 都市国家として再構築されたヨーロッパ

百万人以上の大都市圏の規模(eurostat 2018に基づく)

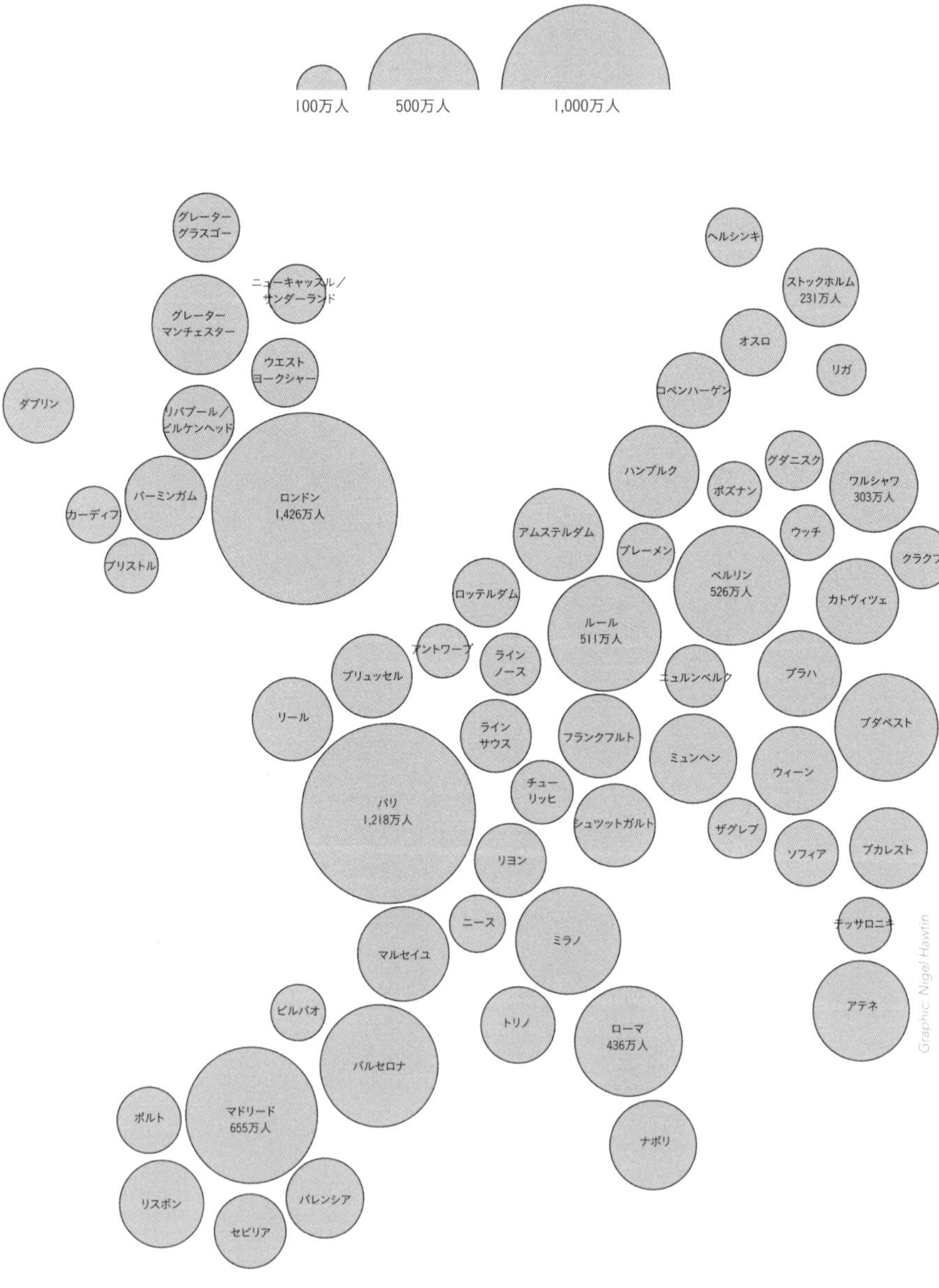

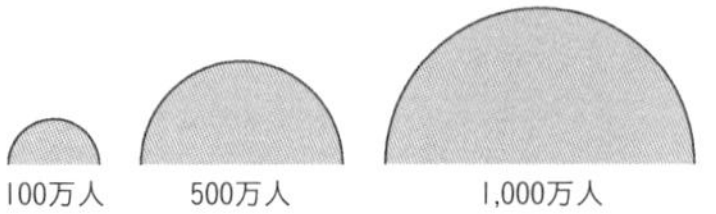

100万人
500万人
1,000万人
グレーター
グラスゴー
ニューキャッスル／
サンダーランド
グレーター
マンチェスター
ウエスト
ヨークシャー
ダブリン
リバプール／
ビルケンヘッド
バーミンガム
カーディフ
ブリストル
ロンドン
1,426万人
ヘルシンキ
ストックホルム
231万人
オスロ
リガ
コペンハーゲン
ハンブルク
グダニスク
ポズナン
ワルシャワ
303万人
アムステルダム
ウッチ
ブレーメン
ベルリン
526万人
クラクフ
ロッテルダム
カトヴィツェ
ルール
511万人
アントワープ
ライン
ノース
ブリュッセル
ニュルンベルク
プラハ
リール
ライン
サウス
フランクフルト
ミュンヘン
ブダペスト
ウィーン
チュー
リッヒ
パリ
1,218万人
シュツットガルト
ザグレブ
ソフィア
ブカレスト
リヨン
ニース
ミラノ
テッサロニキ
マルセイユ
ビルバオ
トリノ
ローマ
436万人
アテネ
Graphic: Nigel Hawtin
バルセロナ
ポルト
マドリード
655万人
ナポリ
リスボン
バレンシア
セビリア

の長期的な問題に対処するためには、国民国家よりも都市の方がはるかに効果的だという認識が広がっていることがある。

多くの中央集権的な国家政府が、制度的に硬直化し、都市住民の生活経験から遠ざかっているのに対し、都市は変化に対応できる柔軟性と適応性を備えている。もちろん、都市が純粋性を保った政治形態であるなどとは言えない。どの都市にも汚職に手を染める役人や、短期的な利益を追求する企業が存在するからだ。しかし、革新的な長期的ビジョンを求めるのであれば、それを見つける場所はやはり都市レベルなのだ。自家用車が住宅地の端にある駐車場に追いやられ、40%の家庭が車を所有せず、全交通手段の3分の1以上が自転車を使うドイツのフライブルクのような都市がもっと必要だ。アンヌ・イダルゴパリ市長が何百マイルもの自転車専用道路を建設し、道路を公共の公園に変えたことで自動車ドライバーを激怒させたパリのような都市がもっと必要だ。また、電力の93%を再生可能エネルギーでまかない、そのうちの半分近くを風力発電でまかなっている韓国のインジェ市のような都市がもっと必要だ。さらには、腐敗した交通警察官に代わって、400人のパントマイムアーティストを起用し、違反したドライバーにサッカーで使うようなイエローカードやレッドカードを掲げさせたコロンビアのボゴタ市の前市長のアンタナス・モックスような創造性に富んだ都市も必要だ。そして、それは成果をもたらす。交通違反が激減し、10年後には交通事故死者数が半減したのだ。[*50]

都市の可能性に驚くことはない。古代メソポタミアで最初の大規模な都市が誕生して以来、都市は現実的な問題解決と効果的な長期計画の場となっており、人々に排水システム、公衆浴場、碁盤の目状にレイアウトされた道路を提供してきた。しかし、今日の都市にはまだやるべきことがたくさんある。ほとんどの高所得都市では、エコロジカルフットプリント（必要なものを供給し、廃棄物を吸収するために必要な土地と水の面積）が、その行政面積の数百倍にも達している。生態学者のウィリアム・リースは、私たちが本当に必要としているのは、地域の生態系に寄生するのではなく、生態系に統合され自立した「バイオリージョン都市国家」を作ることだと主張している。[★51] このような取り組みに加え、デジタル民主主義の力を借りて、電子投票やその他のオンラインでの市民参加を通じて、地元の人々に意思決定に関わる発言権を与えることが必要だ。革新的な例としては、テクノロジープラットフォームである「ディサイド・マドリード」がある。このプラットフォームでは、20万人以上のマドリード市民が予算編成プロセスに参加し、年間1億ユーロ以上の市の資金をここに割り当てている。[★52] どの都市も、スマートフォンが草の根民主主義の再生のためのポケットサイズのツールとなるよう、市民に行政への参画機会や権限を与える努力をすべきだ。

国民国家は比較的新しい歴史的発明であり、過去2世紀の間、政治機構の主要な形態であったにすぎない。一方、都市は、人類が発明した最も偉大で永続的な社会技術だ。だからこそ、トルコのイスタンブールのような都市は何千年も存続し、それを巡って帝国や国家が興亡を繰り返してきた。国民国家はまだしばらくの間、人類とともにあり、私たちをその短期主義の渦に引き込むだろう。しかし、人類の長期的な未来のためには、古い政治的な境界線は消滅し、中央集権政府から権力が引き剝がされなければならない。21世紀的なポリスの市民になることが、私たちの大きな希望なのだ。

## 政治権力とオーバートンの窓

ディープ・デモクラシーへのこれら四つのアプローチが、政治における長期思考と世代間の公正を促進するための唯一の選択肢というわけではない。様々な国で見られる他の戦略としては、次のようなものがある。

国会に「若者枠」を設定すること。チュニジアでは２０１４年以降、議会選挙の候補リストの上位四人のうち、少なくとも一人は35歳未満でなければならないと定めている。

選挙権年齢を18歳から16歳に引き下げること。多くの国では人口が長寿化しているため、権利のない若者の利益を高齢の有権者が奪ってしまっているという理由による。オーストリアやブラジルで実施されている。

政府予算の「世代間の影響」をモニタリングし、評価すること。若者の圧力団体がキャンペーンを行った結果、２０１９年からカナダの連邦予算で実施されるようになった。

「公約装置」を作ること。イギリス政府は、気候変動に関する法定委員会の勧告に従って、２０５０年までに炭素排出量を正味ゼロにするという公約を法律に明記することになった。

重要な政策分野を短期的な政治的干渉から隔離すること。イギリスの公定歩合は、１９９７年以来イングランド銀行の金融政策委員会によって設定されている。

より優れた先見性のある能力を開発すること。シンガポールの未来戦略センターは、首相官邸のシンクタンクとして注目されている。[★53]

これらの戦略の多くに潜む問題点は、先鋭性に欠け、既成の権力構造にほとんど挑戦していないことだ。イギリスの金融政策委員会のような責任を負わない機関は、現在のメンバー九人のうち四人が大手投資銀行で働いているというのに、本当に将来の市民の利益のために貢献してくれるのだろうか。また、議会に若者の定数を設けることで、ハイテク企業や石油会社が金融ロビー活動の力を利用して自分たちに有利な法律や政策を押し通すことを、本当に防げるのだろうか。

いずれの場合も、答えは「おそらくノー」だ。だからこそ、ディープ・デモクラシーの四つのデザイン・イノベーションが必要だ。これは、政治システムに根付いている短期主義を解体するための、深い構造的変化をもたらす。

しかしながら、何が難しいかといえば、根本的な政治改革は稀な現象であり、変革のための勝利の方程式に至るためには、通常、全く異なる複数の要素が合流することが必要となることだ。[★54]例えば、古いシステムに取って代わる自治都市国家、世代間の権利、市民議会、未来の守護者(ガーディアン)など、強力で先見性のある観念を持つことは不可欠である。しかし、それは始まりに過ぎない。これらの観念は、一定の人口に支持された高いモチベーションの効果的な社会運動によって支えられる必要がある。また、戦争や金融危機など何であれ、システムを支配している人々を脅かし、彼らの権力や権威を弱体化させるような危機があれば、それもまた有効だ。そして、技術的変化、経済的変革、巧みな戦略、そしてちょっとした幸運が加われば、望む変化が得られるかもしれない。

これらの障害にもかかわらず、ディープ・デモクラシーのための闘争は、すでに新しい世論を生み出し、「オーバートンの窓」（その時々の主流政治で許容される政策の範囲）を変えつつある。若者の気候変動ストライキのような反政府運動が台頭して以来、政府が経済の脱炭素化にどれほどの圧力を受けているかを考えてみてほしい。2050年までにネットゼロ（温室効果ガスの排出量から吸収量と除去量を差し引いた合計をゼロにすること）を達成することは、弱くて保守的な目標のように思われ始めていて、以前は極端に見えた2030年代というような目標は、普通のことになってきている。オーバートンの窓はかなり大きく動いた。このことは、多くの国の国内政治を変えるだけでなく、各国政府が国際交渉の場で大胆な公約を行うことを促し、私たちが直面している惑星の危機に対処するために必要なグローバルメカニズムが確保されるかもしれない。

時の反乱者たちは、多くの国で、政治的惰性や強力な既得権益と闘うことになるだろうが、その他の国々では、民主主義の景色を変え始める前進をパッチワークのように徐々に確保していくだろう。善良な独裁者が馬に乗って駆けつけてくれるという神話を捨て、政治闘争に挑む時の反乱者たちのパイオニア精神に信頼を置いてみようではないか。

# 第10章 エコロジー文明

## 投機的資本主義から再生型経済へ

東京から西へ3時間ほど行った山梨県の山奥に、「西山温泉慶雲館」という一軒の温泉宿がある。そこは、705年に建てられた世界最古のホテルだ。日本は、1000年以上前から続く酒蔵や呉服屋、宮大工などの老舗が残っていることで知られる。日本には、200年以上続いている企業が今でも3千社以上あり、その多くが家族経営で、所有権だけでなく伝統的な技術も世代から世代へと受け継がれ、事業の長期的な存続を確かなものにしている。[*1]

長期的なビジョンは、ソフトバンクのようなテック系の日本の大手企業の中にも見られる。創業者の孫正義は、「300年先にも成長できる会社を作る」と語る。彼の主力事業である1千億ドル規模のビジョン・ファンドは、ロボット工学、自律走行車、衛星技術、ゲノムなどの分野で先見性のある投資を行ってきた。

ＡＩの熱烈な支持者である彼は「人工知能のゴールドラッシュが現実のものとなる」とし、やがて「地球は一つの大きなコンピュータになる」と信じている。[2]

孫は、ウォーレン・バフェットなどの投資家と同様に、長期的な視野に立つことの効果を認識することが、ビジネス界のトレンドとして高まっていることを示す生き証人と受けとめられている。経営コンサルティング会社のマッキンゼーが発表したレポートによると、「長期的な視点を持つ企業は、時の経過とともにより強い財務パフォーマンスを示す」と結論づけている。長期的な成長目標に焦点を当て、研究開発に投資している企業は、四半期ごとの目標達成や株価の維持に執着している企業よりも優れている。２００１年から２０１４年の間、長期志向の企業は近視眼的な競争相手に比べて、売上高は47％、利益は81％上回っており、金融危機を乗り切る能力も高かった。また、長期主義はどうやら経済にも良いらしい。マッキンゼーの試算によると、すべての上場企業が長期の戦略的アプローチを採用した場合、米国のＧＤＰは年間０・８％押し上げられるという。[3]

だが、ここで一時停止ボタンを押して、考えてみて欲しい。

このような統計の問題点は、経済的な長期思考の目標がすべて金銭的リターンと経済成長にあると仮定していることだ。本章では別の視点から、根本的に異なる目的を訴えたい。それは、地球の生物物理学的キャパシティの範囲内で人間のニーズを満たすグローバル経済を、世代を超えて創造することだ。別の言い方をすれば、洞察力に優れた経済学者デビッド・コーテンが「生きている地球の再生システムとのバランスの中で、すべての人々に物質的な充足と精神的な豊かさを保証する」と表現した「エコロジー文明」を目指すことでもある。[4]

経済的利益、GDP成長、消費文化への依存から脱却し、生命の世界を尊重する経済的ビジョンを追求することは、本当に可能なのだろうか。これはまさに、新しいタイプの時の反乱者たちが経済の領域で試みていることだ。彼らは孫やバフェットのような著名な投資家ではなく、ブラジル、バングラデシュ、ベルギーなどで増えつつあるエコロジカルな経済学者、都市デザイナー、先駆的な社会起業家たちだ。その成功が保証されているわけではない。彼らは、既存のシステムを前にしては、容易に失敗し得る、脆弱で未熟な反乱を率いている。実際、歴史的に見ても彼らは不利な状況にある。しかし、その闘いは、後世にふさわしい世界を求めるすべての人々に希望を与えるものだ。では、長期的な再生可能経済への道を切り開くために、彼らはどのような課題に直面し、どのように考え、どのように行動しているのだろうか。

## 投機的金融と「ビッグショート」

簡単に言えば、問題はこうだ。1980年代にマーガレット・サッチャーとロナルド・レーガンの自由市場イデオロギーが世界に放たれて以来、短期主義は、経済思想を支配するようになった新自由主義のパラダイムの遺伝子コードに組み込まれている。

それが最大限に表出したのが、投機的資本主義の新時代の誕生だった。ミルトン・フリードマンに代表される新自由主義経済学者が推進した金融規制緩和は、市場で短期間に大儲けする機会を提供したが、1987年のブラックマンデー、1997年のアジア通価危機、2000年のドットコムバブルの崩壊、2008年の世界金融危機など、好況と不況という一連の壊滅的な事態を伴い、それによって、何百万人もの人々が生活と家を失った。1970年から2016年にかけて、ニューヨーク証券取引所における株式の平均保有期間は、5年からわずか4カ月に短縮された。[★5] デジタル技術は、金融の時間軸の縮小に拍車をかけた。１８１５年、ロスチャイルド家は伝書鳩で届けられたワーテルローの戦いの結果に基づいて取引したが（ナポレオン軍にイギリスが勝利したことをロンドンで真っ先に入手した）、今日の光ファイバーやマイクロ波のネットワークでは、株の取引にかかる時間は１ミリ秒以下だ（まばたきの３００倍の速さ）。現在は、「ビッグ・ショート」、つまり、手っ取り早い荒稼ぎとコンマ数秒のアルゴリズムの時代になっている。[★6]

短期主義は、新自由主義者が民営化によって巻き返しを図ろうとする際にも見られた。特に１９９０年代からは、富裕国でも貧困国でも、鉄道網、水道事業、発電所など、数十億ドルの価値を持つ国有資産がＩＭＦ（国際通貨基金）の圧力を受けて民間に売却された。これは、公的債務を処理するための目先の手段としては有効だったかもしれないが、将来の世代が共有するはずだった公的資産を長期的に失うことに他ならなかった。

また、金融セクターの影響力が高まったことも、短期主義の推進に拍車をかけた。２０１１年には、世界最大の多国籍企業50社のうち45社が銀行や保険会社だった。彼らは、製造業、鉱業、サービス業などの主要企業の支配的な株主になると、株主価値と投資収益率（ＲＯＩ）という金融価値を算出する指標に使われる２つの黄金比率を用いて、企業に短期志向への圧力をかけようとした。大口投資家は、支配する企業のＲＯＩ目標を引き上げ、数カ月先、あるいは数週間先の財務目標を達成することに集中させるようになった。[★7]

新自由主義は、未来の現実を否定する経済モデルを世界に提供した。しかし、この近視眼の責任をすべて、ウォール街の自由市場主義者や、強欲を良しとするトレーダーに負わせるのはフェアではない。第二次世界大戦後の三大経済発展モデルである新自由主義、その前身であるケインズ主義、マルクス主義に共通しているのは、人類の進歩の手段として無限の経済成長を信じていることだ。[*8] この、成長に対する根強い信仰が、人類の長い未来を確保する上で最大の課題となっている。１９７０年代初頭、経済学者のケネス・ボールディングは、「有限の世界で指数関数的な成長が永遠に続くと信じる者は、正気を失っているか経済学者のどちらかである」と言った。[*9]

ボールディングの皮肉は、主流の経済学者を激怒させたかもしれないが、人と地球の長期的な利益を中心に据えた新しい経済思想モデルの台頭を示すものだった。

## ロラックス、ドーナツ、エコロジー経済学の台頭

成長に対するボールディングの批判は、経済学者ではなく、児童文学作家のドクター・スースが１９７１年に発表した名作『ロラックスおじさんの秘密の種（The Lorax）』で説明されている。科学雑誌『ネイチャー』に「子どもたちのための『沈黙の春』のようなもの」と評されたこの作品は、豊かで美しい国にやってきた生物「ワンス・ラー」の物語だ。[*10] ワンス・ラーは、地元のトラッフラの木の絹のような葉で作られたスニードと呼ばれる、奇妙だが人気のある衣服を売る商売を始める。木々の守護者であるロラックスは、彼が木を切り倒すのを止めようとするが、無駄だった。ワンス・ラーは、スモッグの原因となるスニード工場を「より大きく」し、荷馬車を「より大きく」し、お金を「より大きく」しようとしている。「俺はより大きくならなければならなかった。だから、大きくなったんだ」と彼は語る。すぐに木はすっかりなくなり、野生動物は死に、水は汚染され、ワンス・ラーは倒産してしまった。この環境寓話の唯一の救いは、生き残ったトラッフラの種を与えられた少年が、最後、荒廃した土地を再生するところに表れる。

この物語は、長期的には破壊的な結果をもたらすにもかかわらず、より多くのものを手に入れようとする今日のグローバルな消費経済に対する厳しい警告となっている。永続的な経済成長という目標は、やがて「ロラックス」の論理に屈することになるのだ。

経済の領域で戦う時の反乱者は、ドクター・スースだけではなかった。「ロラックス」が北米やヨーロッパの家庭で子どもの枕元で読まれるようになった頃、同じように革命的な議題を持つ経済学の新しい分野が生まれ始めていた。それが、現在「エコロジー経済」として知られるものだ。この分野は長い間、日の目を見なかった。私が経済学を学んでいた1990年代初頭や、金融ジャーナリストとして束の間のキャリアを積んでいた頃、この分野についてはさっぱり耳にしなかった。しかし、それが今では主流になりつつあるのは良いニュースだ。というのも、この経済学は、私たちがグッド・アンセスター、よき祖先を目指すための長期的な経済ビジョンの中核をなすものだからだ。

エコロジー経済学の起源を語る上で象徴的な出来事は、1972年に発表された「成長の限界」報告書だ。この報告書では、ドネラ・メドウズとデニス・メドウズに率いられたマサチューセッツ工科大学のシステム思想家グループが、コンピュータによるモデリングを用いて、「世界人口、工業化、汚染、食糧生産、資源枯渇などの現在の成長傾向に変化がなければ、今後100年以内のいずれかの時点で、この地球上での成長の限界に達するだろう」と示した。そして、大規模な政策変更によるポスト成長経済へのスムーズな移行がなされない限りは、最も可能性が高い結末は、文明の崩壊と人類の福祉の根本的な低下であると結論づけている。[*11]

彼らの研究は、大多数の経済学者には信じられるわけがないと嘲笑されたが、今では多くの人に予言的なものとして認識されている。この研究を広めた代表的な人物の一人が、エコロジー経済学者のハーマン・デーリーだ。彼の重要な洞察は、複雑そうに見えてその実シンプルであると同時に、絶対的な視点の変化をもたらすものである。つまり、経済とは有限で成長しない大きな生物圏のサブシステムであり、経済の物的処理能力は永遠に成長し続けることはできないということになる。デーリーは「人類は持続可能な経済に移行しなければならない。持続可能な経済とは、地球の生態系に内在する生物物理学的な限界に配慮し、長い将来にわたって活動を続けることができる経済のこと」だと言う。[★12] つまり、地球上の資源を自然の再生能力を超えて使用したり、廃棄物を自然の吸収能力を超えて発生させたりしないということだ。

これは常識的なことであり、第8章で述べた「一つの惑星（ワン・プラネット）の繁栄」というビジョンを反映している。しかし、標準的な経済学の教科書では、このようなアプローチを見かけることはほとんどない。資源利用による生態系への影響は、一般的に「外部性」、つまり市場の価格シグナルから外れた一種の付随的な損害とみなされる。一方、所得の循環的な流れなどの基本的な図において、経済は生物圏に組み込まれるのではなく、白い背景に置かれて表現される。[★13]

デーリーは、世界銀行で1992年に発行された「世界開発報告」の中の「開発と環境」に携わっていたときの話をしてくれたことがある。報告書の初期の草稿には、おなじみの真っ白な背景に、ただ「経済」と書かれた四角いボックスが一つ配置された図が掲載されていた。彼は、一つの何かは別の何かの部分集合であり、その制限を受けることを表すために、「経済」の周辺に「環境」を描くことをコメントで提案した。そうして受け取った次の草稿には、ラベルのないボックスが、ただ「経済」を囲む額縁のように配置されているだけで、その意味を示唆する記述は何もなかった。そして最終版では、環境のボックスは完全に取り除かれた。振り出しに戻ったのだ。[14]

ありがたいことに、時代は変わり、経済学の反乱が本格化している。エコロジー視点を欠いた古いパラダイムや、デーリーが「成長マニア」と呼ぶものに、疑問を投げかける循環型経済や多元的経済学、誰にとっても良い経済や脱成長運動などの、新しいモデルが登場している。これらの代替案の中でも特に注目されているのが、経済学者のケイト・ラワース（ちなみに私のパートナーでもある）が考案した「ドーナツ経済学」だ。世界中の野心的な都市や政府、先進的な企業や活動家に採用されているラワースのドーナツモデル（次ページの図参照）は、二つの輪で構成されている。[15]ドーナツの外輪は、ヨハン・ロックストロームやウィル・ステファンなどの地球システム科学者が開発した九つの「プラネタリー・バウンダリー（惑星限界）」からなる、「環境的な上限」だ。気候変動や生物多様性の喪失など、重要な境界線を超えてしまうと、絶妙なバランスで生命を育んでいるこの惑星システムが狂ってしまう恐れがある。一方、ドーナツの内側にある「社会的な土台」と呼ばれるリングを下回ると、基本的な人間のウェルビーイングを満たす要素が不足し、人々は食料、住居、教育などの生活必需品にも事欠いた状態となる。[16]

ラワースは、経済システムの基本的な目標は、ほとんどの政府が追求している終わりのないＧＤＰ成長ではなく、二つの輪の間にある「人類にとって安全で公正な空間」に私たちを導くことであると主張する。言い換えれば、「環境的な上限」の限界点を超えない範囲で、人々のニーズを満たして、（ドーナツの穴に誰も取り残されないように）「社会的な土台」の上に引き上げることだ。では今、私たちはどこにいるのかといえば、グローバルレベルでドーナツの内側と外側（「社会的な土台」と「環境的な上限」）の両サイドにおいて著しく失敗している。12の社会的側面のすべてにおいて不足しており、データで測定可能なプラネタ

# 我々はドーナツの中で生きていけるのだろうか？

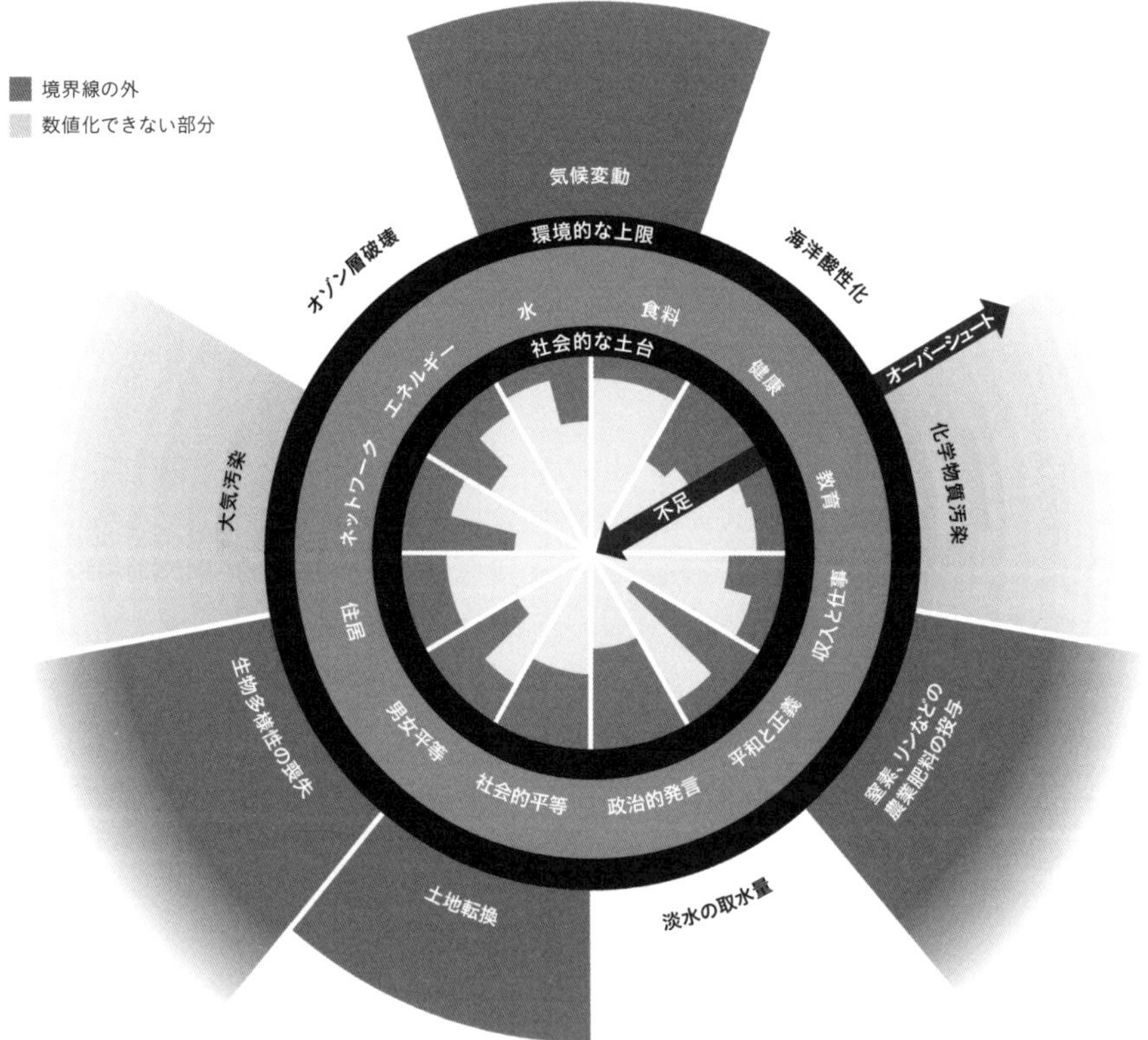


ケイト・ラワースの社会と惑星の限界のドーナツ
「社会的な土台」と「環境的な上限」の間にあるのは「人間のための安全で公正な空間」。
境界線の内側と外側は、現代の人類にとっての不足と過剰の程度を示している。

リー・バウンダリーのうち四つを踏み越えてしまっている。これは、21世紀の人類の破滅的なポートレートであり、現代のショッキングなグループセルフィー（集合自撮り写真）と言うほかない。

グッド・アンセスター、よき祖先ならば、このドーナツの中に収まって生きようとする志が「一つの惑星（ワン・プラネット）の繁栄」という「超目標」を体現していることがわかるだろう。地球の生命維持システムの上限に収まる範囲内で、現在および将来の世代のニーズを満たすのだ。この目標は、もし人類が何千世代にもわたって種としての長寿を確かなものにしたいのであれば、自然からよく学び、子孫を育んでくれる生物界を一番に大切にすべきであるという考え方とも、完全に重なる。ドーナツは、短期主義との綱引きに勝つために、単に時間の感覚を延ばすことに焦点を当てるのではなく、私たちの唯一無二のホーム・プラネットである「場所」を大切にする方法を提案している。そのようにして、ドーナツは来るべき世紀に向けて人類のウェルビーイングを確保するための強力な羅針盤となるのだ。「長い目で見て健康的な唯一のドーナツであることがわかった」とは、ラワースの言葉だ。

GDPをエンドレスに成長させるという持続不可能な目標から、社会と惑星の限界線の間でバランスを取りながら繁栄するという目標へとシフトチェンジを遂げたところで、時の反乱者たちは、どのようにその目標を達成しようとしているのだろうか。

## 企業経済における時間軸の拡大

ポール・ポルマンはもともと神父志望だった人物だ。しかし、最終的にはイギリス―オランダ系のコングロマリットで、「ダブの石鹸からヘルマンのマヨネーズまで」広く家庭用品を扱うユニリーバのCEOに就任した。彼は、２００９年に就任したその日に、四半期報告書を廃止して株主を驚かせた。これは、売上、利益、市場シェアの拡大という三位一体の目標達成の証明を三カ月ごとに課された絶え間ないプレッシャーに対抗するための措置だった。「初日に解雇されることはないと思ったから」と彼は語る。２０１９年に退任するまで、ポルマンはユニリーバ全体で10年に及ぶサステナビリティ運動を指揮し、パーム油や大豆などの持続可能な原材料の調達率を10％から56％に引き上げた。これらはすべて、価値や目的が財務上の利益と同等の重要性を持つビジネスを創造するという、彼の計画の一環だった。彼の言葉を借りれば、「倫理観を持ち、長期的に正しいことを行い、コミュニティを大切にすることこそが、責任あるビジネスを行うための方法である[17]」。

ポルマンの持続可能性への取り組みは、野心や実行力に欠けると批判されることもあったが、将来世代の生活に対する彼のコミットメントは、他の多くのＣＥＯと比べ、偽りのない心からのものだ[18]。ビジネスリーダーの中には、「グリーンウォッシュ」（自社の利益のために、根拠や実体を伴わない環境保護メッセージを発すること）だけでなく、私が言うところの「ロングウォッシュ」（明日の世界の福祉のためではなく、主に自社の収益のために長期的な戦略を立てること）に長じた人が増えている。

経済全体を「ドーナツ」に向かわせるような長期思考へと導くためには、ポルマンのような先進的なビジネスパーソンの自発的な行動にばかり頼るわけにはいかない。そのような人物はあまりにも少ない上、株主利益の最大化という呪縛に閉じ込められた企業組織（その中にはユニリーバも含まれる）に組み込まれたままなのだ。最初の解決策は、政府の規制変更によって企業経済の時間軸を延長するようゲームのルールを変えることだ。

一つの可能性としては、株式取引の保有期間に応じた課税によって、投機的資本主義の無謀な短期主義を制限することが考えられる。文化的な思想家であり、シリコンバレーのテック企業の元CEOであるジェレミー・レントは、次のように提案している。株式の取引にかかる税率を、株の保有期間が1日未満の場合は10%、1年未満の場合は5%、10年未満の場合は3%、20年未満の場合は1%、20年以上の場合は0%にすれば良いというのだ。そうすれば「金融サービス業界は一夜にしてすっかり変わってしまうだろう。株式の高頻度取引やデイトレーダーは姿を消し、株式市場の短期志向は、慎重に検討された長期的な投資判断に取って代わられるはずだ」と彼は言う。それによって、特に再生可能エネルギーなどの長期的な利益をもたらす分野への投資が大幅に増加することになるだろう。[19] フランス政府は、半秒未満で実行されるアルゴリズムによる高頻度取引に課税するなど、すでにこの種の「時間規制」を先導している。[20]

2つ目の選択肢は、企業が株主価値を最大化するという事実上の義務に異議を唱えることだ。収益を最大化しなければ訴えられるという株主からのプレッシャーによって、長期的な環境目標を優先したくてもできないと、多くの企業が絶えず主張している。しかし、企業の設立許認可において長期の環境目標の設定が法的に義務づけられれば、状況は一変する。目下のところ、このような規制の変更を検討する政府はほとんどなさそうではあるものの、「Bコープ」運動はその道筋を示している。Bコーポレーション（ベネフィット・コーポレーション）として認証された企業は、目的と利益のバランスをとるように設計された革新的なビジネスモデルを有し、企業は自らの意思決定が労働者、顧客、サプライヤー、コミュニティ、環境に与える影響を考慮することを法的に求められる。これまでに、50カ国以上、2500社以上の企業が自主的に署名し、この要求事項を定款に記載している。ほとんどが中小企業だが、中にはパタゴニア、ベン&ジェリーズ、キックスターター、ブラジルの化粧品大手ナチュラ、自然派家庭用品のセブンスジェネレーションなどの大企業も含まれている。[21]

こうした規制の変更や、四半期報告書の廃止、あるいは、ＣＥＯの給与を短期的な業績から切り離すといったアクションによって、本当にドーナツの中へ移行できるのだろうか。[22] 残念ながら、そうはならない。経済的な時間軸の延長には役立つかもしれないが、物質的な浪費、生態系の破壊、そして地球の生態系のキャパシティをはるかに超える速度で天然資源を使用するよう駆り立てる贅沢な消費を、それらの方法で止めることはできない。[23] ジェレミー・レントは、「これらは、究極的には完全なる変容を遂げなければならないシステムの中では、単なる微調整にすぎない」と認めつつ、「しかし、巨大船舶の方向転換を助けるささやかなトリムタブのように、おそらく、国際企業の破壊的な力を抑制し、その巨大な力をより持続可能な道へと導くことができるだろう」と言う。[24]

では、単に資本主義モデルを規制するだけではない、より深い経済変革とは、実際にはどのようなものなのか。リジェネレーティブ・デザイン・ムーブメントをリードする時の反乱者たちに訊ねてみよう。

## 再生型（リジェネレーティブ）反乱の始め方

過去、支配的な経済システムに挑戦する試みは、ほとんど失敗に終わってきた。国家社会主義の計画経済は、半世紀にわたって生き残ったが、今ではほとんど見られなくなった。19世紀に行われた協同組合運動の大きな希望も、スペイン、バスク州のモンドラゴンのような一部の地域で生き残っただけで、次第に消えていった。今日、私たちは、市場システムの覇権に挑戦するもう一つの勇敢な努力を目撃しているところだ。

それが、再生型（リジェネレーティブ）デザインである。再生型デザインは、まだ生まれたばかりのムーブメントであり、その成功の可能性が低いことは認めざるを得ない。しかし、もし私たちが、成長への依存を持続可能なビジョンに置き換える経済モデルを望むのであれば、その中核には再生型の思考があるはずだ。

再生型デザインとは、すべての生命が依存している生態系を破壊したり、地球温暖化の崖っぷちに自らを追いやったりすることなく、地球の生物物理学的限界の範囲内で、私たちがどのように買い物をしたり、食事をしたり、仕事をしたり、生活をしたりするかを考えるためのデザインに関する、全体論的（ホリスティック）なアプローチだ。それは、自らのエネルギー源や素材を回復、再生、活性化し、数カ月や数年ではなく、数十年、数百年という超長期にわたって持続可能で弾力性のあるものにするプロセスであると言える。[25] 今日のリジェネレーティブな反乱者たちは、循環型経済（サーキュラー・エコノミー）、コスモローカル生産、エネルギー民主主義、再野生化という四つの重要な分野で闘っている。

地元のショッピングセンターに入ったところを想像してみてほしい。靴下からスマートフォン、綿棒、消臭剤まで、あなたが目にするほとんどの製品は、ケイト・ラワースが「取る、作る、使う、無くす」と要約した、昔ながらの工業デザインの線形モデルによって生産されている。地球上の素材を手に入れ、自分たちが欲しいものを作り、しばらくの間（時には一度だけ）使用した後、捨てる。この線形の退行経済モデルこそが、私たちを「惑星の限界」の瀬戸際へと押しやっているものだ。[26]

それに代わるモデルとして注目を集めるのが、「循環型経済」と呼ばれる再生型デザインだ。このモデルでは、廃棄物を最小限に抑える循環型のプロセスによって、製品が継続的に新しい製品に生まれ変わる。例えば、コーヒー豆のような生物由来の素材の場合、まず朝の一杯に使われた後の滓(かす)は、堆肥になってマッシュルームを育て、次に農場に送られて家畜の飼料となり、最後に肥料として土に還される。鉄やプラスチックなどの製造材料も同様で、修理、改修、再利用、リサイクルなどの方法で繰り返し使用される。循環型システムでは、廃棄物などというものは存在しない。廃棄物とは、本来あるべきでない場所に置かれた資源に過ぎないのだ。これは製造業において、時間の概念を直線的なものから循環的なものに変えることで、地球資源の長期的な「永遠回帰」をもたらすことと同義だ。

　何千もの企業や社会的企業が循環型マインドセットを取り入れている。カナダの廃棄物処理会社エネルケム社は、リサイクルできない家庭ごみから炭素を抽出し、それをガスに変えてグリーンバイオ燃料を作っている。このプロセスにより、エドモントン市は廃棄物の90%を再利用し、年間10万トンの埋め立てを削減した。[*27] 循環型マインドの資質を証明するために、スウェーデンのスポーツウェア会社フーディニは、２０１８年に世界初の衣類コンポスト施設をオープンした。使用済みのオーガニックウールの衣類を顧客が持ち寄り、コンポストボックスに入れると、そこから生成された土で野菜を育てたり、古いハイキングジャケットでおいしい食事を作ったりすることができるというわけだ。

　素晴らしいことに聞こえるが、問題はどこにあるのか。ループを閉じて環境廃棄物をなくすことにはコストがかかる。その結果、フーディニのスポーツウェアは高価なものになってしまった。もちろん、競合他社とは異なり、生産にかかる環境コストを全額負担しているからだと、彼らは主張する。しかし現実には、大きな行動変化がなければ、多くの人はファストファッションの店のプライマークやH&Mでバーゲン品を求め続け、フーディニの製品はこれからもニッチなままだろう。本当に必要なのは、循環型モデルを経済全体に広めることだ。
「ファブ・シティ」ムーブメントは、まさにこの課題に焦点を当てている。その起源は、2014年にバルセロナ市長が、2054年までに世界の都市に向かって「都市で消費するものすべてを自らの都市で生産しよう」と挑戦を呼びかけたことに始まる。[★28] それ以来、サンティアゴから中国深圳（シンセン）まで、30以上の都市でこの運動が始まり、ゼロエミッション（排出量ゼロ）の循環型経済の構築を推進するだけでなく、「コスモ・ローカルプロダクション」と呼ばれる革新的な製造哲学を実行している。

再生型デザインの、この第二のアプローチの基本的な考え方は、「原子は重く、ビットは軽い」というものだ。（原子でできている）製品は、輸送コストやエネルギー使用量を削減するために地元で製造し、（情報のビットでできている）設計は、オープンソースのデジタルプラットフォームを通じて世界中で誰もが自由に利用できるものを使うのが、理にかなっている。リナックスやドルーパル、ファイアーフォックスなどのオープンソースソフトウェアはよく耳にするものだが、「ファブ・シティ」ムーブメントではオープンソースのハードウェアにも目が向けられる。例えば、ポーランド系アメリカ人の発明家マーチン・ヤクボスキーは、「Global Village Construction Set」と名付けた製品を開発した。これは、企業が開発した設計図を無料でダウンロードして、トラクターから3Dプリンターまで50種類の主要な機械を、通常の市販価格の何分の1かで製造できるというものだ。「我々の目標は、公開されたデザインの設定情報を明確かつ完全なものにして、DVD1枚で事実上の文明スターターキットにすることだ」と彼は言う。[★29] 彼の活動に触発された Open Building Institute や WikiHouse は、地元で製造・建設可能な低コストのモジュール式エコ住宅の設計を提供している。こうした組織の多くが、ベナンからナイジェリアまで、アフリカ各地で生まれているメーカースペース（伝統的な技術や現代的なテクノロジーを用いて、人々が集まって物を作ったり発明したりする場所）に出現している。[30]

多くの革新的な観念と同様に、コスモ・ローカリズムも既存の経済システムと闘っており、簡単に押しつぶされてしまう可能性がある。自ら組み立てるイケアのフラットパックのように届き、数カ月で完成する低炭素住宅に格安で住めたら最高だが、都市部の不動産価格が高騰している中、いずれの町からも遠く離れた土地に暮らす覚悟がなければ、どうやって土地を買うことができるだろうか。その見通しについては現実的でなければならないが、ベルギーのＰ２Ｐ理論（シェアリングエコノミーとほぼ同義）の第一人者であるミシェル・バウウェンは、コスモ・ローカル生産には「将来の世代や地球上のすべての生物のために保全しなければならない天然資源を使用する量を根本的に減少させる」ことにより、形勢を逆転させるものとなる可能性があると考えている。[31] さらに、コスモ・ローカル生産には適応性と柔軟性が備わっており、地域のニーズに対応し、変化に強い経済を生み出すことができる。コスモ・ローカル生産に基づいた都市は、技術に精通した地元の生産者の革新性を活かして、それぞれ異なる姿を見せてくれることだろう。

完全な再生型経済とは、太陽光、風、波などの再生可能な資源を１００％利用したものであることは言うまでもない。地球の気温の上昇を１・５度以下に抑えたいのであれば、どんなに遅くとも20年以内にエネルギーシステムを完全に脱炭素化する以外に方法はない。この分野は、飛躍的に進歩しつつある。現在、タンザニアのダルエスサラームからブラジルのクリチバまで、１００以上の都市が電力の70％以上を再生可能エネルギーで賄（まかな）っている。[32] しかし、本当にエキサイティングな進展は、社会理論家のジェレミー・リフキンが「エネルギーの民主化」と呼ぶものだ。[33] これは、再生可能エネルギーのマイクログリッド（分散型電源による小規模電力ネットワーク）が普及し、各家庭で太陽光発電を行うだけでなく、余剰電力を水平方向のＰ２Ｐネットワークを通じて近隣の人に販売できるようになったことを指す。これはドイツのような富裕国だけで起こっていることではない。バングラデシュでは、何万人もの人々（その多くは貧しい農村の女性）が、自分の村でソーラーエンジニアになるためのトレーニングを受け、政府の「群衆電化」プログラムのもと、400万戸以上の家庭にソーラーシステムを設置している。2030年までには、1万件以上のマイクログリッドシステムが、太陽光発電を行っている家庭をつなぐようになり、世界で最も急速に成長する太陽光発電革命の一端を担うことになるだろう。*[34]

このモデルの長所は、分配型であると同時に再生型でもあることだ。このモデルでは、利益追求の大規模な民間エネルギー企業に依存する場合よりも、はるかに公平に発電能力を分配することで、人々をドーナツの「社会的な土台」の上に引き上げる。*[35] このようなエネルギーの民主化は、政治的にも大きな意味を持っている。マイクログリッド・ネットワークは、コミュニ

ブリ・ゴールディニなどの村の女性たちは、バングラデシュの農村部でソーラーパネルの設置やメンテナンスを行うなど、エネルギー革命の最前線に立っている。

ティの結束を強める傾向がある。エネルギーの生産、所有、流通がローカルに根付くことで、人々は政治的な意思決定を含め、他のことでもローカル化を望むようになるかもしれない。人類の歴史の中で、エネルギーシステムは政治システムを形成してきた。19世紀の鉱山業の発展が、労働組合運動と労働者の権利要求を強化したように、21世紀のコミュニティ主導の太陽光発電革命は、長期思考を育み、権力の急進的な分散化を促進する力となる可能性がある。[★36] 一方で、各家庭が自家用蓄電池を選択し、エネルギーを共有するのではなく貯め込んでしまったり、すでに多くの国で起こり始めているように、再生可能エネルギーの生産が大企業に支配されてしまったりすると、その民主化の可能性は完全には実現しないかもしれない。

　第四の再生型デザインは、この10年間にスコットランド、南アフリカ、ルーマニアなどで生まれた「再野生化（リワイルディング）」というムーブメントだ。その起源は、ある部分で、伝統的な自然保護団体の失敗に求められる。1世紀以上にわたり、自然保護主義者たちは、人間の大きな仕事は、地球を保全し、原始的な状態で未来の世代に引き継ぐことだと主張してきた。これは、自然の境界線の中で繁栄するという、グッド・アンセスター、よき祖先の超目標に合致した崇高な志のように聞こえるかもしれないが、批評家は、多くの自然保護組織が意図せずして「シフティング・ベースライン症候群」と呼ばれる状態に陥っていることを指摘している。

　環境活動家のジョージ・モンビオが説明するように、「どの世代の人々も、自分が子どもの頃に出会った生態系の状態を、平常のものとして認識する」。その結果、自然保護主義者は、魚や動物、植物を、自分が子どもの頃の生態系のベースラインに戻すことを求めることが多いが、それがすでに極度に枯渇した状態であったかもしれないことに気づかないのだ。例えばイギリスでは、多くの人々が国内の広大な荒地を保護する運動を行っているが、実は、そうした荒地はかつて野生生物が豊富に生息する豊かな森林地帯であったものが、何世紀にもわたって行われた羊の飼育によって破壊されて生まれた。モンビオは、「自然保護運動は、善意でなされているものではあるが、生物システムを時間的に凍結させようとしてきた」と主張する。それゆえ、彼をはじめとする多くの人々は、「自然保護」ではなく「再野生化」を支持している。再野生化とは、記憶されている以前の状態へ自然を戻そうとするのではなく、原生地域や野生の回復のきっかけとなる植物や動物を再導入することで、生態系のプロセスを再開させることだ。その典型例が米国のイエローストーン公園で、１９９５年にオオカミを再導入した結果、生態系の再生のための「栄養連鎖」が起こった。オオカミが、飢えた鹿から苗木を守ったことで、木が再び成長し、その結果、美しい声で鳴く鳥やビーバーなど、食物連鎖をつなぐ生物が戻ってきたのだ。[37]

再野生化ムーブメントの目的は、単に景観を再生し、生物多様性の損失を防ぐことではなく、惑星の気候の緊急事態に「自然の炭素ソリューション」を提供することにある。その解決策(ソリューション)とは、二酸化炭素の回収・貯留のようなハイテクなものではなく、はるかに古くて効果的な二酸化炭素の吸収技術である「木」を利用することだ。炭素貯留のための再野生化の可能性は非常に大きい。再生型農業などの自然を利用した他のアプローチと合わせて、泥炭地や荒地などの地域を再野生化することで、２０３０年までの気温上昇を危険水準以下に抑えるために必要な世界の温室効果ガス削減量の３分の１以上を提供することができると言われている。にもかかわらず、これまでのところ未だ必要資金の２・５％しか集まっていない。キャンペーン団体「リワイルディング・ブリテン」の調査によると、現在の農業補助金の３分の2を再野生化プロジェクトに回すことで、イギリスの現在の排出量の10分の１以上に相当する年間４７００万トンの二酸化炭素を抑制することができると言われる。[38] もちろん、再野生化が唯一の解決策ではない。植物性の食事に切り替えたり、化石燃料による輸送をやめたり、家を断熱化したりすることでも、大きな違いが生まれる。しかし、人類の長い未来は「木の時間」のディィープ・ワンダー（深淵なる奇跡）を再発見することから生まれるかもしれないということを、木の再生能力は私たちに思い出させてくれる。

これらの四つの再生型プラクティスは、革新的で刺激的だ。しかし、幻滅するような現実を直視しよう。時の反乱者たちは、経済的・政治的な力に立ち向かっている。彼らは、凝り固まった企業行動や金融投機による短期主義、四半期ごとの成長目標に固執する政府、使い捨ての消費文化と闘っているのだ。このような障壁を克服しようとする中で、100年後の人々が過去を振り返ったとき、今の私たちが産業革命を振り返るように、果たしてそこに再生型の経済革命の出現をはっきりと目にすることができるだろうか。

おそらく、そうはならないだろう。しかし、可能性はある。なぜなら、世界中で生まれつつある再生型経済の実践は、まさに初期段階の経済変革の姿だからだ。それは壊れやすく、断片的で、偶発的なものであり、18世紀の工業化の初期に起こったことと同じである。アダム・スミスのような著名人でさえ、目の前で産業革命が起こっていることに気づかなかった。[39]

再生型革命への期待は、従来とは異なる考え方を持ち始めているいくつかの国の政府によって後押しされている。オランダでは、2030年までに原材料の消費を50％削減するなど、2050年までに循環型経済を構築するという画期的なプログラムを採用している。[40] スウェーデンは、国内の主要な環境問題を一世代で解決するという野心的な「世代目標」を掲げている。フィンランドは、2035年までにカーボンニュートラルになることを明言している。ニュージーランド、スコットランド、アイスランドなどのウェルビーイング経済国のグループは、経済成長よりも集団のウェルビーイングに基づいた開発指標を新しく作ることを目指している。ブータンのように国民総幸福量の測定を始めている国もあれば、グリーン・ニューディールの採用を目指している国もある。

しかし、最大の課題は、21世紀の経済学の中心にある緊張関係を解決することにある。それは、地球の生態系の限界を守りながら、経済成長を同時に追求することが可能かどうかということだ。これは、世界中の政府が直面している避けられないジレンマである。このジレンマを解決しようとしている国の一つが中国だ。長期的なビジョンを持つ国として知られる中国は、世界初のエコロジー文明の創造を目指している。彼らから、どのような教訓が得られるだろうか。

## 中国はエコロジー文明を創造できるか

毛沢東が愛した中国の伝統的な民話に、「愚公山を移す」というものがある。90歳の老人が、家からの道のりを邪魔する山に腹を立て、鍬で土や石を取り除き、山を平らにすることにした。不可能なことだと馬鹿にされた彼は、自分の努力と何世代もの子孫の努力によって、山はやがて消えていくだろうと答えた。神々は彼の根気強さに感銘を受け、命じて山を除去した。[★41]

中国文化には、長期的に見ることの美徳を説いた寓話やことわざがたくさんある。これらは、西洋が「今」に執着するのに対して、中国は何百年、何千年も過去に遡り、未来に向かって時間軸を伸ばしていく古代文明であるというイメージを作るのに一役買っている。中国の指導者であった周恩来は、１９７２年にフランス革命の影響について尋ねられた際、「述べるには早すぎる」と答えたという伝説的なエピソードがある。後に、周恩来は１９６８年にパリで起きた学生の反乱について聞かれたものと思っていたことが明らかになったが、この逸話は、中国人は世紀単位で考え、他の国々は秒単位で見ているという物語を強化することになった。対照的に、今日の中国の都市開発の熱狂的なペースには、このような長期的な考え方はほとんど見られない。多くの新しい建物は20年を待たずに取り壊されて建て替えられ、都市計画の担当者は新疆（しんきょう）ウイグル自治区カシュガルの旧市街や上海の老西門地区などの歴史的地区を完全に破壊してしまった。

しかし、特にインフラや産業政策の分野で、その長期的な思考や計画は評価されるに値する国であることは間違いない。中国の成功は、選挙や政権交代が頻繁に行われる民主主義国家とは異なり、長期的な開発プロジェクトや優先事項に力を「全集中」させることができる政治体制によるところが大きいと、指導者たちは考えている。[*42] 習近平国家主席によれば、「わが国の最大の強みは、社会主義体制のおかげで大きなことに集中できることだ」という。[*43]

このような長期プロジェクトは、三峡ダムから巨大な「南水北調プロジェクト」まで多岐に渡る。このプロジェクトは、雨の多い南部から乾燥した北部へ水を運ぶために２００２年に開始された運河計画で、２０５０年の完成を目指している。また、長期プロジェクトには、中国の経済的影響力を中央アジア、アフリカ、ヨーロッパにまで拡大することを目的とした「一帯一路構想」に基づく、さまざまなインフラや電力プロジェクトも含まれる。中国政府の最新の科学技術5カ年計画によると、従来のエンジニアリング系の巨大プロジェクトにデジタル系のものが加わり、２０３０年までに、ビッグデータ、サイバーセキュリティ、人工知能、スマートシティなどの分野で中国が世界をリードする存在になることを目指している。[*44]

このような取り組みに並んで、習主席は、中国が今後30年間で「人間と自然の調和」を確保し「次世代に利益」をもたらす「エコロジー文明国家」になることを目指すと発表した。[*45] 西洋諸国では、このような野心的なビジョンを掲げられる政府はほとんどない。現実的には、再生可能エネルギーへの大規模な投資、大気汚染や水質汚染への対策、大規模な森林再生などの政策ということになる。最近のプロジェクトでは、東部の淮南（ワイナン）市にある古い炭鉱の湖上に、世界最大の浮体式ソーラーファームが設置され、約10万世帯分の電力を供給するキャパシティを備えることになる。[*46] その変化のペースは驚くべきものだ。グリーンピースによると、中国では1時間にサッカー場1面分の太陽光パネルが設置され、1時間に1基以上の風力タービンが設置されているという。[*47] 彼らは早急に行動しなければならないことを理解している。中国の気候科学者たちは、今後数年間で平均を上回る海面上昇、洪水、干ばつ、食糧不足に直面すると警告する。[*48]

エコロジー文明の目標は、生物界の自然システムと調和した、より再生型の経済への移行を示している。しかし、それは経済成長を最優先課題とする政府の姿勢とは相容れないものだ。[*49] 習主席の代表的な政策の一つに「二つの百年目標」がある。第一の目標は、２０２１年（中国共産党創立１００周年）までに適度に繁栄した社会を構築することであり、第二の目標は、２０４９年（中華人民共和国建国１００周年）までに高度に発展した経済大国を実現することだ。後者の目標は、長期的な大聖堂思考の好例である。しかし、この目標を達成するためには、中国が今世紀半ばまで年率６％程度の高成長を維持することが絶対条件となる。[*50]

そこに問題がある。というのは、エコロジー文明のビジョン全体を危険にさらすことなく、大きく指数関数的成長を達成できるという証拠はほとんどないからだ。中国は浮遊式の太陽光発電所を持つ一方で、未だ世界の石炭の半分、石油の3分の1、セメントの60％を使用している。[*51] また、世界のどの国よりも多くの鉄鋼を生産し、農薬、人工肥料、木材を使用している。これは、中国の規模が大きいというだけでなく、産業モデルの大部分が化石燃料と有害化学物質に依存しているからだ。楽観的なシナリオで見ても、２０４０年には未だ中国の電力の47％は石炭による火力発電が占めることになる（現在の約70％から減少はするもの の）。[★52]同時に、中国は化石燃料の多くを諸外国に依存している。２００1年から２０１６年にかけて、中国は「一帯一路」計画の一環として、25カ国で２４０の石炭火力発電所の開発に参加した。国民が豊かになれば、人々はより多くの車、より多くの暖房、より多くの肉、より多くの家電製品を求めるようになり、その結果より多くのエネルギー消費と環境破壊が進むことになる。[★53]経済学者のリチャード・スミスは、「習近平はエコロジー文明を作ることも、豊かな超大国を作ることもできるが、両方はできない」と言う。[★54]

「グリーン成長」の信奉者は、この二つの目標は両立可能だと主張する。しかし、危険を伴う気候変動を回避するのに必要な規模の温室効果ガスの排出量を削減しながら成長を追求できた国は、これまでのところ世界に存在しない。あらゆる技術と知恵を駆使しても、私たちはまだ、経済成長と、地球の限界をはるかに超えてしまうような資源の使用を「切り離す」方法を見つけられていない。一部の国で達成されている最小限の「絶対的デカップリング（経済規模が成長しても、環境負荷の絶対量を増やさないこと）」は急進的なものではなく、世界の二酸化炭素排出量を10年以内に半減させるために必要なものには到底及ばない。[★55]エネルギー科学者のバーツラフ・スミルは、「経済学者は、成長と物質消費を切り離すことができると言うだろうが、それは全くのナンセンスだ」と語る。[★56]

このジレンマに直面しているのは、中国だけではない。すべての高・中所得国が直面している問題なのだ。中国の指導者たちが直面している新たな事実は、経済成長とエコロジー文明という2つの目標が、互いに深刻に相容れないものかもしれないということだ。このことは、一見相反する力が、統合された全体の一部として調和とバランスを保ちながら共存するという、古代の道教の陰陽思想に反しているように思える。もしかしたら、中国はその例外となり、習主席はこの二つの目標を統合したリーダーとして記憶される可能性もなくはない。しかし、彼が持てるすべての国家権力を駆使したとしても、それでもなお、彼には山を動かす神々の助けが必要かもしれない。

## 気候アパルトヘイトを超えて

循環型経済やその他の再生型経済設計を支える時の反乱者たちは、私たちを文明的な窮地から救い出すかもしれない。終わりなきGDPの成長という目標を求めて駆動する経済から、デビッド・コーテンの言葉を借りれば、「生きている地球の再生型システムとのバランスを取りながら、すべての人に物質的な充足感と精神的な豊かさを確保する」経済への移行を可能にするのだ。しかし、彼らは典型的なダビデ対ゴリアテの戦いに従事しており、既存の成長中毒システムの勝利に終わる可能性も十分にある。

もしそうなったなら、そして、私たちがこれまで通りの生き方を続けようとするなら、その結果に備えなければならない。そして、その結果がどのようなものになるかは、すでにわかっている。2012年にニューヨークを襲ったハリケーン「サンディ」では、何十万もの低所得者層や社会的弱者層が電力や医療を受けられない状態に陥った一方で、ゴールドマン・サックスの本社は何万もの土嚢と自家発電機による電力で守られていた。国連の「極度の貧困と人権に関する特別報告者」であるフィリップ・アルストンは、この出来事が「気候アパルトヘイト」の危険性を示唆していると指摘する。それは「富裕層は温暖化や、飢餓、紛争からお金で逃れることができる一方で、それ以外の世界の人々は取り残されて苦しむ」世界だ。[*57]『ソイレント・グリーン』や『エリジウム』、『ザ・ウォール』など、SFのディストピア（逆ユートピア）を思い浮かべてみるといい。

世界の富の半分を所有する1％の富裕層は、世界的な生態系の緊急事態の荒廃から身を守ることができるかもしれないが、ほとんどの人々、特に高所得国と低所得国を問わず貧困に苦しむ人々は、そうはいかない。[*58] だからこそ、私たちは再生型経済の実現に向けて努力することが非常に重要なのだ。それは、私たちを「惑星の限界」という環の中にとどめるだけでなく、人々をドーナツの「社会的な土台」の上に引き上げることでもある。これは、単に今日の経済的・社会的正義の問題ではなく、明日の世代間の公正の問題であり、起こりうる気候災害に現在と未来の人々が立ち向かう手段と回復力を確保するためのものだ。

低所得国の中には、再生型経済を作る余裕はなく、国民を厳しい窮乏から救うためには今すぐ経済成長が必要だと主張する国もある。さらにいえば、先進国は過去2世紀にわたって化石燃料の排出（を伴う経済発展）を享受してきたのに、低所得国はなぜ、発展の公平な分け前を享受してはならないのか、と。

確かに、排出量削減の負担は、歴史的に見て最も責任のある先進国の国々にもたらされるべきであり、長期的な視点から見てもそうとしか言いようがない。しかし、再生型経済への移行は、富裕国だけが享受する贅沢品というわけではない。

バングラデシュの分散型太陽電池産業の成功が示すように、再生型経済は、生物界の生態系の限界内で経済的なウェルビーイングを促進する方法を低所得国にも提供する。再生型デザインは、低所得国が産業資本主義の古いモデルを飛び越えて、よりクリーンで、より公平で、より「長い今」のビジョンに基づいた、異なる種類の経済を創造することを可能にする。このような経済はすでにここにあり、地面の隙間や割れ目に花を咲かせようとしている。踏みにじられるかもしれないが、育てる努力をすれば、花を咲かせる可能性もあるはずだ。

第11章

# 文化進化

## ストーリーテリング、デザイン、バーチャル・フューチャーの台頭

私たちの種の存続は、酸素をはじめ、生命の維持に不可欠なものを供給してくれる生物圏に依存している。しかし、人類学者のウェイド・デイヴィスによると、私たちの周りには、私たちが呼吸する「文化の空気」を供給してくれる「民族文化圏」も存在する。民族文化圏には、社会に浸透している思想、信仰、神話、態度が渦のように含まれており、私たちの思考や行動を形成する世界観を構成している。[★1]

民族文化圏は常に流動的であり、「文化進化」のプロセスを通じて変化している。この「文化進化」もまた、「長期」を語るには有用な概念だ。ある時代に、ある民族文化圏で支配的になっている特定の考え方も、その後登場した新しい考え方によって置き換えられることがある。例えば、20世紀後半、新自由主義と消費者資本主義の台頭により、(社会正義のような)集団的価値観への信仰は、西欧諸国の民族文化圏に浸透し

た個人主義のイデオロギーへと徐々に変化していった。同様に、世俗的な価値観が宗教的な信仰体系と支配を競うようになった。

文化進化には生物進化とは異なる三つの重要な点がある。第一に、文化進化は意識的な選択の問題であり、民族文化圏の発展の方向性を形作ることも潜在的には可能だ。第二に、文化進化は生物進化に比べてはるかに速いスピードで起こるため、気候危機や富の不平等の拡大など、変化する環境に適応することができる。第三に、自然淘汰によってＤＮＡに新しい形質が組み込まれ、それが何世代にもわたって継承される生物進化とは異なり、教育システムの他、価値観や思考を植え付けるその他の制度や活動によって、世代を通じて繰り返し再現される必要がある。[★2]

これらすべては、短期思考と長期思考のせめぎ合いにどう関係してきたのだろうか。私たちは今、文化進化の重要な時期のまっただなかにいる。時の反乱者たちは、視覚芸術から組織的な宗教に至るまで、さまざまな文化的生息環境である民族文化圏に新しい観念や手法の種を蒔いている。もしタイムトラベラーが１８２０年から２０２０年の世界に到着したら、間違いなく日常生活のテンポの速さや、常にデジタルに気を取られている状態にショックを受けるだろうが、同時に、私たちが今日から何十年、何百年も先の未来を想像したり考えたりするのに費やす時間の長さにも驚くはずだ。映画館、学校の教室、ニュース記事、教会の説教、ビデオゲーム、バーチャルリアリティの風景などに、その痕跡を見出すだろう。文化の領域で闘う時の反乱者たちに感謝しなければならない。

その結果、人々の頭の中を占めている「短い今」のメンタリティと平行して、「長い今」が現れ始めている。人類は歴史上、これほど強く、来るべき世界に関心を持ったことはなかった。それが希望から来るものであれ、恐怖から来るものであれ、私たちの心象風景には深い変化が起きている。長期思考の空気を吸い始めているのだ。

この文化的変容の背後に現れる反乱者とは何者であり、彼らの戦略とは何か。そして、人間のどんぐり脳が持ち合わせているまだ見ぬその可能性に着手して、彼らは何を望んでいるのだろうか。本章で私たちは、今日の長期思考の最も創造的で革新的な文化圏への旅へ出発する。その始まりは、人間の最も古い行為のひとつ、「ストーリーテリング」だ。

## SFとストーリーテリングの力

政治や経済における時の反乱は1970年代から始まったものだが、小説家や映画監督は1世紀以上も前から私たちの想像力を未来へと広げることに貢献してきた。初期の典型例は、チャールズ・ディケンズである。『クリスマス・キャロル』の中で、「まだ来ぬクリスマスの亡霊」が、意地の悪いエベネーザ・スクルージに、タイニー・ティムの死と、放置された自分の墓を見せつける。しかし、本当の意味で未来へ飛躍させてくれたのは、19世紀後半のサイエンス・フィクション、今では「SF（Speculative Fiction＝推論的フィクション）」として知られているジャンル、SFの創始者であるジュール・ヴェルヌとH・G・ウェルズの作品だ。「タイム・マシン」、「月に住む人」、「宇宙の迷子」などは、たちまち私たちの日常用語になった。

今日では、気候変動によって発生した巨大なスーパーストームが新たな氷河期をもたらす「デイ・アフター・トゥモロー」のような、終末論的なSF大作がハリウッドで次々と製作され、私たちはSFを過剰摂取しているようにも思える。感動的でハイテクなスリルをたっぷり味わえる一方で、未来の人々の運命との深いつながりが感じられないと言って、この「終末系エンタメ」界を軽蔑するのは簡単だ。だが、マーガレット・アトウッドの『侍女の物語』やその続編『誓願』のような小説など、未来の可能性を模索する真剣で思慮深い試みも同様に多く存在する。P・D・ジェイムズの小説を原作とした『トゥモロー・ワールド』は、20年間続いた人間の不妊により、社会が崩壊寸前になり、人類が絶滅の危機に瀕している世界を舞台にしている。

このジャンルを体系的に研究する初めての試みとして、リスボン大学の研究者たちは、エヴゲーニイ・ザミャーチンの『われら』やフリッツ・ラングの『メトロポリス』から、アーシュラ・ル＝グウィンの『天のろくろ』やジェームズ・キャメロンの『アバター』まで、過去150年間で最も影響力のある64本のSF映画や小説の主要なテーマを分析した。これらのコンテンツを200以上のテーマ別カテゴリーに分類すると、明確なパターンが見えてきた。作品の27%では、テクノロジーが人心操作や社会コントロールのツールとなっていた。また、本や映画の39%に生物界の破壊が登場し、31%において、抑圧的な政治システムと過酷な格差社会に立ち向かう抵抗運動が描かれる一方で、28%においては深刻な食糧不足がテーマとなっていた。この研究の主な結論の一つは、SF小説や映画が、単に「未来」という抽象的な概念を視覚化して理解するのに役立つだけでなく、科学者の淡々とした分析や政府の長々とした報告書よりもはるかに効果的に、テクノロジーや資源開発のリスクを積極的に知らせる早期警告システムとして機能している、というものだ。SFは私たちを政治化させ、社会化させ、そして変化させる力がある。研究者たちによれば、SFには「権力に向けて真実を語る」能力があり、「予防と責任の倫理」を促進するという。[*3]

つまり、SFは、フィクションにも、エンターテインメントにも、メッセージにもなり得る。『ニューヨーク２１４０』や『オーロラ』など、政治の表裏に精通した一連のベストセラー小説で、地球温暖化の影響や異世界の植民地化の問題に取り組んできたキム・スタンリー・ロビンソンは、自分の作品の目的は「次の世紀の物語」を語ることだと言っている。彼のＳＦはすべて、最新の気候変動やテクノロジーの研究に基づいており、文学小説のように人間の欠点を追求することもあるが、その大きな目的は、私たちに迫りくる危機を理解させ、それを防いだり、最小限に抑えるために今すぐ行動するよう促すことにある。ロビンソンが自身の著書を「現代のリアリズム」と表現するように、それは現代への警鐘なのだ。★4

「初期警告」としてのＳＦの力を示す例を挙げるとすれば、１９３７年に出版されたオラフ・ステープルドンの予言的な名作『スターメイカー』だろう。この小説では、私たちの地球によく似た「もう一つの地球」と呼ばれる遠く離れた異星の惑星が描かれ、そこには同じように人間が住んでいる。ある日、彼らの中の一人の地質学者が、千万年前の石版に、自分たちの社会にあるのとよく似たラジオの図面が刻まれているのを発見する。

この惑星の住民は、かつてこの地に、独自に技術的に発展した人間文明が存在し、それが崩壊、そして消滅したとは、にわかには信じることができず、図面は、知的ではあるが脆弱でもあった何か他の異なる種族が、ほんの一瞬の文明の明滅を経験して残したものに違いないと信じて、住民たちは自らを慰める。ステープルドンによれば、「人間はいったんそのような文化の高みに到達したら、そこから落ちることはないだろうと、そう信じていた」。

「もう一つの地球」の人々は、ついにはどのような運命をたどったのだろうか。彼らの社会は、ラジオ技術が発達し、ほとんどの人がポケットにラジオ受信機を持っていて、それに触れるだけで脳が刺激されるという不思議な社会だった。この「ラジオによる脳の刺激」によって、人々は食べることなく宴会の感覚を味わい、危険を伴わずにスリリングなモーターバイクレースに参加し、好きな場所に旅行し、さらにはラジオを通じたセックスを楽しむことができた。「この種の娯楽の威力は絶大で、男性も女性もほとんどの場合、片手をポケットに入れているようだった」とステイプルドンは語っている。最終的には、「人は一生ベッドの中にいながら、ラジオ番組を受信して過ごすようなシステムが発明された」のだ。

「もう一つの地球」の政府は、間もなくこの「至福のラジオ」の仮想世界を操作できることに気づき、受信機を使って敵を悪者にする民族主義的なプロパガンダメッセージを放送した。その結果、壊滅的な戦争が勃発したのだ。ほどなくして、科学者たちは、この惑星の弱い重力場のために、生命を維持する貴重な酸素が徐々に失われていることを発見した。彼らは自分たちの文明が「独自の科学的知識によって」どんな困難にも打ち勝つことができるという揺るぎない自信を常に持っていたが、ラジオをきっかけとした戦争がもたらした予期せぬ結果の一つは、科学の進歩が少なくとも1世紀は後退したことであり、それは「もう一つの地球」の人々が大気の悪化という問題を解決できずに時間切れを迎えることにつながった。彼らの運命は定まっていた。彼らは絶滅する他なかったのだ。[*5]

ステープルドンがこれを書いたのは80年以上も前のことだが、今の時代にこれ以上よい寓話はないだろう。ポケットの中でデジタル版の「至福のラジオ」を気ままにいじっているうちに、私たちは未来の地質学者が岩石層の中に発見する失われた文明の一つになってしまうかもしれない。

## 心のタイム・トラベルの創造的ゲートウェイ——アート、音楽、デザイン

ルーブル美術館やウフィッツィ美術館のルネッサンス期の展示室を歩いても、未来を想像した世界を表現しようとする試みはほとんど見られない。しかし、今日、コンセプチュアル・アートの美術館に足を踏み入れると、私たちと未来との多様な関係性を探り、「今ここ」を超えて時間軸を拡張することを目指す、「時」にまつわるジャンルの作品を目にすることができる。時間的表現主義への転換を象徴するように、時の反乱者たちがアート界の根幹を揺るがしているのだ。その例をいくつか挙げてみよう。

アーサー・ガンソンは「コンクリートの中の機械」を制作した。この機械は、片方の端で毎分２００回転する歯車を持ち、それが11個の歯車につながっていて、それぞれが前の歯車の50分の1の速度で回転する。最後の歯車は固められたコンクリートの中に埋め込まれているが、１回転するのに2兆年かかる。

キャシー・ヘインズは、ロンドンの公園に時計のない新しい国家を建設するキャンペーン「ステレオクロン島」を制作し、市民を太陽時との周期的な関係に戻そうとしている。

ジョン・ケージの世代を超えた作品「オルガン2／ＡＳＬＳＰ（As Slow as Possible)」はドイツの都市ハルバーシュタットのオルガンで、現在も、６３９年に渡る演奏が続けられている。２００６年1月に一つの和音が奏でられ、次の音が鳴るまでに2年半かかった。最後の音が鳴るのは２６４０年の予定。

ヨシユキ・ミカミは、世界自然保護基金と共同で、消滅しつつある動物の写真を制作した。1ピクセルが野生に残された1匹の動物を表しており、パンダの画像は1600ピクセルしかない。

2019年4月、アイスランドの科学者たちは、国内のすべての氷河が200年以内に消滅する可能性が高いという認識のもと、失われた氷河（オク氷河）に追悼の記念碑を設置した。

スコットランドのアーティスト、ケイティ・パターソンは、この時間的表現主義の最も優れた表現者の一人であり、時間そのものを素材とした息を呑むような作品の数々を制作してきた。[*6]「ヴァトナ氷河（音による）」という作品では、一般の人がある番号に電話をかけると、アイスランドの氷河が溶けるライブの音を水中マイクで聞くことができる。「化石のネックレス」のビーズは、サハラ砂漠のヒトデ、アトラス山脈の巨大トカゲの歯、大昔に絶滅したイギリスのウーリーサイの足指の骨といった、ディープタイムの広がりの中にある化石から作られている。パターソンの作品の中でも、とりわけ人々の想像力をかきたてたのは、100年にわたるアートプロジェクト「未来の図書館」だ。2014年から100年間、毎年著名な作家が新作を寄贈し、それが未読のまま未来の世代への贈り物として保管される。2114年、100冊の本は、オスロ郊外に特別に植えられた千本の木の森から供給される紙で印刷されることになっている。寄稿者の一人であるマーガレット・アトウッドは「何か不思議な感じがする。眠れる森の美女みたいな。本が100年の眠りについた後、目を覚まして再び命を吹き込まれるなんて」と語る。[*7]「未来の図書館」は、世代を超えた遺産という理想を見事に再現しており、プロジェクトに関わったほとんどの作家は遥か昔に亡くなっていて、22世紀の読者たちが楽しむものだ。それは、世代間のつながりを感じさせる問いかけでもある。読者は誰なのか。彼らはどのような世界に住んでいるのだろうか。物理的な本はその時にも存在するのだろうか。そして彼らは、私たちと、私たちが残した遺産を、どのように評価するのだろうか。テキサスの砂漠にある「1万年時計」のように、「未来の図書館」の森は巡礼の地となることが運命づけられている。私がパターソンに「あなたは、未来を脱植民地化する世代間の公正のための世界的な闘争をリードする、時の反乱者だ」と言ったとき、彼女は少し驚いた顔をした。しかし、間もなく彼女は、世界的な気候変動への抗議活動について、そして、私たちが生態系を破壊することで危険にさらしているあらゆるものたちに意識を向ける視点を得る上で、ディープタイムをみつめることがいかにそのサポートとなるかについて、情熱的に語ってくれた。彼女のアートは、その時間的な繊細さとオリジナリティにおいて、現代に向けた深遠な政治的メッセージを伝えている。[*8]

ブライアン・イーノの作品にも、長期思考へのとても異質で創造的なアプローチを見ることができる。シドニー・オペラハウスなどの建造物に投影され、大きな反響を呼んだ「77ミリオン・ペインティングス」は、２９６点の原画をスクリーン上で四つのグループに分けてランダムに組み合わせ、ランダムに生成された音楽と重ね合わせることで、ほぼ無限のバリエーションを生み出している。この作品は、イーノが長年関心を寄せてきた「生成音楽（generative music）」という言葉を反映したものだ。「生成音楽」とは、１９７０年代の名作アルバム『ディスクリート』や『ミュージック・フォー・エアポート』など、イーノの基本的なルールに基づいてランダムな要素を導入し、永遠に繰り返されるのではなく永遠に変化し続ける、ある種の終わりのない音楽を創り出す作品を指す。イーノにとって、このような生成的な作品は私たちの心をより「長い今」へと広げてくれるものであり、それは、一連の基本変数の範囲内で時間をかけて適応・変化することで寿命を確保する、自立型の「複雑な適応システム」を創造するという考え方をベースとする点で、再生経済学にも似ている。イーノがインスピレーションを受けた、テリー・ライリーが１９６４年に作曲した『In C』は、演奏時間も演奏者数も設定せずに書かれており、音楽家たちは53の短いメロディ・フレーズを順番に演奏し、各演奏者が好きなだけ繰り返してから次のフレーズに移るというものだ。「私の考え方では、テリー・ライリーの『In C』は、バッハの非常に機械的なフーガに、ダイナミックな複雑さが加わったようなものだ」とイーノは私に語った。[★9]

アートや音楽が私たちを想像力豊かな時間の旅に連れ出してくれる一方、新世代のデザイナーたちは、未来を視覚化するだけでなく、感じたり、聞いたり、匂いを嗅いだりすることができる、没入型の「体験的未来」を創造し始めている。英国系インド人のデザインスタジオ「スーパー・フラックス」の共同設立者であるアナブ・ジェインは、アラブ首長国連邦政府のために「フューチャー・エナジー・ラボ」を設立した。

展示物の中には、現在のペースで汚染を続けた場合の２０３４年のアラブ首長国連邦の大気環境を予測した「汚染マシン」があり、政府の大臣が一酸化炭素、二酸化硫黄、二酸化窒素の有害な混合物を吸い込むことができるようになっていた。ジェインによると、再生可能エネルギーへの積極的な投資の必要性を政府高官に納得させるには、有毒ガスに鼻を突っ込むことが効果的だったという。[★10]

私たちは、子どもや孫が将来、呼吸するにも苦労する空気を、吸ってみることができないだろうか。彼らが直面するかもしれない暑さ、飢え、不安を感じることができないだろうか。

ＶＲ（バーチャルリアリティ）やＡＲ（オーグメンテッドリアリティ）の助けを借りれば、それが可能になるかもしれない。ＶＲやＡＲは、ジェインの公害防止装置やその他のデザインイノベーションの体験を、より多くの人々に広める可能性がある。オキュラス社のヘッドセット（まだ高価だが、急速に値下がりしている）を装着して、私たちの世界よりも気温が2度、4度、6度高い世界に全身で浸ることを想像してみてほしい。スタンフォード大学の「バーチャル・ヒューマン・インタラクション研究所」では、生命に満ち溢（あふ）れたサンゴ礁にスキューバダイビングし、そこから2100年まで、海洋の酸性化によってサンゴ礁が生物学的な限界域へと劣化していく様を見届けることができる。所長のジェレミー・ベイレンソンは、「気候変動に関する科学論文を全ての人に読んでもらうことはできないが、これこそが全てのショートカットとなる」「私たちは人々がここを出るときに、共感を覚え、行動したくなっていることを望む」と言う。研究所を訪れた人は、ノコギリの動きを再現した機械装置を握りしめて、バーチャルの木を切ることもできる。研究によると、このバーチャル体験をした人は、本や動画で紙の節約を促す木材伐採についての読んだり見たりしただけの人に比べて、次の週に使う紙の量が20％少なくなるという。[*11]

残念ながら、これらのバーチャル技術の多くはまだ開発の初

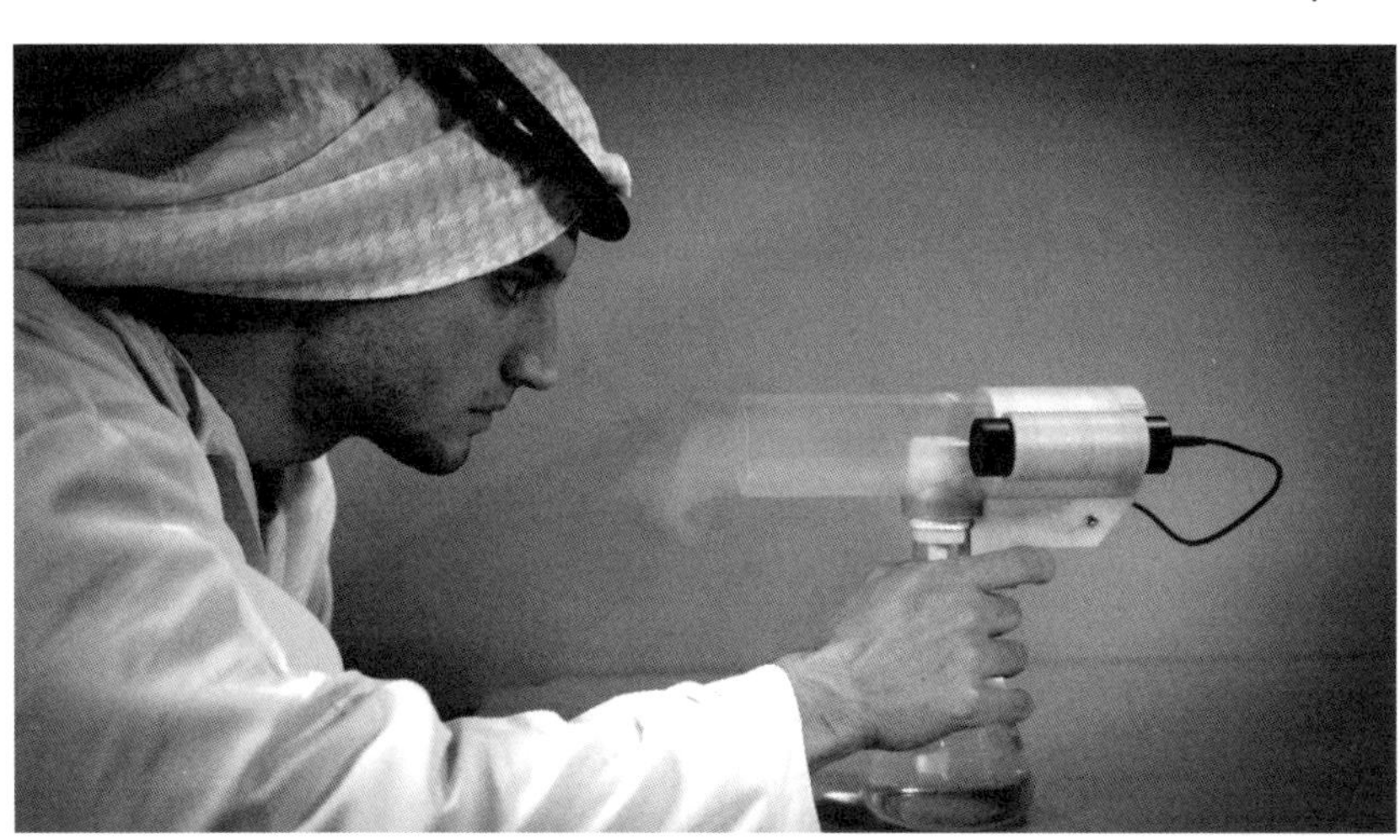

アラブ首長国連邦の政府関係者が、2034年の有毒な空気を吸う。デザインスタジオSuperflex提供。

期段階にあり、研究室の中に留まっている。映画『マトリックス』レベルのクオリティに到達するのを待っている時間はあるのだろうか。また、長期思考のための万能薬として、果たしてどれほどの信頼を置けるだろうか。仮想の木を伐採することよりも、スタンフォード大学の学生たちであればむしろ、20分の散歩でキャンパスの端にある樹齢1000年のレッドウッド「エル・パロアルト（スペイン語で〝背の高い木〟）」を訪れたり、カリフォルニア州のホワイトマウンテンでハイキングをして、さらに長い年月をかけて成長してきたブリストルコーンパインを探すだろう。キャンプファイヤーを囲みながら、デザイナーのスチュアート・キャンディとジェフ・ワトソンが考案した空想的な（そして愉快な）カードゲーム「The Thing from the Future」をプレイするかもしれない。カードは3種類ある。1枚は起こり得る未来の世界を示すもの、1枚はその未来世界の文化遺物、1枚はその遺物に関するテーマだ。つまり、選んだ3枚のカードは、たとえば「フェミニストの未来には／法律がある／お金に関する」とか、「反動的な未来には／機械がある／愛に関する」といった文章になる。ゲームの目的は、想像力と会話のツールだけを使って、何らかの人工物を発明し、描写することだ。カードの組み合わせによって、何万通りもの文章が生まれる。キャンディは、このゲームを「先取り人類学」の一形態と呼んでいる。[12]

バーチャルな未来に憧れるのも良いが、こうしたアナログ体験の良さも忘れてはならない。また、アートや音楽、デザインが、文化に大きな揺さぶりをかける力を忘れてはならない。1787年、イギリスの奴隷制反対運動家たちは、「The Brookes Slave Ship（奴隷船ブルックス）」というポスターを作成し、482人の奴隷が全く非人道的な環境で船内に押し込められている様子を表現した。すぐにこのポスターのことは話題になり、国中のパブ、教会、喫茶店、家などに何万枚も貼られるようになった。この作品は、奴隷制度と奴隷貿易に反対する運動の成功を広くアピールし、機運を高めたものとして、歴史上最も影響力のあるグラフィックデザインの一つであった。世代間の公正と「より長い今」のための闘争を刺激する作品を生み出すために、今日のクリエイティブな精神が切実に求められている。

## 教育と宗教を通じた仮想コミュニティの育成

19世紀、フランスの政治家たちは、ヨーロッパ史上最も野心的な文化プロジェクトの一つに着手した。「フランス人であること」の発明だ。フランス革命当時、フランスは名目上は一つの国であったが、実際には宗教、習慣、距離、そして最も重要なことに言語によって、大きく分断された土地だった。国民の50％はフランス語を話せず、流暢(りゅうちょう)に話せる人は10％にも満たなかった。[*13] 彼らの忠誠心は、国よりも地域や地方にあった。しかし、共通の言語と歴史を教える新しい教育制度、国民の祝祭日の制定、国歌の斉唱などの一連の改革によって、この状況は徐々に変化していった。これは、ベネディクト・アンダーソンが「想像の共同体」と呼んだ、知り合うはずのない人々の間に共同体としてのアイデンティティを形成する典型的な例といえる。このようにして、ヨーロッパのナショナリズムは強力な力を持つに至り、20世紀には何百万人もの人々が同胞のために戦争で命を捧げることをためらわなかった。[*14]

今日、私たちは同じような、いや、それ以上の課題に直面している。明日の世界を担うまだ生まれていない世代、つまり、決して会うことはできないが、親類縁者として受け入れる努力をしなければならない未来の人々と、どのようにして共通のアイデンティティの感覚を創造できるだろうか。創造的な芸術、映画、文学はすべて重要な役割を果たすだろう。しかし、それだけでは、世代間の連帯に基づいた新しい仮想コミュニティを創造、維持するのに十分とは言えない。グッド・アンセスター、よき祖先の価値観を拡大し、広める可能性を秘めた、二つの力を利用することが不可欠だ。それは、教育と宗教だ。

教育には、時間的緊張が内在しているようにも見える。若者たちへの投資を通じて長期思考を体現するものではあるが、彼らが社会に出て働いたり、活発な市民生活を送るようになるまでの少なくとも10年間は、その充分な成果は現れないかもしれない。他方では、彼らが学ばなければならないことは常に変化しており、自動化などの急速な技術革新によって、おそらくこれまで以上にその変化が早まっている。ユヴァル・ノア・ハラリは「2030年や2040年の雇用市場がどうなっているか知り得ないため、今日、私たちは子供たちに何を教えればいいのか見当がつかない。彼らが現在学校で学んでいることのほとんどは、彼らが40歳になる頃にはおそらく無意味なものになっているだろう」と主張する。[*15]

彼らが学ぶべき、時の試練にも耐えるコアスキルは少なくとも2つある。一つ目は、共感など関係性におけるスキルであり、この領域において、人間は自らの仕事を奪う恐れのあるAIマシンに対して大きな優位性がある。二つ目は、長期的な思考のスキルそのものだ。これは、急速な変化を遂げ、長期的な脅威に直面している世界では常に必要となるものである。私たちの行動の結果を受け継ぐ未来の世代との絆を築くための教育システムが必要だ。19世紀の教育システムが空間を超えたナショナリズムのコミュニティを形成したように、就学前の子供から生涯学習者までを対象とした教育は、時間の幅を超えた新しい仮想コミュニティを形成するのに役立つはずだ。

それはどのようなものになるだろうか。教育分野で戦う、時の反乱者たちに目を向けてみよう。世界各地では、すでに多くの国で確立されている環境教育をベースに、よりはっきりと長期的な視点を提供する教育改革のプロジェクトや運動が行われている。ここで、若者や成人に対して今まさに提供されているものを見比べていただこう。

コスタリカから韓国まで、約100万人の子どもたちが参加している教育プログラム「Roots of Empathy（共感教育）」では、本物の赤ちゃんを使って、世代を超えた共感を教室で教えている。9歳から11歳までを対象としたジュニアカリキュラムでは、生徒たちが未来の赤ちゃんを想像し、彼らとのつながりや責任を探る。[*16]

フューチャーラボはスコットランドの学校向けに「Futures Thinking Teachers Pack（未来思考教師パック）」を作成した。このパックには、今後30年間に起こりうる未来、起こりそうな未来、好ましい未来を探るための活動やゲームが含まれており、地理や英語、市民権教育の授業で使用するためのシナリオ・プランニングの手法を紹介している。[*17]

カナダでは、デビッド・スズキ財団が、高校生向けに世代間の権利についての授業用教材を作成している。これは、先住民の第7世代の考え方を参考にしたもので、国連の世界人権宣言に未来の世代に焦点を当てた新しい条項を追加する活動も含まれている。[*18]

未来学者であるジム・データーは、ハワイ大学の学生たちに、21世紀半ばに火星に住む5万人の人々のための理想的な統治システムをデザインさせている。学生たちは、社会の基本的な価値観、憲法、資源配分、将来世代への義務などを、映像や画像、言葉を使って表現しなければならない。[19]

カリフォルニア大学バークレー校では、「Thinking Like a Good Ancestor: Finding Meaning in the Technology We Build（よき祖先のように考える：我々の築いたテクノロジーに意味を見出す）」というデザインコースを開講している。このコースの考案者であるアラン・クーパーによれば、コースでは学生たちにまず「今、自分の個人的な利益を最大化するにはどうしたらよいか」と問いかけ、続いて「永久にみんなの利益を最大化するにはどうしたらよいか」という問いかけへとシフトするのだという。[20]

ドネラ・メドウズなどの学者が開拓したシステム思考の分野は、現在、世界中の学校や大学で教えられている。ストックホルム・レジリエンス・センターが提供している「惑星の限界と人間の機会（Planetary Boundaries and Human Opportunities）」のように、長期的な視点で物事を考えることができるシステム思考を、大規模に開かれたオンライン講義で無料で学ぶことができる。[21]

教育者は、長期思考を促進するために、さまざまなクリエイティブなオンラインソースから観念を得ることができる。「DearTomorrow」というウェブサイトでは、２０５０年の誰か（例えば、身近な子供や未来の自分）に向けて、気候危機への対応を誓う手紙を書くことができるようになっている。

これらのアプローチはまだ始まったばかりであり、モザイクのように断片的な現状では、全体論的（ホリスティック）な教育革命とは言えない（そして、現在のところ高所得国に集中している）。しかし、これらの連携によって、世界中のさまざまな年齢層や文化に対応した「グッド・アンセスター」のカリキュラムの基礎を形成する可能性がある。157カ国で毎日100万人以上の子供たちに教育を提供している国際バカロレアのような進歩的な教育運動は、そのプログラムにおいて長期視点を中心に据えることを検討するかもしれない。保護者の中には、生態系の崩壊のようなトラウマになりかねない問題を、特に幼い子供たちに提起することの危険性を心配する人もいるだろう。このような心配は当然のことであり、慎重に対応すべきだ。しかし、世界的な気候変動ストライキ運動の高まりを見ると、小学生はほとんどの大人よりもはるかに先にその脅威を認識しているように見える。彼らはその脅威について学び、学んだことを行動に移したいのだ。

未来の世代を私たちの仮想コミュニティに招き入れようと努めるにあたっては、人類が発明した宗教という集団的なアイデンティティを作り出す最も強力なメカニズムを、無視するわけにはいかない。イスラム教徒、ユダヤ教徒、キリスト教徒は、世界中のほとんどどこでもモスク、シナゴーグ、教会に足を運ぶことができ、信者コミュニティの一員として歓迎される。しかし、主要な宗教の長期志向性に関する資質はどうなのだろうか。その答えは複雑だ。例えば、仏教では、すべての生き物の相互関係、普遍的な慈悲の心、カルマと輪廻（りんね）などの概念が、強力な自然保護の倫理の基礎を作り、現在の世代と将来の世代とのつながりを提供しているが、それはキリスト教、イスラム教、ユダヤ教にはなかなか見られないものである。

キリスト教はその信者に、天国での永遠の命という究極の長期的なギフトを提供しているが、環境保護においては近視眼的な考え方をしていると非難されている。中世以降、キリスト教の思想家たちは、人間が自然を支配するという考えを広めてきたが、そこに、環境に対する影響への配慮はほとんどなかった（聖フランシスコの教えのような例外はあるが）。１９６０年代、環境史家のリン・ホワイトが、異教のアニミズム（すべての木や川や動物に精霊が宿るという考え方）を破壊することによって「キリスト教は、自然物の感情に無関心な状態で自然を搾取することを可能にした」と主張し、キリスト教を「世界で最も人間中心主義的な宗教」であり、産業革命の格好の共犯者であるとしたことは有名だ。[★22]

それ以来、キリスト教徒のエコロジストたちは、そうした非難から身を守るために、人間は神の神聖な被造物を尊重し、保存する責任を負った受託財産管理者（スチュワード）であると強調してきた。このような考え方は、フランシスコ教皇が２０１５年に発表した回勅『ラウダート・シ』の中に現れている。この回勅では「世代間の公正」と「世代間の連帯」の重要性が強調されており、「私たちは後に続く人々にどのような世界を残したいのか」と問いかけている。また、「短期的な利益や私利私欲を優先する消費主義の文化」を批判し、「先見性のある政治」を求めている。[★23] どうやらローマ教皇も、時の反乱者に仲間入りしたようだ。私がローマでバチカンの代表に会ったとき、彼は『ラウダート・シ』に示された世代を超えた展望を強調しただけでなく、千年以上にわたって森を大切にしてきたスイスのベネディクト会修道院、アインジーデルン修道院のような、カトリック施設の長期志向性に関する高い資質を指摘した。[★24] だが、ローマ教皇が時の反乱者に加わった意図が現実に実行されるかどうかは、また別の問題だ。世論の圧力にもかかわらず、バチカン銀行は未だに化石燃料企業からの投資引き揚げ（ダイベストメント）を行っていない。[★25]

カトリック教会は、21世紀にキリスト教徒であることの意味を明らかに書き換えようとしている。また、プロテスタント福音主義は、エコロジー意識や世代を超えた義務に関する感覚のレベルを徐々に高めている

（ただし、彼らの中には気候変動を否定する人々もいまだに多い）[26]。教会やコミュニティ組織の広範なグローバルネットワークを持つ20億人のキリスト教徒は、地球上の他のどの社会運動よりも、長期思考の価値観を民族文化圏に根付かせる可能性を秘めている。

どの宗教にも属していないという、世界人口の16％（私を含め）についてはどうだろう[27]。私はかつて、長期的な価値観を植え付けることができる新しい宗教を、誰かが発明する必要があるのではないかと考えていた。しかしその後、ポール・ホーケンの『祝福を受けた不安：サステナビリティ革命の可能性』を読んだおかげで、世界中の何万もの環境保護団体が実質的に巨大な分散型宗教として機能しており、それぞれ先住民に長い間崇められてきた同じ神を崇拝していることに気づいた。その神は、マザーアース、母なる地球だ。ミッションステートメントに書かれてこそいないが、彼らは、すべての生命は神聖なものであるという準宗教的な信念に、それぞれ異なった仕方で突き動かされている。こうしてすでに存在するのなら、新しい宗教を発明する必要はない。これは過去半世紀の間に生まれた活発な環境保護活動が生んだ成果と言える[28]。また、その非中央集権的なあり方は、むしろ伝統的な宗教が陥りがちな権力を求める習性を避けるのに好都合かもしれない。

私はこの考えを、世界で最も有名な無神論者である進化生物学者のリチャード・ドーキンスにぶつけてみた。生態系が危機に瀕している現代において、何らかの形で母なる地球を崇拝することは、私たちの忠誠に値する宗教になり得るのではないかと。この提案に対して、いつものように激しく拒絶されることを予期したが、彼の答えは私を驚かせるものだった。

母なる地球が宗教とみなされることは残念ではある。なぜ気候変動に対処すべきなのか、科学的な議論がしたいからだ。しかし、地球をガイアのような女神として扱うことで、人々を活気づけ、地球を守るように喚起しようという政治的な議論があることも、理解はできる。[★29]

最も科学的な理性を備えた人々の中から、それがたとえ道具的なものに過ぎないとしても、生きた地球とのスピリチュアルなつながりを育み、保存と再生という長期的な価値観を植え付ける、一連の信念と儀式を開発する根拠が見出されるかもしれない。ストーンヘンジで夏至の夜明けを礼拝したり、脅威にさらされている種を保護するために闘ったり、荒廃した土地を再野生化するためにキャンペーンを行ったり、海上に風力タービンを設置したりといったアクションを通じて、私たちはグッド・アンセスター、よき祖先の理想と聖なる交わりを結び、ディープタイムの視点を思い出すこととなる。また、将来の世代への責任を考えるように促され、この惑星のキャパシティの範囲内で繁栄するという超目標へと導かれるのだ。

## ホワイトホース——1000年の長期にわたる儀式

昨年の夏、私は自宅のあるオックスフォードから南に20マイルほどにある人里離れた丘の中腹で、チョークの塊を木槌を使って砕き、地面に打ち付けていた。私だけでなく、約10人の仲間が、白くて柔らかい石を平らに叩き潰した。これは、「馬のチョーキング」と呼ばれる、千年以上前から続く儀式だ。

その馬は「アフィントン・ホワイトホース」という、青銅器時代に白亜の丘に切り出されたミニマルアートの象徴的な作品のことだ。長さ100メートルを超える馬の跳ねる姿は、周囲からもよく見える。誰が作ったのか、なぜそこにあるのか、誰にもわからない。少なくとも中世にさかのぼり、19世紀まで続いた伝統で、地元の村人たちは7年ごとにこの丘に登り、雑草を取り除き、流れてしまったチョークを交換して、後世のために馬の姿を守った。作業が終わると、村人たちは丘を下り、馬に敬意を表して祭りを開いた。

今では祭りは行われていないが、遺跡を管理するナショナル・トラストの管理のもと、年に一度の巡礼を行う信奉者によって馬のチョークを打ち直す作業が行われる。それで、私はロンドンにあるロング・ナウ財団の同僚と一緒に、その場に居合わせることができたというわけだ。ソフトウェア・エンジニア、グラフィックデザイナー、マーケティングのプロ、エコ・アーティスト、そして学校をサボって父親についてきた子供たちなど、雑多なメンバーからなる私たちにとって、それはより深い時の感覚とつながる機会だった。スマートフォンの電源を切ってしまえば、時間を知らせるものは、ハンマーのリズミカルな音と、空をゆっくりと横切る太陽だけだった。

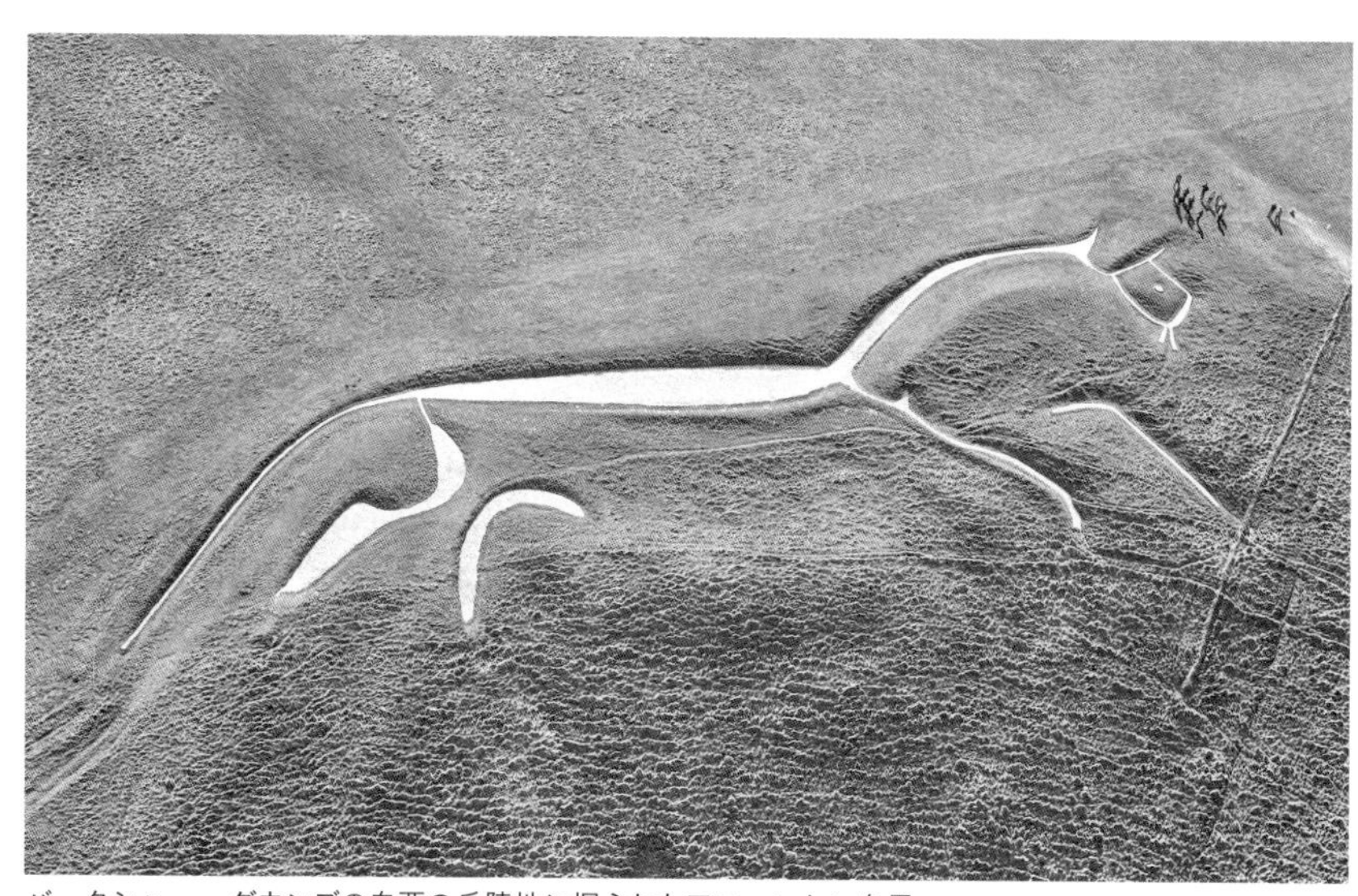

バークシャー・ダウンズの白亜の丘陵地に掘られたアフィントン白馬

チョーキングの修復の儀式は、メンテナンスの大切さを語りかけてくる。文化の継承、家族の関係、生きている地球そのものなど、なんであれ大切なものを守るには、献身と努力とケアのサイクルが必要だということが知らされる。そうでなければ、物事はバラバラになり、システムは停止し、亀裂が生じる。

そこにある石を、小さな、さらに小さな粒へと叩き砕いて、時代を超えた共同芸術作品にささやかな貢献をしている間、私は、人々の長い連鎖を思い浮かべた。過去何世紀にもわたって同じことをしてきた人々、そして、未来の何世紀にもわたってそうするかもしれない人々の、相互に繋がり合うケアの連鎖が、白馬を生かし続けているのだ。

# 第12章

# グッド・アンセスターへの道

2019年11月。この原稿を書いている間、私の育った国が大規模な森林火災の中にある。オーストラリアの東海岸が燃えているのだ。86歳になる私の父は、シドニーの自宅が炎に包まれる恐れから、避難を余儀なくされた。今、父は空気中に充満した灰に窒息しかけ、太陽は煙ったもやで見えなくなっている。一方、何万人もの人々が市の中心部に集まり、頑なに沈黙を続ける政府に気候変動対策の即時実施を要求している。デイビッド・ウォレス・ウェルズは、『地球に住めなくなる日』の中で、22世紀は「地獄の世紀」になると予言している。[*1] いや、おそらくすでに始まっている。

それは、現在の不平等をさらに悪化させるような世界だ。すでに10億人もの人々が十分な食料を得ることができず、不安定な生活を送っているが、今、それに加えて、さらなる干ばつ、洪水、ハリケーン、紛争といった生態系の危機が押し寄せている。持てる者は高い壁に囲まれて身を守ることができる一方、持たざる者はその壁の向こう側で生き延びるために必死にあがく、気候アパルトヘイトの時代がすぐそこまで来ている。50年後も、100年後も、500年後も、地球上のすべての大陸には、人間が住み、働き、愛し、夢を見ていることだろう。そして、彼らが送る人生は、私たちが今日どのように行動するかによって、つまり、彼らが受け継ぐことになる歴史によって、大きく影響される。私たちは彼らの祖先であり、私たちの為す政治的、環境的、文化的、技術的な選択が、必然的に彼らの将来を形作ることになるのだ。

私たちは、何が危機に瀕しているかを知っている。では、なぜ「今、ここ」の視点から、人類の未来という長期的な視線に移すことができないのか。簡単な答えは、人間の性質、つまりマシュマロ脳による生来の近視眼的な性質だ。しかし、これがすべてというわけではない。というのも、私たちの種は、そのあらゆる弱点をもってしても、私たちに備わるどんぐり脳の認知能力を利用して、後世のために考え、計画する才能をこれまで繰り返し証明してきた。実のところ、ここには、本書で重ねて取り上げてきた変化を阻む、四つのさらなる根本的な障壁がある。

## 時代遅れの制度設計

私たちの政治システムは、長期的な視点で物事を考えるようにはできていない。代表制民主主義も国民国家も、長期的なリスクよりも短期的な利益に対応するよう、短い時間軸を前提に設計されている。明日の世代の利益を代弁する制度的メカニズムが存在せず、彼らは事実上、システムから排除されている。政治が未来を植民地化し得る状態にある。

### 既得権益の力

化石燃料会社や金融投機家、オンラインストア市場など、短期的な利益と即時的満足に熱中する経済エコシステムは、未来を人質にして身代金を要求している。それらは人々を近視眼に陥れて閉じ込める成長型グローバル経済の活力源となっている。このような利害関係者は、スマートアルゴリズムやその他のハイテクツールを使って偽情報を流し、自分たちを政治的に有利な立場にするため、ソーシャルメディアのチャンネルを通じてますますその力を発揮するようになっている。[★2]

### 「今、ここ」の不安

雇用不安、飢餓、暴力の脅威などにより、今、目の前にあるニーズに応えることに必死になっている人々にとって、長期思考は常に困難なものだ。特に、世界に2億3000万人の移民・難民がおり、その数は2050年には4億人以上になると言われる中、彼らが遠い将来の計画よりも、現在の不確実性や混乱した状況に対処することを重視するのは無理もない。[★3]

### 危機感の希薄さ

私たちが直面している生態系の惨事や技術的な脅威にもかかわらず、ほとんどの人、特に権力者は、根本的な行動を起こすきっかけとなるような真の危機感や緊急性、あるいは恐怖を感じていない。鍋の中でゆっくりと茹でられている人類種が、そこから飛び出すためには鋭い衝撃が必要だ。新自由主義の立役者の一人であるミルトン・フリードマンは、「実際のものであれ、認識上のものであれ、危機だけが、真の変化をもたらす」と述べている。[*4]

このような大きな障壁がある中で、長期思考に向けられた希望はどこにあるのだろう。その答えは、再び「観念の力」にある。観念は、人間の行動を起こすための心の遊び場を提供してくれる。観念は、私たちの生活を形作る考え方の枠組みの秘密の成分だ。ミルトン・フリードマンは、アイデアのもたらす変革の可能性を認めていた。彼と、志を同じくする同僚たちは、半世紀近くにわたって大学、シンクタンク、新聞、政党に自由市場の考え方を植え付けた後、新自由主義は1980年代になってようやく宿敵であるケインズ主義を倒し、最も支配的な世界観の一つとして、数十年後の今もなお最高の地位に君臨している。

同じように、私たちは短期主義との綱引きに一刻も早く勝利する必要がある一方で、同じように、長期思考の希望に対して、大きな望みをもって意欲的にならなければならない。これは、人間の心をめぐる戦いだ。私たちの心が脱植民地化できれば、未来を脱植民地化し、現在時制の支配から解放できるだろう。そして、私たちは長期思考の6つの方法の中に必要なツールをすべて持っている。

これらを駆使して世界の見方を変えていくには、考えたり、探求したり、会話をしたりする時間が必要だ。というわけで、私は6つの方法それぞれに関連した、沈思黙考の題材となる質問を以下に用意した。これらの質問は、友人や家族、同僚、あるいは見知らぬ人と、冒険的な話し合いをするためのきっかけとして使うこともできる。歴史家のセオドア・ゼルディンは、「満足のいく会話とは、あなたが今まで語ったことのないことを語らせるものだ」と言っている。[*5]

この一連の質問の背後には、より大きな問題がある。ジョナス・ソークが現代の最も重大な問題として認識したように、歴史の中で私たちは今、実存的な選択を迫られている。短期的な思考と個人主義的な価値観に支配された社会を維持するのか、それとも共通の利益のために長期思考の方向へとシフトすることを望むのか。

たとえグッド・アンセスター、よき祖先になるという選択をしたとしても、私たちは未だ「長い思考」を阻む多くの障害を克服しなければならない。私たちは、マシュマロ脳を刺激する現代の「短い今」に囲まれて窒息しかけている。株式市場の日々の山と谷、週末のフライトのための空港の行列、クリアランスセールへの熱狂、政治家たちによる選挙前の取引、常にスマホをチェックしている人々の挙動など、挙げればきりがない。

しかし、私たちの前には、より希望に満ちた現実もある。21世紀初頭の文化的、経済的、政治的風景の中で起きている「時の反乱」を、一歩下がって眺めてみてほしい。それは、民族文化圏を超えて長期的な価値観を根付かせるための責任感と行動の、驚くべき集合体だ。全体として見ると、時間軸を広げ、未来の人々との新しい仮想コミュニティを構築しようと努める世界的な動きが生まれている。今、私たちは「長い今」の文明の幕開けに立ち会っているのかもしれない。では、どのようにしてその運動を推進し、闘いの一翼を自分たちも担うことができるのだろうか。

グッド・アンセスター、よき祖先になるためには、「どうやって〈私〉が変化をもたらすか」ではなく「どうやって〈私たち〉が変化をもたらすか」が重要な問題となる。代名詞を変えるだけで、世界を変える

# グッド・アンセスターの対話

## ディープタイムの慎み

これまでどのような豊かなディープタイム体験をしてきたか、そしてそれがあなたにどのような影響を与えたか

## 世代間の公正

あなたにとって未来の世代を大切にする最も大きな理由とは何か

## レガシー・マインドセット

あなたの家族、コミュニティ、そして生物界のために、どのような遺産を残したいか

## 超目標

あなたは何が人類の究極の目標だと思うか

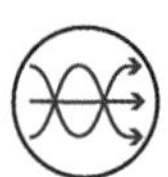

## 全体論的(ホリスティック)な予測

文明崩壊か、急進的な変容か、それとも別の道を進むのか、あなたはどう未来を予想するか

## 大聖堂思考

自分の人生を超えて、他者と共に、どのような長期プロジェクトを追求できるか

ことができるのだ。現在の危機の緊急性にあっては、個人の単独のアクションよりも集団のアクションによって、権力者に変革を迫る戦略を必要としている。デイビッド・ウォレス・ウェルズが主張するように、「気候変動の計算は、個人のライフスタイルの選択が、政治によってスケールアップされない限り、あまり意味をなさない」のだ。[*6]

長期思考を長期実践に変えようとする人々にとって、優先すべきは、私たちは何を一緒にできるのかということだ。そのためには、例えば、世代間の権利のための法廷闘争を支援したり、市民議会に参加したり、化石燃料会社への補助金を廃止して「ドーナツ」の中にとどまるよう政治家に働きかけたりといった、すでに始まっている「時の反抗」に参加するのも良いだろう。また、学校や教会、職場など、あなたがすでに所属している組織に目を向け、長期的な活動を推進するために何ができうるかを問うこともできる。それは、組織の運営をゼロカーボンにするキャンペーンであったり、2100年に向けた戦略プランの策定であったり、Bコーポレーションへの変革であるかもしれない。また、街頭でサンババンドを組んで新しい空港の滑走路を封鎖したり、公衆衛生システムへの長期投資を求めるために座り込みをしたり、子供たちと一緒に気候変動ストライキに参加したりもできる。人類学者のジェームズ・スコットの「人間の自由のための偉大な解放は、秩序立った制度的な手続きの結果ではなく、無秩序で予測不可能な自発的行動が社会秩序を下から叩き割った結果である」という言葉を思い出してほしい。[*7]

そして、時は刻々と過ぎていく。私たちはパラドックスの中にある。長期思考が徐々に現れてその存在感を示すのを、辛抱強く待つことができないというパラドックスだ。スピードを上げて向かってくる複数の危機に対処するために、緊急かつ即時に長期思考を必要としている。キング牧師が書いたように、「私たちは今という猛烈な緊急性に直面している」[*8]。明日は今日なのだ。

歴史を見れば、集団のアクションが有効であることは明らかだ。しかし、個人の努力とコミュニティの努力の間に厳密な線を引くことは、誤った二分法である。私たちの個人的な行動は大海の中の無意味な一滴ではない、というのはシンプルな話で、その波及効果が大きな波に変わることもあるからだ。社会的伝播には強い力がある。ある調査によると、「気候変動のために飛行機に乗るのをやめた人」を知人に持つ人の半数が、それに習って、結果的に自らの利用を減らしているという。また、自宅の屋根にソーラーパネルを設置すると、再生可能エネルギーの市場価格が下がるだけでなく、友人や隣人にも同じことをするよう促すことになるという研究結果もある。賢い戦略とは、増幅される可能性のある行動を考えることだ[*9]。

とはいえ、もっと深く個人的なことにも目を向けなければならない。

山、森、川といった場所を愛することは、私たちを未来の守護者に変え、その生命を育む不思議さを何世代にもわたって保護したいという願望を抱かせる。そのようなランドスケープは、混乱と崩壊したコミュニティの時代に、私たちの束の間の憧れをつなぎとめるアンカーとなり、さらには、子孫を育んでくれる生物界を大切にするために、一つの惑星の繁栄という超目標と私たちを再び結びつけてくれるのだ。

若い世代の愛する人たちの人生が、自分自身の人生の遥か先にあると想像することも、より「長い今」への架け橋になる。彼らが歳を取ったとき、どんな人になっているだろうか。どんな世界に住んでいるだろうか。彼らは私たちを、どのように振り返るのだろうか。まだ行動するチャンスがあったときに、私たちがしたこと、しなかったことは何だったただろうか。「ファカパパ」の力は、私たちの想像力の一部となり、今、この世に生きている人、すでに亡くなった人、まだ生まれていない人の、時を超えた大きな連鎖に光を当てる手助けをしてくれる。

自分自身がその連鎖の一部であると考えることで、人生に意味を見いだすという思いがけないギフトがもたらされる。時間軸を超えて未来の世代との共感的な絆をつくることで、つながりや関係性を求める気持ちを育むことができる。世代を超えて生命の繁栄を確保するために努力することで、目的が見出される。大きな絵の一部として自分自身を見ることで、死の恐怖から解放される。長期で考える探究には、私たちの実存を支える糧が溢れている。

時間との関係の変化を振り返り、自分の残せる遺産を思い浮かべ、138億年という広大な宇宙の歴史の中で自分の人生がほんの一瞬であることの意味を深く考えるとき、私たちは「今、ここ」を超える旅を始める。人類の文化の進化に新たな息を吹き込み、グッド・アンセスター、よき祖先への道を歩み始めるのだ。

# Acknowledgements

To my wonderful partner Kate Raworth, who not only helped me navigate fields such as systems thinking and earth system science – as well as the finer points of Doughnut Economics – but offered constant guidance, inspiration and support through my years of writing The Good Ancestor.

To my superb editors Drummond Moir and Suzanne Connelly, for their dedication, insight and wise advice; and to Patsy O'Neill, Jo Bennett, Andrew Goodfellow and everyone else at Ebury for giving the book such great support.

To my agent Maggie Hanbury, whose unwavering faith in my writing has continually raised my spirits and galvanised my determination, and without whom this book would not exist.

To Louisa Mann, Jen Hooke and Nikki Clegg from the Thirty Percy Foundation, for their invaluable and generous backing of the Good Ancestor Project.

To Jamie McQuilkin, for his brilliant work on the Intergenerational Solidarity Index, incisive critiques of the text and an enlightening 12- hour conversation on the possibilities and prolems of long- term thinking.

To Brian Eno, for his intellectual generosity, comments on the manuscript and pathbreaking essay, 'The Big Here and Long Now', which I have returned to again and again.

To Nigel Hawtin, whose masterful graphic design work has given visual form to the ideas in the book.

To Sophia Blackwell, whose poetic eye and editorial scalpel did so much to improve the text, and to Ben Murphy for the magnificent index.

To Alicia Carey and Hawkwood College, for offering me a Changemaker Residency, where I wrote the chapter on intergenerational justice.

To Drew Dellinger, for the lines from his beautiful poem 'Hieroglyphic Stairway'.

To Tom Lee, for his fantastically inventive work on the video animations.

To the esteemed group of experts and friends who commented on the manuscript: Kevin Watkins, Lisa Gormley, Morten Kringelbach, Andrew Ray, Daan Roovers, Marc Jumelet, Kaj Lofgren, Christopher Daniel and Caspar Henderson.

To everyone who helped with their conversation, ideas and support: Caterina Ruggeri Laderchi, George Monbiot, Jonathan Salk, Mary Bennett, Samwel Nangiria, the Long Now Foundation and members of Long Now London, Stuart Candy, Svante Thunberg, Greta Thunberg, Richard Fisher, Jeremy Lent, Ari Wallach, Camilla Bustani, James Hill, Sophie Howe, Gijs van Hensbergen, Ella Saltmarshe and Beatrice Pembroke from the Long Time Project, Jonathan Smith, John Steele and the Sturmark team, everyone at the Empathy Museum, Rebecca Wrigley, Michael Bhaskar, Juliet Davenport, Mark Shorrock, David Kelly, Philippa Kelly, Luke Kemp, Toby Ord, Max Harris, Katie Paterson, Carlo Giardinetti, Nanaia Mahuta, Jane Riddiford and Rod Sugden from Global Generation, Anab Jain and Jon Ardern from Superflux, Sophie Howarth, Anthony Barnett, Judith Herrin, Tony Langtry, Jennifer Thorp, Tebaldo Vinciguerra, Pablo Suarez and Chris Jardine.

And finally to my children, Siri and Cas – futureholders whose ideas, advice and tolerance helped make this a better book and make me proud to be their father.

## List of Illustrations

# 訳者あとがき

「ハウス・オブ・ビューティフル・ビジネス」、耳慣れないが、なぜか気になる名前のコミュニティからの招待で、オンラインのイベントに参加したのが、著者との出会いだった。共に登壇したトークセッションのタイトル“TIME REBELS AND GOOD ANCESTORS”の由来を聞くと、ローマン自身の著書だと言う。はて、先祖といえば日本仏教の専売特許のような感じもするけれど、イギリスにも先祖供養の文化があるのだろうか。そんなことを思いながら、送っていただいた英語の原書を読んでみて、合点がいった。これは、個人の血縁の「先祖」ではなく、私たち人類皆の「祖先」の話であり、翻って、私の「子孫」も含む「これから生まれてくるあらゆる未来世代」の話なのだ。

私は現代仏教僧として、これからのお寺を考えるにあたり、かねてより「日本のお寺は二階建て」論を提唱してきた。日本のお寺の現状を把握するため、お寺の中身を便宜的に、過去生きた人々へ意識を向ける「先祖教」の1階と、今を生きる人々がそのあり方を問う「仏道」の2階に分けて捉える考え方だ。マインドフルネスの盛り上がりなどを背景に、現代社会の苦に応答する2階の「仏道」を求める人々は増える一方、墓じまいに象徴される世のイエ意識の衰退と共に、実質的にお寺の経済を支えてきた1階の「先祖教」が行き詰まりつつある。伝統的なお寺も、現代社会の大きな変化の影響から無縁ではないのだ。

私は本書に出会い、ローマンの発想の中に、課題を打破する重要なブレークスルーが隠されているような気がした。その直感は間違っていなかった。読了後、感激のあまり、知り合って間もない彼に「この本を翻訳させてほしい」と申し出ていた。自分なりに興した「よき祖先」になる一つのアクションだったのだと思う。

◆

本書『The Good Ancestor』は、私にとても大きな視点を与えてくれた。タイトルを日本語に訳せば「よき祖先」ということになるが、著者の意図は、もちろん「私たちの祖先の良し悪しを断ぜよ」ということではなく、「私たちも皆、いずれは未来に生まれてくる人たちにとっての祖先になる。その時に、未来の人たちに、私たちがよき祖先と思ってもらえるかどうか。負の遺産を残した悪い祖先として記憶されないよう、よき祖先になるには今どう行動すればいいのか」というものだ。過去を振り返りつつも、未来を志向した本になっているところに、とりわけ日本のような先祖想いの文化圏にいる読者にとって、面白さを見出してもらえるのではないだろうか。

先日、縁あって私は台湾のデジタル担当大臣であるオードリー・タン氏に質問する幸運を得た。「これからの人類にとって本質的に重要な問いは何だと思いますか」と尋ねたところ、「どうしたら、よき祖先になれるか、ということです」という返答があり、そのタイムリーな共鳴に驚いた。地球規模の課題が蔓延する時代においては、テクノロジーの進化のスピードが早まる一方、私たちには個人の人生を超えた時間軸で世界を捉えて行動するための、ローマンの言葉を借りれば「ディープタイム」視点が必要なのだと、賢者たちは気づいているのだ。

◆

日本仏教の宗教性は、教義そのものよりも、そうした悠久の時間「ディープタイム」を現前させる場の環境と人の態度によって支えられてきたと、私は感じている。過去の死者や神仏といった目には見えない存在を、あたかもそこに存在しているかのように接する態度は、それだけで十分に宗教的であり、「ディープタイム」的だった。そして、「よき祖先」の考え方を知った今、そうした目に見えない存在の仲間に、これから生まれてくる未来の人々も加えよう。

そのような考えから、私は翻訳に際し、あえて「Ancestor」を「先祖」ではなく「祖先」と訳した。「先祖」という言葉が血縁を意識したイエの先人を指すニュアンスがあるのに対し、「祖先」は、たとえば「人類の祖先」というように、血縁を超えた人類集団としての繋がりを意識するニュアンスがある。私たちの大事にすべき目に見えない存在は、過去の「祖先」であれ、未来の「子孫」であれ、血縁を超えたあらゆる縁に広がっていいはずだと、本書が背中を押してくれている。

こうして、本書からインスピレーションを得て、私の「日本のお寺は二階建て」論はアップデートされ、今後お寺の仕組みをどのようにリフォームしていけばいいのかという方向性も、ずいぶんクリアに見えてきた。ぜひ読者の方々にも、本書の観念をどのように受け止め、各自の持ち場で具体的な行動へとつなげていくのか、イメージや思考を自由に巡らせながらお読みいただけたらと思う。

◆

これまで何冊かの本を書く機会に恵まれてはきたものの、翻訳仕事は初めてだ。無謀な私の願いの実現を支えてくださった全ての方々と、ここまで読んでくださった読者の皆様に心から感謝を申し上げる。本書が読者お一人お一人にとって、未来世代のためのグッド・アンセスター、よき祖先になるきっかけとなることを願って、巻末の謝辞に代えたい。

松本紹圭

st- Hand Account of an Experiential Futures Course' Journal of Futures Studies, Vol.23, No.3(2019)p.62

*20
https://mralancooper.medium.com/ancestry-thinking-52fd3ff8da17

*21
https://sdgacademy.org/course/planetary-boundaries-human-opportunities/

*22
Lynn White 'The Historical Roots of Our Ecologic Crisis', Science, Vol.155, No.3,767(1967)p.1205 ; Roman Krznaric 'How Change Happens: Interdisciplinary Perspectives for Human Development'

*23
『回勅 ラウダート・シ』(教皇フランシスコ著、瀬本正之、吉川まみ訳、カトリック中央協議会)

*24
「正義と平和協議会(Pontifical Council for Justice and Peace)」でのDr Tebaldo Vinciguerraへのインタビューより。(2018年4月20日)

*25
https://www.theguardian.com/commentisfree/2018/dec/16/divestment-fossil-fuel-industry-trillions-dollars-investments-carbon

*26
https://thehumanist.com/magazine/may-june-2019/features/whats-really-behind-evangelicals-climate-denial/

*27
https://www.pewforum.org/2012/12/18/global-religious-landscape-exec/

*28
ポール・ホーケン自身は、環境保護活動を分散型宗教というよりも、惑星の健全性を脅かす脅威に対する生物としての免疫反応と捉えている。

『祝福を受けた不安』(ポール・ホーケン著、阪本啓一訳、バジリコ)

*29
これは、オックスフォード、シェルドニアンシアターでの公開イベントの場で著者リチャード・ドーキンスに投げかけた問いである。(2019年10月2日)

### 第12章 グッド・アンセスターへの道

*1
『地球に住めなくなる日 「気候崩壊」の避けられない真実』(デイビッド・ウォレス・ウェルズ著、藤井留美訳、NHK出版)

*2
https://www.ted.com/talks/carole_cadwalladr_facebook_s_role_in_brexit_and_the_threat_to_democracy

*3
https://publications.iom.int/system/files/pdf/wmr_2018_en.pdf

*4
『資本主義と自由』(ミルトン・フリードマン著、村井章子訳、日経BP社)

*5
Theodore Zeldin 'Conversation'(Harvill Press, 1998)p.14

*6
『地球に住めなくなる日 「気候崩壊」の避けられない真実』(デイビッド・ウォレス・ウェルズ著、藤井留美訳、NHK出版)

*7
『実践 日々のアナキズム——世界に抗う土着の秩序の作り方』(ジェームズ・C.スコット著、清水展 他訳)

*8
http://inside.sfuhs.org/dept/history/US_History_reader/Chapter14/MLKriverside.htm

*9
https://theconversation.com/climate-change-yes-your-individual-action-does-make-a-difference-115169 ;
https://www.vox.com/2016/5/4/11590396/solar-power-contagious-maps

*4
https://www.bbc.com/culture/article/20190110-how-science-fiction-helps-readers-understand-climate-change ; https://www.theguardian.com/books/2015/aug/07/science-fiction-realism-kim-stanley-robinson-alistair-reynolds-ann-leckie-interview

*5
『スター・メイカー』(オラフ・ステープルドン著、浜口稔訳、国書刊行会)

*6
James Attlee 'A Place That Exists Only in Moonlight: Katie Paterson & JMW Turner' Turner Contemporary, Margate, UK(2019)

*7
https://www.theguardian.com/books/2015/may/27/margaret-atwood-scribbler-moon-future-library-norway-katie-paterson

*8
大英図書館で行われた、ケイティ・パターソン、エリフ・シャファクとの公開対談にて。(2019年8月8日)

*9
個人的なやり取りより 。(2018年9月6日)

https://www.wired.com/2007/07/interview-brian-eno-on-full-transcript/

*10
個人的なやり取りより。(2019年1月15日)

https://superflux.in/index.php/work/futureenergylab/# ; https://www.thenationalnews.com/arts-culture/kulture-symposium-weimar-2019-international-cultural-event-opens-with-praise-for-the-uae-1.877009

*11
https://www.popsci.com/virtual-reality-coral-reef-environment/
https://vhil.stanford.edu/pubs/2014/short-and-long-term-effects-of-embodied-experiences-in-immersive-virtual-environments/〈リンク切れ〉
〈以下に、同論文の概要掲載あり〉
https://www.sciencedirect.com/science/article/abs/pii/S0747563214003999

*12
https://www.popsci.com/virtual-reality-coral-reef-environment/
https://vhil.stanford.edu/pubs/2014/short-and-long-term-effects-of-embodied-experiences-in-immersive-virtual-environments/〈リンク切れ〉

〈以下に、同論文の概要掲載あり〉
https://www.sciencedirect.com/science/article/abs/pii/S0747563214003999

*13
Eric Hobsbawm 'Nations and Nationalism Since 1780: Programme, Myth, Reality'(Cambridge University Press, 1990)pp.80–1

*14
『定本 想像の共同体―ナショナリズムの起源と流行』(ベネディクト・アンダーソン著、白石隆、白石さや訳、書籍工房早山)

*15
『ホモ・デウス[上・下]: テクノロジーとサピエンスの未来』(ユヴァル・ノア・ハラリ著、柴田裕之訳、河出書房新社)

*16
共感教育を提唱するメアリー・ゴードンとの個人的なやり取りより(2019年10月11日)

https://rootsofempathy.org

*17
https://www.nfer.ac.uk/publications/FUTL21/FUTL21.pdf

*18
http://www.bullfrogfilms.com/guides/foninternhiroshhrnextgenguide.pdf

*19
http://www.politicalscience.hawaii.edu/courses/syllabi/dator/pols342_dator_S13.pdf〈リンク切れ〉
Jake Dunagan et al. 'Strategic Foresight Studio: A Fir

Challenges' EAI Background Brief No.1072, National University of Singapore (2015) ; https://www.ecowatch.com/china-ecological-civilization-2532760301.html

*51
https://patternsofmeaning.com/2018/02/08/what-does-chinas-ecologicalcivilization-mean-for-humanitys-future ; https://www.independent.co.uk/news/world/asia/how-did-china-use-more-cement-between-2011-and-2013-us-used-entire-20th-century-10134079.html

*52
https://www.eia.gov/todayinenergy/detail.php?id=33092.

*53
https://www.iea.org/weo/china/〈リンク切れ〉 Global Environmental Institute 'China's Involvement in Coal-Fired Projects Along the Belt and Road' Global Environmental Institute, Beijing(2017)p.1
『文明崩壊——滅亡と存続の命運を分けるもの［上・下］』(ジャレド・ダイアモンド著、楡井浩訳、草思社)

*54
Richard Smith 'China's Drivers and Planetary Ecological Collapse' Real World Economics Review, No.82(2017) p.27 ; Bj rn Conrad 'Environmental Policy: Curtailing Urban Pollution' in Sebastian Heilmann (ed.) 'China's Political System'(Rowman & Littlefield, 2016)pp.356–7 ; https://cleantechnica.com/2014/10/06/chinas-21st-century-dilemma-development-carbon-emissions/

*55
これは、ケイト・ラワースが『ドーナツ経済学が世界を救う』(ケイト・ラワース著、黒輪篤嗣訳、河出書房新社)の中で「絶対的デカップリング」として説明したものである。以下も併せて参照。

Tim Jackson and Peter Victor 'Unraveling the Claims for (and Against) Green Growth' Science, Vol.366, No.6468(2019)

*56
https://www.theguardian.com/books/2019/sep/21/vaclav-smil-interview-growth-must-end-economists

*57
Philip Alston 'Climate Change and Poverty: Report of the Special Rapporteur on Extreme Poverty and Human Rights' A/HRC/41/39, UN Human Rights Council, Geneva(2018)

*58
https://www.theguardian.com/inequality/2017/nov/14/worlds-richest-wealth-credit-suisse

## 第11章 文化進化

*1
ウェイド・デイヴィスは民族文化圏を「文化が織りなす世界」と表現し、「人間の意識のあけぼの以来、想像力により生み出されたあらゆる考え、夢や神話、発想、インスピレーションや直観の総和」と定義している。

https://www.ted.com/talks/wade_davis_on_endangered_cultures/transcript

民族文化圏のコンセプトは、ピエール・テイヤール・ド・シャルダンの概念「ヌースフィア(noosphere)」(『現象としての人間』(ピエール・テイヤール・ド・シャルダン著、美田稔訳、みすず書房))や、元はエミール・デュルケームにより用いられた「集合意識」の発想に通ずる。これは単に、数多の人々とその世界観によって広く共有される思想をあらわす概念であって、私はこの言葉を、独立した存在として在る、具象化した実体を指すものとして用いることはない。

*2
『社会はどう進化するのか——進化生物学が拓く新しい世界観』(デイヴィッド・スローン・ウィルソン著、高橋洋訳、亜紀書房)

ジョナス・ソーク(Jonas Salk 'Anatomy of Reality' p.32, p.114)は文化的進化を「高次の生物学的進化」と表現し、進化そのものが進化しており、その一部は、今や人間の選択の問題となっていると信じた。

*3
Olivia Bina, Sandra Mateus, Lavinia Pereira and Annalisa Caffa 'The Future Imagined: Exploring Fiction as a Means of Reflecting on Today's Grand Societal Challenges and Tomorrow's Options' Futures(June 2016) p.170, p.178, p.180

*32
https://www.cdp.net/en/cities/world-renewable-energy-cities

*33
『第三次産業革命：原発後の次代へ、経済・政治・教育をどう変えていくか』（ジェレミー・リフキン著、田沢恭子訳、インターシフト）

*34
http://microgridmedia.com/bangladesh-emerges-hotbed-solar-microgrids-p2p-energy-trading/ ; https://unfccc.int/climate-action/momentum-for-change/ict-solutions/solshare ; https://www.worldbank.org/en/results/2013/04/15/bangladesh-lighting-up-rural-communities

*35
『ドーナツ経済学が世界を救う』（ケイト・ラワース著、黒輪篤嗣訳、河出書房新社）

*36
Timothy Mitchell 'Carbon Democracy: Political Power in the Age of Oil'（Verso, 2011）pp.19–21

*37
George Monbiot 'Feral: Searching for Enchantment on the Frontiers of Rewilding'（Allen Lane, 2013）p.8, pp.69– 70, pp.84–5
『文明崩壊――滅亡と存続の命運を分けるもの［上・下］』（ジャレド・ダイアモンド著、楡井浩訳、草思社）

*38
Rewilding Britain 'Rewilding and Climate Breakdown: How Restoring Nature Can Help Decarbonise the UK' Rewilding Britain, Steyning, UK（2019）p.4, p.6 ; Bronson W. Griscom et al 'Natural Climate Solutions' PNAS, Vol.114, No.44（2017）

*39
E.A. Wrigley 'Energy and the English Industrial Revolution'（Cambridge University Press, 2010）p.3

*40
https://www.government.nl/topics/circular-economy

*41
Ryu Jaeyun '5 Keys to Understanding China: A Samsung Veteran Shares How to Succeed in China'（Seoul Selection, 2016）p.x.

*42
Sebastian Heilmann (ed.) 'China's Political System'（Rowman & Littlefield, 2016）p.302

*43
http://www.cwzg.cn/politics/201605/28471.html ; http://www.cqhri.com/lddy_mobile/jdzs/20170911/12505426402.html.〈リンク切れ〉

*44
https://thediplomat.com/2018/02/chinas-ai-agenda-advances/ ; Fei Xu 'The Belt and Road: The Global Strategy of China High- Speed Railway'（Truth and Wisdom Press/Springer, 2018）p.189

*45
習近平国家主席の第19回共産党全国代表大会での演説を参照。
http://www.chinadaily.com.cn/china/19thcpcnationalcongress/2017-11/04/content_34115212.htm ; https://www.ecowatch.com/china-ecological-civilization-2532760301.html

*46
https://www.ecowatch.com/china-floating-solar-farm-2516880461.html

*47
https://www.nytimes.com/2017/01/05/world/asia/china-renewable-energy-investment.html

*48
Barbara Finamore 'Will China Save the Planet?'（Polity Press, 2018）p.1

*49
Sebastian Heilmann (ed.) 'China's Political System'（Rowman & Littlefield, 2016）p.361

*50
Lu Ding 'China's "Two Century Goals": Progress and

*16
詳細を含む最新のドーナツについては、以下を参照。
Kate Raworth 'A Doughnut for the Anthropocene: Humanity's Compass in the 21st Century', The Lancet Planetary Health, Vol.1, No.2(2017)

『ドーナツ経済学が世界を救う』(ケイト・ラワース著、黒輪篤嗣訳、河出書房新社)

Will Steffen et al. 'The Anthropocene: From Global Change to Planetary Stewardship', Ambio, Vol.40, No.7(2011)pp.753–4

*17
https://hbr.org/2012/06/captain-planet ; https://www.unilever.co.uk/planet-and-society/ ; https://www.nytimes.com/2019/08/29/business/paul-polman-unilever-corner-office.html

*18
https://newint.org/features/web-exclusive/2017/04/13/inside-unilever-sustainability-myth

*19
https://www.opendemocracy.net/en/transformation/five-ways-to-curb-power-of-corporations/
こうした提案は、米国のバーニー・サンダース上院議員などが提唱する金融取引税の一種である。

*20
フランス政府の測定の成功はしかし、討論のテーマともなっている。

https://www.epi.org/blog/lessons-french-time-tax-high-frequency-trading/https://www.theguardian.com/business/economics-blog/2014/apr/04/high-frequency-trading-markets-tobin-tax-financial-transactions-algorithms

*21
https://bcorporation.net ; https://www.forbes.com/sites/billeehoward/2017/10/01/joey-bergstein-cause-brand-purpose/

*22
John Kay 'The Kay Review of UK Equity Markets and Long-Term Decision Making' Department for Innovation, Business and Skills, UK Government(2012)p.13

*23
https://www.overshootday.org/newsroom/press-release-july-2019-english/

*24
https://www.opendemocracy.net/en/transformation/five-ways-to-curb-power-of-corporations/

*25
Daniel Christian Wahl 'Designing Regenerative Cultures'(Triarchy Press, 2016)

『ローマクラブ『成長の限界』から半世紀 Come On! 目を覚まそう! ——環境危機を迎えた「人新世」をどう生きるか?』(エルンスト・フォン・ワイツゼッカー、アンダース・ワイクマン著、林 良嗣 他訳、明石書店)

*26
『ドーナツ経済学が世界を救う』(ケイト・ラワース著、黒輪篤嗣訳、河出書房新社)

*27
https://www.weforum.org/agenda/2019/02/companies-leading-way-to-circular-economy/

*28
https://fab.city ; Michael Blowfield and Leo Johnson 'The Turnaround Challenge: Business and the City of the Future'(Oxford University Press, 2013)pp.193–5

*29
https://www.ted.com/talks/marcin_jakubowski_open_sourced_blueprints_for_civilization/up-next

*30
https://theconversation.com/how-fab-labs-help-meet-digital-challenges-in-africa-99202

*31
Michel Bauwens and Vasilis Niaros 'Changing Society Through Urban Commons Transitions' P2P Foundation, Amsterdam(2017)pp.21–2 ; http://commonsfilm.com/2019/09/18/futures-of-production-through-cosmo-localand-commons- based- design/〈リンク切れ〉

*54
歴史的変革と力の理論に対する私のアプローチは、ツヴェタン・トドロフの著書『善のはかなさ:ブルガリアにおけるユダヤ人救出』(ツヴェタン・トドロフ著、小野潮訳、新評論)から大きな影響を受けている。併せて、いかにして変革が生じるかの分析は以下を参照。
Roman Krznaric 'How Change Happens: Interdisciplinary Perspectives for Human Development'

## 第10章 エコロジー文明

*1
https://slate.com/business/2014/10/worlds-oldest-companies-why-are-so-many-of-them-in-japan.html ; https://en.wikipedia.org/wiki/List_of_oldest_companies.

*2
https://journal.accj.or.jp/masayoshi-sons-300-year-plan/〈リンク切れ〉

*3
Dominic Barton et al 'Measuring the Economic Impact of Short-Termism' McKinsey Global Institute Discussion Paper(2017)pp.1-2

*4
コーテンが「エコロジー文明」という用語を最初に生み出したわけではないが、西洋世界に広めた主要な人物の一人である。彼は、ワシントン州にあるその名もロングビュー(長期的視野)という都市で生まれた。
https://davidkorten.org/living-earth-econ-for-eco-civ/

*5
https://www.politifact.com/factchecks/2016/jul/06/mark-warner/mark-warner-says-average-holding-time-stocks-has-f/

*6
Institute for Public Policy Research 'Prosperity and Justice: A Plan for the New Economic – The Report of the IPPR Commission on Economic Justice' Institute for Public Policy Research, London(2018)p.37 ; https://www.ft.com/content/d81f96ea-d43c-11e7-a303-9060cb1e5f44 ; Oxford Martin Commission 'Now for the Long-Term: The Report of the Oxford Martin Commission for Future Generations' Oxford Martin School, Oxford University(2013)p.46

*7
『ローマクラブ『成長の限界』から半世紀 Come On! 目を覚まそう! ——環境危機を迎えた「人新世」をどう生きるか?』(エルンスト・フォン・ワイツゼッカー、アンダース・ワイクマン著、林良嗣 他訳、明石書店)

*8
https://worldif.economist.com/article/12121/debate

*9
https://science.sciencemag.org/content/366/6468/950

*10
https://www.nature.com/articles/476148a.

*11
『成長の限界 人類の選択』(ドネラ・メドウズ、ヨルゲン・ランダース、デニス・メドウズ著、枝廣淳子訳、ダイヤモンド社)

*12
Herman Daly 'Ecological Economics and Sustainable Development: Selected Essays of Herman Daly'(Edward Elgar, 2007)p.12

*13
『ドーナツ経済学が世界を救う』(ケイト・ラワース著、黒輪篤嗣訳、河出書房新社)

*14
『持続可能な発展の経済学』(ハーマン・デイリー著、新田功 他訳、みすず書房)

*15
ドーナツモデルはこれまで、例えばアムステルダムやその他、気候変動に対する取り組みをコミットしたC40世界大都市気候先導グループの一部の都市における都市計画のフレームワークとなってきた。

https://medium.com/circleeconomy/the-amsterdam-city-doughnut-how-to-create-a-thriving-city-for-a-thriving-planet-423afd6b2892

*41
https://www.ourchildrenstrust.org/juliana-v-us

*42
『ザ・コーポレーション』(ジョエル・ベイカン著、酒井泰介訳、早川書房)

*43
Mark O'Brien and Thomas Ryan 'Rights and Representation of Future Generations in United Kingdom Policy' Centre for the Study of Existential Risk, University of Cambridge(2017)p.36 ; Rupert Read 'Guardians of the Future: A Constitutional Case for Representing and Protecting Future People'(Green House, 2011) p.11 ; https://www.parliament.nz/en/get-involved/features/innovative-bill-protects-whanganui-river-with-legal-personhood/

*44
https://youtu.be/8EuxYzQ65H4 ; https://ecocidelaw.com ; https://www.stopecocide.earth ; https://www.earthisland.org/journal/index.php/magazine/entry/ecocide_the_fifth_war_crime/

*45
地方分権と世代間連帯は密接に関係している。世界銀行の発表によると、政治、財政、行政の分権化を示す指標の42%を世代間連帯指数(ISI)が占めている。

Maksym Ivanya and Anwar Shah 'How Close Is Your Government to its People? Worldwide Indicators on Localization and Decentralization', World Bank Policy Research Working Paper 6138, East Asia and Pacific Region(2012)

*46
Elinor Ostrom 'A Polycentric Approach for Coping with Climate Change' World Bank Policy Research Working Paper5095(2009) ; Keith Carlisle and Rebecca L. Gruby 'Polycentric Systems of Governance: A Theoretical Model for the Commons' Policy Studies Journal, Vol.47, No.4(2017)pp.927–52

エリノア・オストロムは、多極的ガバナンスは希少な環境資源を管理する上で特に有効な方法であると主張する。これは、共通資源を管理するための8つの基本的設計原則の1つ「最下層から、相互接続したシステム全体に至るまで、入れ子状になった階層で共通資源を統治する責任を構築する」を反映するものである。

https://www.onthecommons.org/8-keys-successful-commons

*47
『「接続性」の地政学[上・下]』(パラグ・カンナ著、尼丁千津子、木村高子 訳、原書房)

https://www.un.org/development/desa/publications/2018-revision-of-world-urbanization-prospects.html

*48
『「接続性」の地政学[上・下]』(パラグ・カンナ著、尼丁千津子、木村高子 訳、原書房)

*49
都市国家としてのヨーロッパの描写は、ジョン・ドナルドによるグラフィックからインスパイアされたものである。

*50
https://www.nytimes.com/2015/07/17/opinion/the-art-of-changing-a-city.html ; https://www.power-technology.com/features/100-club-cities-going-renewables/

*51
https://www.scientificamerican.com/article/building-more-sustainable-cities/

*52
https://media.nesta.org.uk/documents/digital_democracy.pdf ; https://www.thersa.org/blog/2017/09/the-digital-city-the-next-wave-of-open-democracy ; https://datasmart.ash.harvard.edu/news/article/how-smart-city-barcelona-brought-the-internet-of-things-to-life-789

*53
Jana Belschner 'The Adoption of Youth Quotas after the Arab Uprisings' Politics, Groups, and Identities (2018) ; https://budget.fin.gc.ca/2019/docs/plan/chap-05-en.html ; https://www.gensqueeze.ca/win_intergenerational_analysis_in_public_finance ; https://www.intergenerationaljustice.org/wp-content/uploads/2019/02/PP_Newcomer-Quota_2019.pdf

ates/E11B7D05-3E68-4D7F-BF09-81E9312918C0/Policy-MakingFutureGenerations'Interests

*29
https://www.theguardian.com/commentisfree/2019/mar/15/capitalism-destroying-earth-human-right-climate-strike-children
https://www.worldfuturecouncil.org/need-un-high-commissioner-future-generations/ ; https://www.mrfcj.org/wp-content/uploads/2018/02/Global-Guardians-A-Voice-for-Future-Generations-Position-Paper-2018.pdf

*30
Graham Smith 'Enhancing the Legitimacy of Offices for Future Generations' Political Studies (2019) pp.4–9

*31
https://www.nationalobserver.com/2018/03/05/news/david-suzuki-fires-death-zone-trudeau-weaver-and-broken-system

*32
https://www.thersa.org/blog/matthew-taylor/2019/03/deliberation

*33
David Owen and Graham Smith 'Sortition, Rotation and Mandate: Conditions for Political Equality and Deliberative Reasoning', Politics and Society, Vol.46, No.3 (2018)

*34
Graham Smith 'Enhancing the Legitimacy of Offices for Future Generations' Political Studies (2019) p.13 ; Rupert Read 'The Philosophical and Democratic Case for a Citizens' Super-Jury to Represent and Defend Future People', Journal of International Relations Research, No.3 (December 2013) pp.15–19 ; Simon Caney 'Democratic Reform, Intergenerational Justice and the Challenges of the
Long-Term' Centre for the Understanding of Sustainability Prosperity, University of Surrey (2019) p.12 ; Marit Hammond and Graham Smith 'Sustainable Prosperity and Democracy –A Research Agenda' Centre for the Understanding of Sustainability Prosperity, Working Paper No.8, University of Surrey (2017) p.15 ; Stuart White 'Parliaments, Constitutional Conventions, and Popular Sovereignty' British Journal of Politics and International Relations, Vol.19, No.2 (2017)

*35
以下URLに西條辰義氏の対談記事及び本文引用部分の掲載あり。
https://www.japanpolicyforum.jp/society/pt20190109210522863З.html

*36
ケンブリッジ大学の政治理論学者デイヴィッド・ランシマンは、(冗談混じりに)6歳の子供に参政権を与えようと主張する。私は、市民集会のメンバーとして相応しい12歳を提案している。このタイミングは多くの文化において、成熟期を迎える転換期にあたる「成人」の瞬間を意味する。これは、若い世代の市民参加者たちに、学校で数年間にわたって市民権の教育を受ける機会を与えることにもなるだろう。

https://www.talkingpoliticspodcast.com/blog/2018/129-democracy-for-young-people

*37
こうした動きは、哲学者でありエクスティンクション・レベリオン活動家のルパート・リードが作成した、未来世代の守護者による「第三の立法府」にかかる提案書で提唱されている内容にも類似する。

Rupert Read 'Guardians of the Future: A Constitutional Case for Representing and Protecting Future People' (Green House, 2011) pp.9–14

*38
https://phys.org/news/2019-12-climate-activists-victory-dutch-court.html

*39
https://ecoactive.com/care-for-earth/earth-guardians
https://www.earthguardians.org/engage/2017/5/17

*40
https://www.teenvogue.com/story/xiuhtezcatl-martinez-explains-why-hes-fighting-climate-change

＊19
事例は以下を参照。
Joe Foweraker and Roman Krznaric 'Measuring Liberal Democratic Performance: An Empirical and Conceptual Critique' Political Studies, Vol.48, No.4(2000)

＊20
不完全なデータにおいて、キューバのような国も世代間連帯指数(ISI)では良好なスコアが算出され得るが、本来であれば、10ある測定のうち4のデータが欠如していれば、省略されるべきものである。キューバは持続可能な開発指標において最高ランクの国とされている。
Jason Hickel 'The Sustainable Development Index: Measuring the Ecological Efficiency of Human Development in the Anthropocene' Ecological Economics, Vol.167(2020) ; https://www.sustainabledevelopmentindex.org

＊21
V-Dem Institute, 'Democracy Facing Global Challenges: V-Dem Annual Democracy Report 2019' , V-Dem Institute, University of Gothenburg(2019)p.53

Polity IVやFreedom House、EIU(エコノミスト・インテリジェンス・ユニット)による指標は、代替の民主主義指標として検討されたものの、分析にあたっては選択されなかった。私たちは「多数支配」のような、他の民主主義の多様性(V-Dem)に基づく測定も考慮した。

＊22
「独裁制」のカテゴリーは、軍事独裁政権や一党独裁、世襲君主制、権威主義的傾向を持つ選挙制度まで、さまざまな政治形態が含まれる。V-Dem自由民主主義指数のスコアが0.45以下の国は「独裁制」に分類される。この分岐点をどこに設定するかについては、学術的な議論がある。V-Demデータを用いる場合には、0.42未満を分岐点とする議論もあれば、0.50を支持するものもある。

Yuko Kasuya and Kota Mori 'Better Regime Cutoffs for Continuous Democracy Measures' Users Working Paper Series 2019:25, The Varieties of Democracy Institute, University of Gothenburg(2019)

ここでの分析では、妥協点として0.45が採用されている。ブルネイは独裁制、ブラジルは民主制と分類されてきたが、これらの国のV-Dem自由民主主義指数はデータ不足により含まれず、したがって散布図自体に表示されない(その後の分析においてのみ表示される)。「短期政権」は、世代間連隊指数がすべての国スコアの平均に当たる50以下の国が該当する。

＊23
Jonathan Boston 'Governing the Future: Designing Democratic Institutions for a Better Tomorrow'(Emerald, 2017)p.170

＊24
Mark O'Brien and Thomas Ryan 'Rights and Representation of Future Generations in United Kingdom Policy', Centre for the Study of Existential Risk, University of Cambridge(2017)p.27 ; Schlomo Shoham and Nira Lamay, 'Commission for Future Generations in the Knesset: Lessons Learnt', in Joerg Chet Tremmel (ed.), Handbook of Intergenerational Justice(Edward Elgar, 2006)p.254 ; Graham Smith 'Enhancing the Legitimacy of Offices for Future Generations' Political Studies(2019)p.5

＊25
ハンガリーにおけるオンブズマンの権力は、2011年の憲法改正に伴い軽減された。

Graham Smith 'Enhancing the Legitimacy of Offices for Future Generations' Political Studies(2019)p.4

＊26
https://www.bbc.co.uk/programmes/m0006bjz ; https://www.futuregenerations.wales/wp-content/uploads/2017/02/150623-guide-to-the-fg-act-en.pdf ; https://www.if.org.uk/2019/07/11/how-can-wales-invest-in-climate-action-today-for-future-generations/

＊27
https://www.futuregenerations.wales/news/future-generations-commissioner-for-wales-welcomes-brave-decision-by-first-minister-on-the-m4-relief-road/ ; https://www.ft.com/content/86d32314-86ca-11e9-a028-86cea8523dc2 ; https://senedd.wales/laid%20documents/gen-ld11694/gen-ld11694-e.pdf

＊28
https://hansard.parliament.uk/lords/2019-06-20/deb

Axel Grosseries (eds) 'Institutions for Future Generations'(Oxford University Press, 2016) pp.28–9

*7
以下より引用。
Quoted in Mark Green (ed.) 'The Big Business Reader on Corporate America'(Pilgrim Press, 1983) p.179

*8
https://www.oxfordmartin.ox.ac.uk/videos/view/317〈リンク切れ〉

*9
『文明崩壊——滅亡と存続の命運を分けるもの［上・下］』(ジャレド・ダイアモンド著、楡井浩訳、草思社)

*10
Michael K. MacKenzie 'Institutional Design and Sources of Short-Termism', in I igo Gonz lez- Ricoy and Axel Grosseries (eds) 'Institutions for Future Generations'(Oxford University Press, 2016) pp.29–30 ; Barbara Adam 'Time'(Polity Press, 2004) pp.136–43 ; Sabine Pahl, Stephen Sheppard, Christine Boomsma and Christopher Groves 'Perceptions of Time in Relation to Climate Change', WIREs Climate Change, Vol.5 (May/June 2014) p.378 ; Ivor Crewe and Anthony King 'The Blunders of our Government'(Oneworld, 2014) p.356 ; Simon Caney 'Political Institutions and the Future', in I igo Gonz lez-Ricoy and Axel Grosseries (eds) 'Institutions for Future Generations'(Oxford University Press, 2016) pp.137–8

*11
https://yougov.co.uk/topics/politics/articles-reports/2016/06/27/how-britain-voted

*12
Oxford Martin Commission 'Now for the Long-Term: The Report of the Oxford Martin Commission for Future Generations' Oxford Martin School, Oxford University (2013) pp.45–6

*13
https://www.who.int/antimicrobial-resistance/interagency-coordination-group/IACG_final_report_EN.pdf?ua=1&utm_source=newsletter&utm_medium=email&utm_campaign=newsletter_axiosscience&stream=science.〈リンク切れ〉

*14
『資本の時代: 1848-1875』(エリック・ホブズボーム著、柳父国近 他訳、みすず書房)

*15
https://www.theguardian.com/world/commentisfree/2019/mar/20/eco-fascism-is-undergoing-a-revival-in-the-fetid-culture-of-the-extreme-right

このような民主主義に対する反発の高まりは、政府に対する信頼度が落ち、極右ポピュリズムが台頭しているように、欧米諸国で伝統的な政党の正統性が低下していることにも表れている。若い世代においては、次のような潮流を示すデータさえ存在する。とある研究によれば、1950年代生まれの60%のヨーロッパ人、アメリカ人が民主主義国家にあることは不可欠であると考える一方で、1980年代生まれにおいては、たった45%のヨーロッパ人とわずか30%余りのアメリカ人が同様の意見であることがわかった。

Robert Stefan Foa and Yascha Mounk 'The Signs of Deconsolidaiton', Journal of Democracy, Vol.28, No.1 (2017)

*16
事例には、世代間財団によって作成されたヨーロッパ世代間公平性指数、世界経済基金による包括的開発指数に基づく「世代間平衡」の測定、ピーター・ヴァンホイッセによる世代間倫理指数、ホフステードの長期志向モデル、ステファン・ウースターによる生態学的持続可能性の測定('Comparing Ecological Sustainability in Autocracies and Democracies' Contemporary Politics, Vol.19, No.1 (2013))を含む。

*17
Jamie McQuilkin 'Doing Justice to the Future: A Global Index of Intergenerational Solidarity Derived from National Statistics', Intergenerational Justice Review, Vol.4, No.1 (2018)

*18
『世代間の公正に関するレビュー』において、ジェイミー・マクイルキンは世代間連帯指数(ISI)を最新データを元に更新し、その構成要素の一部について微細な調整を行っている。

*29
Jem Bendell 'Deep Adaptation: A Map for Navigating Climate Tragedy' IFLAS Occasional Paper 2, University of Cumbria(2018)p.13, p.23

ベンデルは、私たちは「回復力」「放棄」「復元」を含む「深い適応」への3つのアプローチが必要であると主張している。

*30
ベンデル自身もこの可能性を認めており、崩壊を単に「不可避」ではなく、「可能性が高い」「可能性がある」と表現することもある。

Jem Bendell 'Deep Adaptation: A Map for Navigating Climate Tragedy' IFLAS Occasional Paper 2, University of Cumbria(2018)p.13, p.19

*31
『災害ユートピア』(レベッカ・ソルニット著、高月園子訳、亜紀書房)

*32
https://www.opendemocracy.net/en/transformation/what-will-you-say-your-grandchildren/

*33
Rupert Read and Samuel Alexander 'This Civilization Is Finis: Conversations on the End of Empire – and What Lies Beyond'(Simplicity Institute, 2019)p.12

*34
https://www.overshootday.org/newsroom/press-release-july-2019-english/

*35
https://youtu.be/sf4oW8OtaPY

*36
こうした考え方は、自然保護主義者アルド・レオポルドが提唱した「生物群衆の完全生、安定性、美しさが保たれようとしている状態にあって、ものごとは正しくあれる」と考える「土地倫理」に共鳴する。

『野生のうたが聞こえる』(アルド・レオポルド著、新島義昭訳、講談社)

*37
映画『PLANETARY』からの引用。
http://weareplanetary.com ; https://planetary.localinfo.jp(日本語字幕版)

*38
Brian Eno, 'The Big Here and Long Now' , Long Now Foundation, San Francisco(2000)

*39
『自然と生体に学ぶバイオミミクリー』(ジャニン ベニュス著、山本良一訳、オーム社)

## 第9章 ディープ・デモクラシー

*1
『人間本性論 第3巻 道徳について』(デイヴィッド・ヒューム著、木曾好能訳、法政大学出版局)

*2
Dennis Thompson 'Representing Future Generations: Political Presentism and Democratic Trusteeship', Critical Review of International Social and Political Philosophy, Vol.13, No.1(2010)p.17 ; Jonathan Boston 'Governing the Future: Designing Democratic Institutions for a Better Tomorrow'(Emerald, 2017)p.xxvii

*3
https://www.independent.co.uk/climate-change/news/climate-change-2050-eu-eastern-europe-carbon-neutral-summit-countries-a8968141.html

*4
Michael K. MacKenzie 'Institutional Design and Sources of Short-Termism', in I igo Gonz lez-Ricoy and Axel Grosseries (eds) 'Institutions for Future Generations'(Oxford University Press, 2016)p.27

*5
William Nordhaus, 'The Political Business Cycle' Review of Economic Studies, Vol.42, No.2(1975)p.177, p.179, p.184

*6
Michael K. MacKenzie 'Institutional Design and Sources of Short-Termism', in I igo Gonz lez- Ricoy and

*10
本グラフのデータは以下を参照
Will Steffen et al. 'The Trajectory of theAnthropocene: The Great Acceleration', The Anthropocene Review, Vol.2, No.1(2015)

*11
https://www.marxists.org/reference/archive/wilde-oscar/soul-man/

*12
『タイムウォーズー一時間意識の第四の革命』(ジェレミー・リフキン著, 松田銑訳、早川書房)

*13
Roman Krznaric 'For God's Sake, Do Something!' (pp.5–11)

*14
Jonathan Porritt 'The World We Made'(Phaidon, 2013)p.1

*15
以下からの引用。
Maria Alex Lopez 'Invisible Women'(Palibrio, 2013) p.36

*16
『惑星へ[上・下]』( カール セーガン著、森暁雄訳、朝日新聞社)

*17
https://www.vox.com/the-goods/2018/11/2/18053824/elon-musk-death-mars-spacex-kara-swisher-interview ; https://www.theguardian.com/technology/2018/mar/11/elon-musk-colonise-mars-third-world-war

*18
https://www.newscientist.com/article/2175414-terraforming-mars-might-be-impossible-due-to-a-lack-of-carbon-dioxide/

*19
Martin Rees 'On the Future' : Prospects for Humanity (Princeton University Press, 2018)p.150
類似するポイントを地質学者マーシャ・ビョルネルドが論じている。
https://longnow.org/seminars/02019/jul/22/timefulness/

*20
「テクノ スプリット」の概念は、文化歴史学者ジェレミー・レントより拝借した。
Jeremy Lent 'The Patterning Instinct: A Cultural History of Humanity's Search for Meaning'(Prometheus, 2017)p.432

*21
『トランスヒューマニズム: 人間強化の欲望から不死の夢まで』(マーク オコネル著、松浦俊輔訳、作品社)

*22
『トランスヒューマニズム: 人間強化の欲望から不死の夢まで』(マーク オコネル著、松浦俊輔訳、作品社)

*23
https://aeon.co/essays/we-are-more-than-our-brains-on-neuroscience-and-being-human

*24
『ホモ・デウス[上・下]: テクノロジーとサピエンスの未来』(ユヴァル・ノア・ハラリ著、柴田裕之訳、河出書房新社)

*25
『私たちが、地球に住めなくなる前に: 宇宙物理学者からみた人類の未来』(マーティン・リース著、塩原通緒訳、作品社)

*26
https://pubmed.ncbi.nlm.nih.gov/15968832/

*27
Rupert Read and Samuel Alexander 'This Civilization Is Finished: Conversations on the End of Empire – and What Lies Beyond'(Simplicity Institute, 2019)p.20

*28
Jem Bendell 'Deep Adaptation: A Map for Navigating Climate Tragedy' IFLAS Occasional Paper 2, University of Cumbria(2018)p.2, p.6, p.12 ; Roy Scranton 'Learning to Die in the Anthropocene'(City Light Books, 2015)p.16

(デイビッド・ウォレス・ウェルズ著、藤井 留美訳、NHK出版)

*35
Paul Raskin 'Journey to Earthland: The Great Transition to Planetary Civilization' Tellus Institute, Boston (2016) pp.71-91

## 第8章 超目標

*1
Princen 'Long-Term Decision- Making, p. vii

『夜と霧』(ヴィクトール・E・フランクル著、池田香代子訳、みすず書房)

*2
『惑星へ[上・下]』( カール セーガン著、森暁雄訳、朝日新聞社)

「テロス」を抱くことの大切さは、アリ・ウォーラックのような長期思考の学者らによって議論されてきた。超越的な目標やテロスへの私自身の焦点は、「あらゆる複雑なシステムを変化させる最も効果的な方法のひとつは、究極の目標を変えることである」と主張するドネラ・メドウズのような先駆的なシステム思考家の影響を特に受けている。

『世界はシステムで動く——いま起きていることの本質をつかむ考え方』(ドネラ・H・メドウズ著、枝廣淳子訳、英治出版)

*3
特権を長期的に維持しようとする考え方は、特に、哲学者エドマンド・バークの随筆にあるような保守的な思想に顕著に見られる。1790年、バークは、社会とは「生者のみならず、生者と死者、更にはこれから生まれてくる者たちとの間にある関係性である」と綴っている。彼は、私たちが脈々と続く祖先から受け継いできた、途方もない智慧こそ尊重すべきであると信じていた。これは一見、長期思考と世代を超えた継続性のある称賛すべきビジョンに聞こえる。しかし、バークが真に標的としていたのは、暴徒に対する防壁として深く敬服していた君主制や貴族制を打倒しようとしていた過激なフランス革命家たちであった。バークは、変革の風に直面してもなお、彼らの権力や特権を守ることができると信じていたのだ。彼が伝統を重んじたのは、それが既存システムを無傷に守る手段であったからだ。

『フランス革命についての省察』(エドマンド・バーク著、二木 麻里訳、光文社古典新訳文庫ほか)

*4
『21世紀の啓蒙:理性、科学、ヒューマニズム、進歩[上・下]』(スティーブン・ピンカー著、橘明美、坂田雪子訳、草想社)

*5
Ronald Wright 'A Short History of Progress' (Canongate, 2004) pp.37-9 ; Lawrence Guy Straus 'Upper Paleolithic Hunting Tactics and Weapons in Western Europe', Archeological Papers of the American Anthropological Association, Vol.4, No.1 (1993) pp.89-93 ; George Frison 'Paleoindian large mammal hunters on the plains of North America', PNAS, Vol.95, No.24 (1998) pp.14, 576-83

*6
『文明崩壊——滅亡と存続の命運を分けるもの [上・下]』(ジャレド・ダイアモンド著、楡井浩訳、草思社)

George Monbiot 'Feral: Searching for Enchantment on the Frontiers of Rewilding' (Allen Lane, 2013) pp.90-1, pp.137-8 ; Ronald Wright 'A Short History of Progress' (Canongate, 2004) p.37 ; Tim Flannery 'The Future Eaters: An Ecological History of the Australian Lands and People' (Secker & Warburg, 1996) p.143, p.155, pp.180-6, pp.307-8

*7
資本主義とは、自己利益、市場ルール、私有財産の所有権に基づく経済システムであり、人間の労働さえも商品として販売される。

『資本主義の起源』(エレン・メイクシンス ウッド著、平子友長、中村好孝訳、こぶし書房)

*8
『エネルギーと産業革命—連続性・偶然・変化』(E.A. リグリィ 著、近藤正臣訳、同文館出版)

*9
https://worldif.economist.com/article/12121/debate ; Tim Jackson 'Prosperity Without Growth: Foundations for the Economy of Tomorrow' (Routledge, 2016) pp.1-23

『ドーナツ経済学が世界を救う』(ケイト・ラワース著、黒輪篤嗣訳、河出書房新社)

*25
Hyeonju Son 'The History of Western Futures Studies: An Exploration of the Intellectual Traditions and Three- Phase Periodization' Futures, Vol. 66(February 2015)p.128 ; Jennifer M. Gidley 'The Future: A Very Short Introduction'(Oxford University Press, 2017) pp.56–7 ; Pierre Wack 'Scenarios: Shooting the Rapids', Harvard Business Review(November 1985)p.15

*26
Will Steffen, Johan Rockström 'Trajectories of the Earth System in the Anthropocene', PNAS, Vol. 115. No. 33(2019)p.4 ; Intergovernmental Panel on Climate Change, 'Climate Change 2014: Synthesis Report'(IPCC, 2014)p.70, p.74

*27
本図は、ルーク・ケンプのデータを元に、ナイジェル・ホーティンが「BBC Future graphic」用にデザインしたものを更新、再構成したものである。

https://www.bbc.com/future/article/20190218-are-we-on-the-road-to-civilisation-collapse

*28
『暴走する文明――「進歩の罠」に落ちた人類のゆくえ』(ロナルド・ライト著、星川淳訳、日本放送出版協会)

Joseph Tainter 'Problem Solving: Complexity, History, Sustainability', Population and Environment: A Journal of Interdisciplinary Studies, Vol.22, No.1 (2000)p.12 ; Jeremy Lent 'The Patterning Instinct: A Cultural History of Humanity's Search for Meaning'(Prometheus, 2017)p.411

『文明崩壊――滅亡と存続の命運を分けるもの［上・下］』(ジャレド・ダイアモンド著、楡井浩訳、草思社)

*29
『文明崩壊――滅亡と存続の命運を分けるもの［上・下］』(ジャレド・ダイアモンド著、楡井浩訳、草思社)

Jared Diamond 'Easter Island Revisited' Science, Vol. 317, No.5,845(2007)pp.1692–4 ; Joseph Tainter 'Problem Solving: Complexity, History, Sustainability', Population and Environment: A Journal of Interdisciplinary Studies, Vol.22, No.1 (2000)pp.6–9, pp.20–3 ; Graeme Cumming and Garry Peterson 'Unifying Research on Social-Ecological Resilience and Collapse', Trends in Ecology and Evolution, Vol.32, No.9 (2017)pp.699–706

*30
ユヴァル・ノア・ハラリは、グローバル社会はあまりに相互依存的になったために、実質的には「世界にはただ一つの文明があるのみ」であると主張する一人である。

『21世紀の人類のための21の思考』(ユヴァル・ノア・ハラリ著、柴田裕之訳、河出書房新社)

*31
Will Steffen, Johan Rockström 'Trajectories of the Earth System in the Anthropocene', PNAS, Vol.115. No.33 (2019)

*32
https://thebulletin.org/2016/09/how-likely-is-an-existential-catastrophe/

*33
本図は、未来派の思想家ビル・シャープの考案した「3つの地平」フレームワークを参考にしており、(同姓同名の人物が論じたマッキンゼーの成長モデルとは異なる)彼はこれを「未来意識」を育むためのツールとして説明している。

Graham Leicester 'Transformative Innovation: A Guide to Practice and Policy'(Triarchy Press, 2016)pp.44–52

数々の軌跡は、ポール・ラスキンによる研究成果がその基にある。
Paul Raskin 'Journey to Earthland: The Great Transition to Planetary Civilization' Tellus Institute, Boston (2016)p.26 ; Graeme Cumming and Garry Peterson, 'Unifying Research on Social- Ecological Resilience and Collapse', Trends in Ecology and Evolution, Vol. 32, No. 9 (2017) ; Rupert Read and Samuel Alexander 'This Civilization Is Finished: Conversations on the End of Empire – and What Lies Beyond'(Simplicity Institute, 2019)p.7 ; Seth Baum et al. 'Long- Term Trajectories of Human Civilization', Foresight, Vol.21, No.1 (2019)pp.53–83

崩壊の道筋に関する昨今の議論の概要はシステム理論学者 Nafeez Ahmedtheの分析を参照。

*34
『地球に住めなくなる日「気候崩壊」の避けられない真実』

輪篤嗣訳、河出書房新社）

＊12
Ugo Bardi 'The Seneca Effect: Why Growth is Slow but Collapse is Rapid'(Springer, 2017)

＊13
Jonas Salk & Jonathan Salk 'A New Reality: Human Evolution for a Sustainable Future'(City Point Press, 2018)p.31

＊14
Jonathan Salk 'Planetary Health: A New Perspective' Challenges, Vol.10, No.7(2019)

＊15
Jonas Salk 'Anatomy of Reality' pp.24–5 ; Jonas Salk & Jonathan Salk 'A New Reality: Human Evolution for a Sustainable Future '(City Point Press, 2018)pp.68–73, 90 ; JonathanSalk 'Planetary Health: A New Perspective' Challenges, Vol.10, No.7(2019)

＊16
『21世紀の啓蒙：理性、科学、ヒューマニズム、進歩［上・下］』（スティーブン・ピンカー著、橘明美、坂田雪子訳、草思社）

特に、環境問題に関するピンカーの主張に対する強い批判は以下を参照。
ジェレミー・レントの随筆（Open Democracy）
https://www.opendemocracy.net/en/transformation/steven-pinker-s-ideas-are-fatally-flawed-these-eight-graphs-show-why/

人類学者ジェイソン・ヒッケルの公開書簡
https://www.jasonhickel.org/blog/2019/2/3/pinker-and-global-poverty

ジョージ・モンビオによる、ピンカーの環境問題に対する議論の解体
https://www.theguardian.com/commentisfree/2018/mar/07/environmental-calamity-facts-steven-pinker

＊17
『21世紀の啓蒙：理性、科学、ヒューマニズム、進歩［上・下］』（スティーブン・ピンカー著、橘明美、坂田雪子訳、草思社）

＊18
https://quoteinvestigator.com/2013/10/20/no-predict/

＊19
Jennifer M. Gidley 'The Future: A Very Short Introduction'(Oxford University Press, 2017)pp.42–5 ; Hyeonju Son 'The History of Western Futures Studies: An Exploration of the Intellectual Traditions and Three- Phase Periodization', Futures, Vol. 66(February 2015)pp.123–4 ; Jenny Andersson 'The Great Future Debate and the Struggle for the World' The American Historical Review, Vol.117, No.5(2012)pp.1413–15

＊20
Herman Kahn 'On Thermonuclear War(『熱核戦争論』)'(Princeton University Press, 1960)pp.20–1, p.98
彼の合理的なプラグマティズム（実用主義）を示すものとして、カーンは、年配者においては汚染した食物を与えられて然るべきであるとさえ提案した。その結果として、彼らの人生に残された時間が寿命を超えることはないであろうというのだ。

＊21
https://www.newyorker.com/magazine/2005/06/27/fat-man ; https://www.nytimes.com/2004/10/10/movies/truth-stranger-than-strangelove.html

＊22
Pierre Wack 'Scenarios: Unchartered Waters Ahead' Harvard Business Review(September 1985)p.73

＊23
Pierre Wack 'Scenarios: Unchartered Waters Ahead' Harvard Business Review(September 1985)p.76 ; Pierre Wack 'Scenarios: Shooting the Rapids' Harvard Business Review(November 1985)p.146 ; Peter Schwartz 'The Art of the Long View: Planning the Future in an Uncertain World'(Currency, 1991)pp.7–9 ; https://www.strategy-business.com/article/8220

＊24
Hyeonju Son 'The History of Western Futures Studies: An Exploration of the Intellectual Traditions and Three- Phase Periodization' Futures, Vol.66(February 2015)p.127

下]』(ジャレド・ダイアモンド著、楡井浩訳、草思社)

Frank van Schoubroeck and Harm Kool, 'The Remarkable History of Polder Systems in the Netherlands', FAO, Rome(2010)

バリ島における共同体の水管理にかかる大変興味深い研究については、以下を参照。
Stephen Lansing 'Perfect Order: Recognizing Complexity in Bali'(Princeton University Press, 2006)

### 第7章 全体論的な予測

*1
ナイル川の神官たちの話は、シナリオ・プランニングの先駆者の一人でもあるピエール・ワックによってよく語られる。ナイロメーターと呼ばれる計測器によって予測され、示すレベルが、税率決定の参考とされていた。

『シナリオ・プランニングの技法』(ピーター・シュワルツ著、垰本一雄、池田啓宏訳、東洋経済新報社)

Thomas Chermack 'The Foundations of Scenario Planning: The Story of Pierre Wack'(Routledge, 2017) ; https://www.nationalgeographic.com/history/article/160517-nilometer-discovered-ancient-egypt-nile-river-archaeology

*2
Jennifer M. Gidley 'The Future: A Very Short Introduction'(Oxford University Press, 2017)p.2 ; Barbara Adam and Chris Groves 'Future Matters: Marking, Making and Minding Futures for the 21st Century'(Brill, 2007)pp.2–3, p.13 ; Bertrand de Jouvenel, 'The Art of Conjecture'(Weidenfeld & Nicolson, 1967)p.89

科学的努力による予測に関する古典的な説明は、以下を参照。トフラーは素晴らしい「科学的未来学者」である。
『未来の衝撃』(アルビン・トフラー 著、徳山二郎訳、中央公論新社)

*3
これは、「可能性の円錐」としても知られている。
Paul Saffo 'Six Rules for Effective Forecasting' Harvard Business Review(July– August 2007)

*4
『ブラック・スワン[上・下]――不確実性とリスクの本質』(ナシーム・ニコラス・タレブ著、望月衛訳、ダイヤモンド社)

*5
ユヴァル・ノア・ハラリが示した例の基準年を、2016年から2020年に替えて内容をアップデートしたものである。

『ホモ・デウス[上・下]: テクノロジーとサピエンスの未来』(ユヴァル・ノア・ハラリ著、柴田裕之訳、河出書房新社)

*6
『世界が動いた「決断」の物語　新・人類進化史』(スティーブン・ジョンソン著、大田直子訳、朝日新聞出版)

*7
Charles Handy 'The Second Curve: Thoughts on Reinventing Society'(Random House Books, 2015)pp.22–5

*8
技術予測者であるポール・サフォーは、しばしば「シリコン集積回路上のトランジスタ数は2年ごとに倍になり、常に上昇する指数関数的なJカーブを描く」という「ムーアの法則」を引用するが、シンギュラリティ(特異点)の第一人者レイ・カーツワイルは、これについて「いずれはS(カーブ)になる」と認めている。

Theodore Modis 'Why the Singularity Cannot Happen' in A.H.Eden et al. (eds)'The Singularity Hypotheses' The Frontiers Collection(Springer Verlag, 2012) pp.314–17

*9
『ターニング・ポイント―科学と経済・社会、心と身体、フェミニズムの将来』(フリッチョフ・カプラ著、吉福伸逸訳、工作舎)

*10
シグモイド曲線は、『成長の限界―ローマ・クラブ「人類の危機」レポート』(ドネラ・メドウズ、デニス・メドウズ、ヨルゲン・ランダース、W・ベアランズ著、大来佐武郎訳、ダイヤモンド社)で重要なパートを占める。
本書の30年後に出版された『成長の限界 人類の選択』(ドネラ・メドウズ、ヨルゲン・ランダース、デニス・メドウズ著、枝廣淳子訳、ダイヤモンド社)においては、より明らかに論じられている。

*11
『ドーナツ経済学が世界を救う』(ケイト・ラワース著、黒

Conrad Totman, 'A History of Japan'(Blackwell, 2005) p.255

『文明崩壊——滅亡と存続の命運を分けるもの［上・下］』（ジャレド・ダイアモンド著、楡井浩訳、草思社）

*15
『日本人はどのように森をつくってきたのか』（コンラッド・タットマン著、熊崎実訳、築地書館）

*16
『文明崩壊——滅亡と存続の命運を分けるもの［上・下］』（ジャレド・ダイアモンド著、楡井浩訳、草思社）

徳川幕府による森林再生プログラムにかかる詳細は、国連開発計画の本件にかかる著者報告を参照。
Roman Krznaric 'Food Coupons and Bald Mountains: What the History of Resource Scarcity Can Teach Us About Tackling Climate Change' Human Development Occasional Papers. 人間開発報告書, 国連開発計画 (2007)
未来世代へ継承するため、トップダウンの計画に並行して村での共有地の植林など、草の根的活動が行われていた。

*17
https://www.prospectmagazine.co.uk/magazine/if-i-ruled-the-world-martin-rees ; https://www.theguardian.com/science/2010/mar/29/james-lovelock-climate-change

*18
オックスフォードブラックウェルズ書店にて、マーティン・リースが自身の近著『私たちが、地球に住めなくなる前に: 宇宙物理学者からみた人類の未来』（マーティン・リース著、塩原通緒訳、作品社）を紹介する場で私たちは意見交換を行った。(2018年11月5日)

*19
https://yearbook.enerdata.net/renewables/renewable-in-electricity-production-share.html
https://www.tandfonline.com/doi/abs/10.1080/13569775.2013.773204

*20
Stephen Halliday 'The Great Stink of London: Sir Joseph Bazalgette and the Cleansing
of the Victorian Metropolis'(Sutton Publishing, 2001) pp.42–61, p.124

*21
以下より引用。
Stephen Halliday 'The Great Stink of London: Sir Joseph Bazalgette and the Cleansing of the Victorian Metropolis'(Sutton Publishing, 2001)p.74

*22
以下より引用。
Stephen Halliday 'The Great Stink of London: Sir Joseph Bazalgette and the Cleansing of the Victorian Metropolis'(Sutton Publishing, 2001)p.3

*23
Natasha McCarthy 'Engineering: A Beginner's Guide'(Oneworld, 2009)p.115

*24
Stewart Brand, 'How Buildings Learn: What Happens After They're Built'(Phoenix, 1997)p.181

*25
効果的なシステム機能のための回復力と自己組織化の重要性にかかる議論は以下を参照。
『世界はシステムで動く——いま起きていることの本質をつかむ考え方』（ドネラ・H・メドウズ著、枝廣淳子訳、英治出版）

*26
第二次世界大戦中における英国と米国の配給政策にかかる著者分析は以下を参照。
Roman Krznaric 'Food Coupons and Bald Mountains: What the History of Resource Scarcity Can Teach Us About Tackling Climate Change' Human Development Occasional Papers. 人間開発報告書, 国連開発計画 (2007)

*27
https://www.weforum.org/agenda/2019/01/our-house-is-on-fire-16-year-old-greta-thunberg-speaks-truth-to-power/

*28
『資本主義と自由』（ミルトン・フリードマン著、村井章子訳、日経BP社）

*29
『文明崩壊——滅亡と存続の命運を分けるもの［上・

CEIDS_NL_NO.3(English).pdf

*37
https://workthatreconnects.org/resource/the-seventh-generation/

*38
プランタゴンは2019年に破産。
スウェーデン、クングスホルメンにある「CityFarms」や垂直農法にかかる数々の特許の辿る道について、本稿執筆時点では知る由もなかった。

*39
https://www.aapss.org/news/crafting-rules-to-sustain-resources/

### 第6章 大聖堂思考

*1
https://www.gutenberg.org/files/35898/35898-h/35898-h.htm

*2
個人的なメッセージのやり取りより(2018年5月14日)
以下も併せて参照。
Jennifer Thorp 'New College's Hall and Chapel Roofs' manuscript, New College, Oxford(2009)

*3
『文明崩壊――滅亡と存続の命運を分けるもの［上・下]』(ジャレド・ダイアモンド著、楡井浩訳、草思社)

*4
Gijs Van Hensbergen 'The Sagrada Familia: Gaud's Heaven on Earth'(Bloomsbury, 2017)p.4, p.16, p.28, p.72

*5
私がグレタ・トゥーンベリに会ったのは、2019年4月、パリのノートルダム大聖堂が火災に遭った数日後のことだった。各国政府が気候変動対策にかかる資金調達に失敗している一方で、大聖堂はその時既に、再建に向けて数億ユーロの資金提供を約束されていたことについて、彼女は憤慨していた。
https://cathedralthinking.com/thinkers-cathedral-thinking/ ; https://www.theguardian.com/environment/2019/apr/16/greta-thunberg-urges-eu-leaders-wake-up-climate-change-school-strike-movement

*6
https://www.theguardian.com/science/2011/apr/06/templeton-prize-2011-martin-rees-speech

*7
サヴァールバル世界種子貯蔵庫のようなプロジェクトについては「deep-time organisations」として以下に言及されている。
Frederic Hanusch and Frank Biermann 'Deep-Time Organizations: Learning Institutional Longevity from History' The Anthropocene Review(2019)pp.1–3

*8
『アンダーランド　記憶、隠喩、禁忌の地下空間』(ロバート・マクファーレン著、岩崎 晋也訳、早川書房)

*9
時間の経過と共に、サフラジェット運動の指導者たちは改革のペースが遅いことへの不満から、より過激な戦術を展開していった。
https://www.bl.uk/votes-for-women/articles/suffragettes-violence-and-militancy

*10
https://www.nytimes.com/1982/01/15/world/soviet-food-shortages-grumbling-and-excuses.html

*11
https://theconversation.com/introducing-the-terrifying-mathematics-of-the-anthropocene-70749

*12
James Scott, 'Seeing Like a State: How Certain Schemes to Improve the Human Condition Have Failed'(Yale University Press, 1998)p.111

*13
『日本人はどのように森をつくってきたのか』(コンラッド・タットマン著、熊崎実訳、築地書館)

*14
『日本人はどのように森をつくってきたのか』(コンラッド・タットマン著、熊崎実訳、築地書館)

https://ourworldindata.org/future-population-growth

*22
最もよく知られるのは、社会的・経済的不平等が、社会で最も不遇な立場にある人々に最大の利益をもたらすよう是正されて然るべきであるとする「格差原理」である。

John Rawls, 'Political Liberalism'(Columbia University Press, 1993)p.83

*23
本件にかかるジョン・ロールズによる議論においては「公正な貯蓄原理」の必要性についても言及されている。
John Rawls 'Political Liberalism'(Columbia University Press, 1993)pp.284–93 ; Bruce E. Tonn 'Philosophical, Institutional, and Decision Making Frameworks for Meeting Obligations to Future Generations' Futures, Vol. 95 (2017)p.46 ; Mark O'Brien and Thomas Ryan, 'Rights and Representation of Future Generations in United Kingdom Policy' Centre for the Study of Existential Risk, University of Cambridge(2017)p.14

*24
ジョン・ロールズは、公正な未来社会にとっての健全な生態系の重要性にかかる考慮が欠けていた。彼は人新世ではなく、完新世における哲学者であった。
有用な議論は以下を参照。
Mark O'Brien and Thomas Ryan 'Rights and Representation of Future Generations in United Kingdom Policy' Centre for the Study of Existential Risk, University of Cambridge(2017)p.14 ; Bruce E. Tonn, 'Philosophical, Institutional, and Decision Making Frameworks for Meeting Obligations to Future Generations', Futures, Vol. 95 (2017)p.44 ; Mary Robinson Foundation 'A Case for Guardians of the Future' Climate Justice Position Paper(February 2017)p.2

*25
Bruce E. Tonn 'Philosophical, Institutional, and Decision Making Frameworks for Meeting Obligations to Future Generations' Futures, Vol.95(2017)p.47 ; John Rawls, 'Political Liberalism'(Columbia University Press, 1993)p.274

*26
https://www.sefaria.org/Taanit.23a

*27
Quoted in Princen, 'Long-Term Decision-Making', p.11

*28
John Borrows, 'Earth- Bound: Indigenous Resurgence and Environmental Reconciliation', in Michael Asch, John Borrows and James Tully (eds), 'Resurgence and Reconciliation: Indigenous– Settler Relations and Earth Teachings'(University of Toronto Press, 2018)p.62

*29
著者との個人的な会話より。(2017年11月14日 オックスフォードにて)

*30
『回勅 ラウダート・シ』(教皇フランシスコ著、瀬本正之、吉川まみ訳、カトリック中央協議会)

Roman Krznaric, 'For God's Sake, Do Something! How Religions Can Find Unexpected Unity Around Climate Change', Human Development Occasional Papers. 人間開発報告書、国連開発計画(2007)

*31
https://therealnews.com/dlascaris0504susuki

*32
『いのちの中にある地球』(デヴィッド・スズキ著、辻信一著、日本放送出版協会)

*33
https://www.nas.org/blogs/article/seventh_generation_sustainability_-_a_new_myth

*34
https://www.bbc.co.uk/ideas/videos/how-can-we-be-better-ancestors-to-futuregeneratio/〈リンク切れ〉

*35
https://ecoactive.com/care-for-earth/earth-guardians ; https://www.earthguardians.org/engage/2017/5/17

*36
http://www.souken.kochi-tech.ac.jp/seido/wp/SDES-2015-14.pdf ; http://www.ceids.osaka-u.ac.jp/img/

＊8
国連開発計画による『人間開発報告書 2007』Fighting Climate Change – Human Solidarity in a Divided World (UNDP, 2007) p.63

＊9
世界人権宣言の創案者たちは、「二度と繰り返さない」と誓い、この先の未来に第二次世界大戦の残虐行為が繰り返されないことをこれまで望んできたことだろう。しかし、現代に生きる人々が、未来の人々の権利を侵害し得ることへの明確な懸念について、彼らは示すことがなかった。

＊10
環境と開発に関する世界委員会がまとめたグロ・ハーレム・ブルントラントによる報告書『地球の未来を守るために』(環境と開発に関する世界委員会著、福武書店)

「未来世代(future generations)」というフレーズはそれ以前にも、1972年の国連人間環境会議において認識されていたが、広く使われるようになったのは、ブルントラントの報告書以降のことである。

＊11
Mary Robinson Foundation 'A Case for Guardians of the Future' Climate Justice Position Paper (February 2017) p.1, p.6 ; Joerg Chet Tremmel (ed.) 'Handbook of Intergenerational Justice' (Edward Elgar, 2006) pp.192–6 ; Jamie McQuilkin 'Doing Justice to the Future: A Global Index of Intergenerational Solidarity Derived from National Statistics', Intergenerational Justice Review, Vol.4, No.1 (2018) p.5

＊12
http://www.italiaclima.org/wp-content/uploads/2015/01/ITA_SFPM_Italian-Youth-Declaration-on-Intergenerational-Equity_Eng_Definitive.pdf

＊13
https://www.medact.org/2019/blogs/fighting-for-intergenerational-justicemidwives-can-be-climate-champions/

＊14
Mark O'Brien and Thomas Ryan 'Rights and Representation of Future Generations in United Kingdom Policy' Centre for the Study of Existential Risk, University of Cambridge (2017) pp.13–18

＊15
『回勅 ラウダート・シ』(教皇フランシスコ著、瀬本正之、吉川まみ訳、カトリック中央協議会)

＊16
https://globalnutritionreport.org/reports/global-nutrition-report-2018/burden-malnutrition/

＊17
ケンブリッジ大学生存リスク研究センターでは、英国における未来世代のための議員連盟設立の議論が行われている。
Mark O'Brien and Thomas Ryan 'Rights and Representation of Future Generations in United Kingdom Policy' Centre for the Study of Existential Risk, University of Cambridge (2017) p.13

＊18
『理由と人格―非人格性の倫理へ』(デレク パーフィット著、森村進訳、勁草書房)

＊19
Nicholas Vroussalis 'Intergenerational Justice: A Primer' : Inigo Gonzalez-Ricoy and Axel Grosseries (eds) 'Institutions for Future Generations' (Oxford University Press, 2016) p.59

＊20
Barry S. Gower 'What Do We Owe Future Generations?' in David E. Cooper and Joy A.Palmer (eds) 'Environment in Question: Ethics and Global Issues' (Routledge, 1992) p.1

＊21
本図は、リチャード・フィッシャーが「BBC Future」用に考案し、ナイジェル・ホーチンがデザインした図を修正及び再構成したものである。

https://www.bbc.com/future/article/20190109-the-perils-of-short-termism-civilisations-greatest-threat

未来予測に関するデータは国連の標準予測に基づいており、21世紀の年間平均出生数は約1億3,500人に安定するものとする。

＊14
オックスフォード大学で開催された「the Politics of Love Conference」でのスピーチ 'All Souls College'(2018年12月14日)のインタビューより。

＊15
Lesley Kay Rameka 'Kia whakatōmuri te haere whaka mua: I walk backwards into the future with my eyes fixed on my past' Contemporary Issues in Early Childhood, Vol.17, No.4 (2017)pp.387–9 ; Margaret Nicholls 'What Motivates Intergenerational Practices in Aotearoa/New Zealand' Journal of Intergenerational Relationships, Vol.1, No.1(2003)p.180 ; https://teara.govt.nz/en/whakapapa-genealogy

＊16
https://www.vice.com/en/article/9k95ey/its-transformative-maori-women-talk-about-their-sacred-chin-tattoos.

＊17
https://enablingcatalysts.com/legacy-our-first-responsibility-is-to-be-a-good-ancestor/

＊18
Kris Jeter 'Ancestor Worship as an Intergenerational Linkage in Perpetuity' Marriage & Family Review, Vol.16, Nos1–2(1991)pp.215–16

## 第5章 世代間の公正

＊1
https://quoteinvestigator.com/2018/05/09/posterity-ever/

＊2
https://www.lifegate.com/people/news/greta-thunberg-speech-cop24

＊3
政府が公式に用いる割引率は、時間経過と共に低下する構造となっていることがあり、予測されるプロジェクトリスクによっても異なる。

Mark Freeman,Ben Groom and Michael Spackman 'Social Discount Rates for Cost- Benefit Analysis: A Report for HM Treasury' HM Treasury, UK Government (2018)p.5, p.12, p.15

＊4
コスト・ベネフィット分析やディスカウンティングを行う際の基準となるイギリス財務省の「Green Book(事前評価と期中・事後評価)」において、標準割引率は3.5%に設定されている。この数字は、以下二つの要素によって構成される。
・後先よりも今に価値を求めることを表す1.5%の「時間優位」
・2%の経済成長を想定した「富の効果」
通常、プロジェクト評価において、60年後以降に生じる利益は勘定されないため、この時点で割引率は100%に到達する。

HM Treasury, 'The Green Book: Central Government Guidance on Appraisal and Evaluation' (HM Treasury, UK Government, 2018)pp.101–3

スワンジー湾潮力発電ラグーンプロジェクトにかかる判決の詳細は以下を参照。
http://www.tidallagoonpower.com/wp-content/uploads/2018/07/BEIS-statement-on-Swansea-Bay-Tidal-Lagoon.pdf ; https://blackfishengineering.com/2018/07/27/analysis-swansea-bay-tidal-lagoon/
https://commonslibrary.parliament.uk/research-briefings/cbp-7940/

＊5
個人的な会話より。(2019年5月26日 )

＊6
ニコラス・スターンは、割引率における時間優位の要素を0.1%に設定(財務省が通常用いる1.5%をかなり下回る)し、成長の要素を1.3%とした。

Nicholas Stern 'The Economics of Climate Change: The Stern Review'(Cambridge University Press, 2014) p.i, p.ix, p.xii, p.304, p.629
Frank Ackerman 'Debating Climate Economics: The Stern Review vs Its Critics' Report to Friends of the Earth UK (July 2007)

＊7
国連開発計画による『人間開発報告書 2007』Fighting Climate Change – Human Solidarity in a Divided World (UNDP, 2007)p.29

Managing Forests in Uncertain Times' Nature, Vol.13, No.506(2014)

*21
https://www.theguardian.com/books/2019/may/11/richard-powers-interview-the-overstory-radicalised

*22
『仏の教え ビーイング・ピース―ほほえみが人を生かす』(ティク・ナット ハン著、棚橋一晃訳、中央公論新社)

## 第4章 レガシー・マインドセット

*1
Jonas Salk 'Anatomy of Reality' pp.3–4

*2
未来の世代を育み形成するような遺産を残したいという願望は「次世代育成能力(generativity)」として知られており、これは1950年代の心理学者エリック・エリクソンの研究にまで遡る。

John Kotre, 'Make It Count: How to Generate a Legacy That Gives Meaning to Your Life'(The Free Press, 1995)p.5, p.11, p.15 ; John Kotre, 'Generative Outcome', Journal of Aging Studies, Vol.9, No.1 (1995)p.36

*3
Michael Sanders, Sarah Smith, Bibi Groot and David Nolan, 'Legacy Giving and Behavioural Insights' Behavioural Insights Team, University of Bristol(2016)p.2, p.6
https://www.philanthropy.com/article/Donations-Grow-4-to-373/236790
https://givingusa.org/giving-usa-2019-americans-gave-427-71-billion-to-charity-in-2018-amid-complex-year-for-charitable-giving/

*4
Kimberley Wade- Benzoni et al. 'It's Only a Matter of Time: Death, Legacies, and Intergenerational Decisions' Psychological Science, Vol.23, No.7(2012)pp.705–6 ; Kimberley Wade- Benzoni 'Legacy Motivations and the Psychology of Intergenerational Decisions' Current Opinion in Psychology, Vol.26(April 2019)p.21

*5
Lisa Zaval, Ezra M. Markowitz and Elke U. Weber 'How Will I Be Remembered? Conserving the Environment for the Sake of One's Legacy' Psychological Science, Vol.26, No.2(2015)p.235

*6
Michael Sanders and Sarah Smith 'Can Simple Prompts Increase Bequest Giving? Field Evidence from a Legal Call Centre' Journal of Economic Behaviour and Organization, Vol.125(C) (2016)p.184

*7
ローマン・クルツナリック 'Carpe Diem Regained' (Unbound, 2017)第2章参照。

*8
Hal Hershfield et al. 'Increasing Saving Behavior Through Age-Progressed Renders of the Future Self' Journal of Marketing Research, Vol.48(2011) ; Hal Hershfield 'The Self Over Time' Current Opinion in Psychology, Vol.26 (2019)p.73 ; Bina Venkataraman, 'The Optimist's Telescope: Thinking Ahead in a Reckless Age' (Riverhead, 2019)pp.20–1

*9
https://twitter.com/stewartbrand/status/1106102872372985856

*10
Lewis Hyde 'The Gift: How the Creative Spirit Transforms the World'(Canongate, 2006)pp.11–16

*11
https://theanarchistlibrary.org/library/petr-kropotkin-the-conquest-of-bread

*12
Hunger Lovins, Stewart Wallis, Anders Wijkman, John Fullerton 'A Finer Future: Creating an Economy in Service to Life'(New Society Publishers, 2018)p.xiv

*13
Kris Jeter 'Ancestor Worship as an Intergenerational Linkage in Perpetuity', Marriage & Family Review, Vol.16, Nos1–2(1991)p.196, p.199

Barbara Adam and Chris Groves 'Future Matters: Marking, Making and Minding Futures for the 21st Century' (Brill, 2007) p.7

＊3
E.P. Thompson 'Time, Work Discipline and Industrial Capitalism' Past & Present Vol.38, No.1 (1967) pp.64–5

＊4
Lewis Mumford, 'The Human Prospect' (Beacon Press, 1955) p.4

＊5
https://www.theguardian.com/commentisfree/2018/may/27/world-distraction-demands-new-focus

＊6
https://www.theguardian.com/technology/2018/mar/04/has-dopamine-got-us-hooked-on-tech-facebook-apps-addiction

＊7
『タイムウォーズ ── 時間意識の第四の革命』(ジェレミー・リフキン著, 松田銑訳、早川書房)

＊8
John McPhee 'Basin and Range' (Farrar, Straus and Giroux, 1980) pp.91–108 ; Stephen Jay Gould 'Time's Arrow, Time's Cycle: Myth and Metaphor in the Discovery of Geological Time' (Harvard University Press, 1987) pp.61–5

『人類が知っていることすべての短い歴史[上・下]』(ビル・ブライソン著、楡井浩一訳、新潮社)

＊9
Stephen Jay Gould 'Time's Arrow, Time's Cycle: Myth and Metaphor in the Discovery of Geological Time' (Harvard University Press, 1987) p.62

＊10
『人類が知っていることすべての短い歴史[上・下]』(ビル・ブライソン著、楡井浩一訳、新潮社)

＊11
H.G. Wells, 'The Discovery of the Future' (B.W. Huebsch, 1913) p.18, p.29, p.32

＊12
H.G. Wells, 'The Conquest of Time' (Watts, 1942) p.12

＊13
『タイムトラベル「時間」の歴史を物語る』(ジェイムズ・グリック著、夏目大訳、柏書房)

＊14
Stewart Brand, 'The Clock of the Long Now: Time And Responsibility' (Phoenix, 1999) p.2

＊15
http://longnow.org/clock/

＊16
こうした批評は、とりわけ以下に見受けられた。

哲学者ステファン・スクリムシャー 'Deep Time and Secular Time: A Critique of the Environmental "Long View" ', Theory, Culture and Society, Vol. 36, No. 1 (2018) pp6–8

ロンドン大英図書館でのセミナー 'Planning for a Longer Now' での経済学者マリアナ・マッツカートによるコメント。(2018年9月24日)

＊17
以下からの引用。
Stephen Jay Gould 'Time's Arrow, Time's Cycle: Myth and Metaphor in the Discovery of Geological Time' (Harvard University Press, 1987) p. 3 ; John McPhee 'Basin and Range' (Farrar, Straus and Giroux, 1980) p.126

＊18
https://www.theguardian.com/science/2005/apr/07/science.highereducation

＊19
http://www.rachelsussman.com/portfolio/#/oltw/
https://www.mnn.com/earth-matters/wilderness-resources/photos/the-worlds-10-oldest-living-trees/olive-tree-of-vouves# top-desktop

＊20
V. Bellassen and S. Luyssaert 'Carbon Sequestration:

*18
Peter Railton 'Introduction' in Martin Seligman, Peter Railton, Roy Baumeister and Chandra Sripada 'Homo Prospectus' ,(Oxford University Press, 2016)p.4

*19
Thomas Princen, 'Long-Term Decision-Making' p.13

*20
https://www.nytimes.com/2016/03/20/magazine/the-secrets-of-the-wave-pilots.html ; Sander van der Leeuw, David Lane and Dwight Read 'The Long- Term Evolution of Social Organization' in David Lane et al. (eds) ' Complexity Perspectives in Innovation and Social Change'(Springer, 2009)p.96 ; Jerome Barkow, Leda Cosmides and John Tooby 'The Adapted Mind: Evolutionary Psychology and the Generation of Culture'(Oxford University Press, 1996)pp.584–5

*21
Princen 'Long-Term Decision-Making' pp.14–15 ; Kristen Hawkes 'The Grandmother Effect' Nature, Vol.428, No.128(2004)pp.128–9

*22
http://longnow.org/seminars/02011/feb/09/live-longer-think-longer/
Mary Catherine Bateson 'Composing a Further Life: The Age of Active Wisdom'(Vintage, 2011)pp.14–15

*23
『共感する人 ── ホモ・エンパシクスへ、あなたを変える六つのステップ』(ローマン・クルツナリック著、田中一明、荻野高拡訳、ぷねうま舎)

*24
『人間の進化と性淘汰[1・2]』(チャールズ・ダーウィン著、長谷川真理子訳、文一総合出版)

『人間の由来[上・下]』(チャールズ・ダーウィン著、長谷川真理子訳、講談社)

*25
https://www.romankrznaric.com/outrospection/2009/11/14/152

進化生物学、神経科学、発達心理学における人間の共感性に関する研究について論じた自著『共感する人── ホモ・エンパシクスへ、あなたを変える六つのステップ』(ローマン・クルツナリック著、田中一明、荻野高拡訳、ぷねうま舎)第1章も参照。

*26
Martin Seligman, Peter Railton, Roy Baumeister and Chandra Sripada 'Homo Prospectus' (Oxford University Press, 2016)p.5 . 同書内 Peter Railtonによる記述 pp.25–6 . 同書内 Roy Baumeisterによる記述 'Collective Prospection: The Social Construction of the Future' p.143

*27
Van der Leeuw 'Lane and Read' pp.88–92 ; Sander van der Leeuw 'The Archaeology of Innovation: Lessons for Our Times' in Carlson Curtis and Frank Moss (eds) 'Innovation: Perspectives for the 21st Century' (BBVA, 2010)p.38 ; David Christian 'Maps of Time: An Introduction to Big History'(University of California Press, 2005)p.160

*28
Van der Leeuw, 'Lane and Read' p.91

*29
Van der Leeuw, 'Lane and Read' p.96

*30
Bruce E. Tonn, Angela Hemrick and Fred Conrad 'Cognitive Representations of the Future: Survey Results' Futures, Vol.38 (2006)p.818

## 第3章 ディープタイムの慎み

*1
『ブラック・エルクは語る』(ジョン・G. ナイハルト著、阿部珠理監修、宮下嶺夫訳、めるくまーる)

*2
Jacques Le Goff, 'Time, Work, and Culture in the Middle Ages'(Chicago University Press, 1980)pp.29–42

『中世西欧文明』(ジャック・ル ゴフ著、桐村泰次訳、論創社)

『タイムウォーズ ── 時間意識の第四の革命』(ジェレミー・リフキン著, 松田銑訳、早川書房)

ion: Pleasure and Pain in the Brain' (Oxford University Press, 2014) pp.124–31

*3
Maureen O'Leary et al. 'The Placental Mammal Ancestor and the Post-K-Pg Radiation of Placentals' Science, Vol.339 No.6,120 (2013); https://www.nytimes.com/2013/02/08/science/common-ancestor-of-mammals-plucked-from-obscurity.html

*4
John Ratey 'A User's Guide to the Brain' (Abacus, 2013) p.115

*5
Peter Whybrow 'The Well-Tuned Brain: A Remedy for a Manic Society' (Norton, 2016) p.6
https://www.zocalopublicsquare.org/2015/09/18/low-interest-rates-are-bad-for-your-brain/ideas/nexus/

*6
Peter Whybrow 'The Well-Tuned Brain: A Remedy for a Manic Society' (Norton, 2016) pp.112–13

*7
Walter Mischel, Yuichi Shoda and Monica Rodriguez 'Delay of Gratification in Children' Science, Vol.244, No.4,907 (1989) pp.933–98; http://behavioralscientist.org/try-to-resist-misinterpreting-the-marshmallow-test/ ; Kringelbach and Phillips 'Emotion: Pleasure and Pain in the Brain' (Oxford University Press, 2014) pp.164–5 ; http://theconversation.com/its-not-a-lack-of-self-control-that-keeps-people-poor-47734

*8
Martin Seligman, Peter Railton, Roy Baumeister and Chandra Sripada 'Homo Prospectus' (Oxford University Press, 2016) p.ix.

*9
『明日の幸せを科学する』(ダニエル・ギルバート著、熊谷淳子訳、早川書房)

Martin Seligman, Peter Railton, Roy Baumeister and Chandra Sripada 'Homo Prospectus' (Oxford University Press, 2016) p.xi.

*10
W. A. Roberts 'Are Animals Stuck in Time?' Psychological Bulletin, Vol.128, No.3 (2002) pp.481–6 ; Roland Ennos 'Aping Our Ancestor' Physics World (May 2014)

*11
https://www.nytimes.com/2017/05/19/opinion/sunday/why-the-future-is-always-on-your-mind.html

*12
Thomas Princen 'Long- Term Decision-Making: Biological and Psychological Evidence', Global Environmental Politics, Vol.9, No.3 (2009) p.12 ; David Passig 'Future Time-Span as a Cognitive Skill in Future Studies' Futures Research Quarterly (Winter 2004) pp.31–2 ; Jane Busby Grant and Thomas Suddendort 'Recalling Yesterday and Predicting Tomorrow' Cognitive Development, Vol.20 (2005)

*13
Roy Baumeister et al. 'Everyday Thoughts in Time: Experience Sampling Studies of Mental Time Travel' PsyArXiv (2018) p.22, p.45

*14
Daniel Gilbert 'Stumbling on Happiness' (Harper Perennial, 2007) pp.10–15 ; Ricarda Schubotz 'Long- Term Planning and Prediction: Visiting a Construction Site in the Human Brain', in W. Welsch et al. (eds), Interdisciplinary Anthropology (Springer-Verlag, 2011) p.79

*15
Roy Baumeister et al. 'Everyday Thoughts in Time: Experience Sampling Studies of Mental Time Travel' PsyArXiv (2018) p.20

*16
http://www.randomhouse.com/kvpa/gilbert/blog/200607.html

*17
https://www.npr.org/templates/story/story.php?storyId=5530483

Press, 2004) pp. 136–43)の研究よってより明らかなものとなる。

*8
『私たちが、地球に住めなくなる前に: 宇宙物理学者からみた人類の未来』(マーティン・リース著、塩原通緒訳、作品社)

マーティン・リースの中国に対するコメントは、オックスフォードのブラックウェルズ書店にて、彼が近著『私たちが、地球に住めなくなる前に: 宇宙物理学者からみた人類の未来』(マーティン・リース著、塩原通緒訳、作品社)について語る中で言及されたものである。(2018年11月5日)

*9
ブリュッセルでのアンディ・ハルダンによるスピーチ 'The Short Long' より。(2011年5月)

https://www.bankofengland.co.uk/-/media/boe/files/speech/2011/the-short-long-speech-by-andrew-haldane.pdf

*10
Mary Robinson Foundation 'Global Guardians: A Voice for the Future' Climate Justice Position Paper (April, 2017) p.6

『回勅 ラウダート・シ』(教皇フランシスコ著、瀬本正之、吉川まみ訳、カトリック中央協議会)

*11
知性の空白状態にあるいくつかの例外が、アリ・ララックによる'longpath'の概念である。

https://www.longpath.org

「概念の危機」の着想は、グラハム・レスターのおかげである。
http://www.internationalfuturesforum.com/s/223

*12
これらの社会変動理論にかかる考察ついては、オックスファムに寄稿した著者のレポートを参照。
'How Change Happens: Interdisciplinary Perspectives for Human Development', an Oxfam Research Report (Oxfam, 2007)

*13
Brian Eno 'The Big Here and Long Now' Long Now Foundation, San Francisco (2000)

*14
『ゴールドマン・サックス[上・下]』(チャールズ・エリス著、斎藤聖美訳、日本経済新聞出版)

*15
John Dryzek, 'Institutions for the Anthropocene: Governance in a ChangingvEarth System' , British Journal of Political Studies, Vol.46 No.4 (2014) pp.937–41

*16
未来を想像する異なる時間枠にかかる考察については、以下を参照。
Richard Slaughter 'Long- Term Thinking and the Politics of Reconceptualization' Futures, Vol. 28, No.1 (1996) pp.75–86

*17
Stewart Brand 'The Clock of the Long Now: Time And Responsibility' (Phoenix, 1999) pp.4–5

*18
Terry Eagleton 'Hope Without Optimism' (Yale University Press, 2015) pp.1–38

## 第2章 マシュマロとどんぐり

*1
https://www.nytimes.com/interactive/2018/08/01/magazine/climate-change-losing-earth.html

ジャーナリスト ナオミ・クラインによるナサニエル・リッチの見解に対する非難については以下を参照。
https://theintercept.com/2018/08/03/climate-change-new-york-times-magazine/

*2
Morten Kringelbach 'The Pleasure Centre: Trust Your Animal Instincts' (Oxford University Press, 2009), pp.55–6 ; Kent Berridge and Morten Kringelbach 'Affective Neuroscience of Pleasure: Reward in Humans and Animals' , Psychopharmacology, Vol.199, No.3 (2008) ; Morten Kringelbach and Helen Phillips 'Emot

# 原注

## 第1章 私たちはいかにしてよき祖先となれるか

*1
ジョナス・ソークは "good ancestor(よき祖先)" というコンセプトについて、1977年のジャワハルラール・ネルー国際理解賞における受賞スピーチ 'Are We Being Good Ancestors?'(ニューデリー、1977年1月10日)の中で初めて言及しており、本スピーチは後に学術誌 'World Affairs: The Journal of International Issues, Vol.1, No.2 '(1992.12)に転載された。
先住民文化がルーツにあるとも言える彼の概念に影響を受けた人物として、David Suzuki(環境活動家)、Lewis Hyde(文化評論家)、Winona LaDuke(ダコタ活動家)、Bina Venkataraman/Ari Wallach(未来学者)、Layla Saad(反人種差別活動家), Alan Cooper(デザイン思考)、James Kerr(リーダーシップ思考)、Robert Macfarlane(作家)、Tyler Emerson(技術戦略家)が挙げられる。

ソークの長期的思考については以下を参照。
Jonas Salk 'Anatomy of Reality: Merging of Intuition and Reason(Columbia University Press, 1983) p.8, p.12, p.105, p.109, pp.114–18, pp.122–3, Jonathan Salk 'Planetary Health: A New Perspective', Challenges, Vol.10, No.7(2019)p.5 and Jonas Salk & Jonathan Salk 'A New Reality: Human Evolution for a Sustainable Future '(City Point Press, 2018)

*2
Mary Catherine Bateson 'Composing a Further Life: The Age of Active Wisdom'(Vintage, 2011)p.22

*3
「有害な短期主義」の概念について、以下参照。
Simon Caney 'Democratic Reform, Intergenerational Justice and the Challenges of the Long- Term' Centre for the Understanding of Sustainability Prosperity(University of Surrey 2019)p.4

政治における短期主義の包括的分析について、以下参照。
Jonathan Boston 'Governing the Future: Designing Democratic Institutions for a Better Tomorrow'(Emerald, 2017)

*4
オックスフォード大学の実存的リスクの専門家であり哲学者のトビー・オードは、(AIによる最大の脅威によるものとして)1/6という数字を打ち出している一方で、同大学研究センター Future of Humanity Institute による調査結果によれば、19%よりわずかに高い数値が算出されている(Toby Ord 'The Precipice'(Bloomsbury, 2020)p.167);
https://thebulletin.org/2016/09/how-likely-is-an-existential-catastrophe/
実存的リスクの研究者アンダース・サンドバーグに訊ねたところ、「我々の運命が尽きるのは、わずか12%の確率でしかない」というのが彼の見通しであった(オックスフォードのThe Hubでの談話、2018年5月21日)。実存的リスクの構成要素にかかる測定は、明らかに精密さに欠けたやや推測的な科学である。

ニック・ボストロムによるナノテクノロジーの恐怖については、以下を参照。
https://www.nickbostrom.com/existential/risks.html

*5
https://www.theguardian.com/society/2005/jan/13/environment.science

『文明崩壊――滅亡と存続の命運を分けるもの [上・下]』(ジャレド・ダイアモンド著、楡井浩訳、草思社)

Will Steffen, Johan Rockström 'Trajectories of the Earth System in the Anthropocene', PNAS, Vol.115. No.33(2019)

*6
2019年12月3日、ポーランドで開催された国連COP24気候変動会議、及び、BBC TV番組 'Climate Change: The Facts'(2019年5月18日放送)でのアッテンボローによるスピーチの引用。

*7
「テラ・ヌリウス」の言葉の使用は、歴史家ヘンリー・レイノルドによるオーストラリア原住民の土地権利に関する研究を参考にしている。
https://www.themonthly.com.au/books-henry-reynolds-new-historical-landscape-responce-michael-connor039s-039the-invention-terra-nul

植民地化された領土として未来を捉える発想は、私の知る限り、オーストラリアの未来学者の先駆者でもあるロベルト・ユンクの文書('Tomorrow is Already Here: Scenes from a Man-Made Word '(Rupert Hart-Davis, 1954) pp.16–19)において最初にほのめかされている。その比喩は、先見の明に長けた学者ジム・デイター('Decolonizing the Future', in Andrew Spekke (ed.), 'The Next 25 Years: Challenges and Opportunities' (World Future Society, 1975))や社会学者 バーバラ・アダム('Time' (Polity

ヴィクトール・E. フランクル『夜と霧』(みすず書房)

カール・セーガン『惑星へ』(朝日新聞社)

エドマンド・バーク『フランス革命についての省察』(光文社古典新訳文庫ほか)

エレン・メイクシンス・ウッド『資本主義の起源』(こぶし書房)

E. A. リグリィ『エネルギーと産業革命―連続性・偶然・変化』(同文館出版)

マーク・オコネル『トランスヒューマニズム：人間強化の欲望から不死の夢まで』(作品社)

レベッカ・ソルニット『災害ユートピア』(亜紀書房)

ジャニン・ベニュス『自然と生体に学ぶバイオミミクリー』(オーム社)

デイヴィッド・ヒューム『人間本性論　第3巻　道徳について』(法政大学出版局)

エリック・ホブズボーム『資本の時代：1848-1875』(みすず書房)

パラグ・カンナ『「接続性」の地政学：グローバリズムの先にある世界』(原書房)

ツヴェタン・トドロフ『善のはかなさ：ブルガリアにおけるユダヤ人救出』(新評論)

エルンスト・フォン・ワイツゼッカー＆アンダース・ワイクマン『ローマクラブ「成長の限界」から半世紀 Come On! 目を覚まそう！』(明石書店)

ジェレミー・リフキン『第三次産業革命：原発後の次代へ、経済・政治・教育をどう変えていくか』(インターシフト)

ピエール・テイヤール・ド・シャルダン『現象としての人間』(みすず書房)

デイヴィッド・スローン・ウィルソン『社会はどう進化するのか―進化生物学が拓く新しい世界観』(亜紀書房)

ベネディクト・アンダーソン『定本 想像の共同体―ナショナリズムの起源と流行』(書籍工房早川)

ポール・ホーケン『祝福を受けた不安―サステナビリティ革命の可能性』(バジリコ)

ジェームズ・C. スコット『実践 日々のアナキズム―世界に抗う土着の秩序の作り方』(岩波書店)

アイザック・アシモフ『ファウンデーション　銀河帝国興亡史』(早川書房)

ジャン・ジオノ『木を植えた男』(あすなろ書房ほか)

ジョン・ロールズ『正義論』(紀伊國屋書店)

教皇フランシスコ『回勅　ラウダート・シ』(カトリック中央協議会)

チャールズ・エリス『ゴールドマン・サックス』(日本経済新聞出版)

デイビッド・ウォレス・ウェルズ『地球に住めなくなる日「気候崩壊」の避けられない真実』(NHK出版)

アルド・レオポルド『野生のうたが聞こえる』(講談社)

ジョエル・ベイカン『ザ・コーポレーション』(早川書房)

ハーマン・E.デイリー『持続可能な発展の経済学』(みすず書房)

オラフ・ステープルドン『スターメイカー』(国書刊行会)

# 参考文献


ジャレド・ダイアモンド『文明崩壊―滅亡と存続の命運を分けるもの』(草思社)

マーティン・リース『私たちが、地球に住めなくなる前に:宇宙物理学者からみた人類の未来』(作品社)

ダニエル・ギルバート『明日の幸せを科学する』(早川書房)

ローマン・クルツナリック『共感する人―ホモ・エンパシクスへ、あなたを変える六つのステップ』(ぷねうま舎)

チャールズ・ダーウィン『人間の進化と性淘汰』(文一総合出版ほか)

ジョン・G. ナイハルト『ブラック・エルクは語る』(めるくまーる)

ジェレミー・リフキン『タイムウォーズ―時間意識の第四の革命』(早川書房)

スティーヴン・J.グールド『時間の矢・時間の環―地質学的時間をめぐる神話と隠喩』(工作舎)

ビル・ブライソン『人類が知っていることすべての短い歴史』(新潮社ほか)

ジェイムズ・グリック『タイムトラベル「時間」の歴史を物語る』(柏書房)

ティック・ナット・ハン『仏の教え ビーイング・ピース―ほほえみが人を生かす』(中央公論新社)

環境と開発に関する世界委員会『地球の未来を守るために』(福武書店)

デレク・パーフィット『理由と人格―非人格性の倫理へ』(勁草書房)

デヴィッド・スズキ『いのちの中にある地球』(日本放送出版協会)

ロバート・マクファーレン『アンダーランド―記憶、隠喩、禁忌の地下空間』(早川書房)

コンラッド・タットマン『日本人はどのように森をつくってきたのか』(築地書館)

ドネラ・H. メドウズ『世界はシステムで動く―いま起きていることの本質をつかむ考え方』(英治出版)

ミルトン・フリードマン『資本主義と自由』(日経BP)

ピーター・シュワルツ『シナリオ・プランニングの技法』(東洋経済新報社)

アルビン・トフラー『未来の衝撃』(中央公論新社)

ナシーム・ニコラス・タレブ『ブラック・スワン―不確実性とリスクの本質』(ダイヤモンド社)

ユヴァル・ノア・ハラリ『ホモ・デウス:テクノロジーとサピエンスの未来』(河出書房新社)

スティーブン・ジョンソン『世界が動いた「決断」の物語―新・人類進化史』(朝日新聞出版)

フリッチョフ・カプラ『ターニング・ポイント―科学と経済・社会、心と身体、フェミニズムの将来』(工作舎)

ドネラ・メドウズ／デニス・メドウズ／ヨルゲン・ランダース／W・ベアランズ『成長の限界―ローマ・クラブ「人類の危機」レポート』(ダイヤモンド社)

ドネラ・H. メドウズ／デニス・L. メドウズ／ヨルゲン・ランダース『成長の限界　人類の選択』(ダイヤモンド社)

ケイト・ラワース『ドーナツ経済学が世界を救う―人類と地球のためのパラダイムシフト』(河出書房新社)

スティーブン・ピンカー『21世紀の啓蒙:理性、科学、ヒューマニズム、進歩』(草思社)

ロナルド・ライト『暴走する文明―「進歩の罠」に落ちた人類のゆくえ』(日本放送出版協会)

ユヴァル・ノア・ハラリ『21世紀の人類のための21の思考』(河出書房新社)

著者
## ローマン・クルツナリック
Roman Krznaric

1971年生まれ。イギリスの文化思想家。シドニーと香港で育ち、オックスフォード大学で政治社会学の博士号を取得後、ケンブリッジ大学とシティ大学ロンドンで社会学と政治学を教え、中央アメリカで人権活動に携わった。2008年、共同でロンドンに、「スクール・オブ・ライフ」を創設。以降、国連、オックスファムのアドバイザー。オブザーバー紙で「イギリスの傑出したライフスタイルの哲学者」と称された。

邦訳に、『仕事の不安がなくなる哲学』(イースト・プレス)『生活の発見――場所と時代をめぐる驚くべき歴史の旅』(フィルムアート社)『共感する人――ホモ・エンパシクスへ、あなたを変える六つのステップ』(ぷねうま舎)がある。

訳者
## 松本紹圭
まつもと しょうけい

1979年、北海道生まれ。東京大学文学部哲学科卒業。

現代仏教僧 (Contemporary Buddhist)。世界経済フォーラム(ダボス会議)Young Global Leader。武蔵野大学客員准教授。

2010年、ロータリー財団国際親善奨学生としてインド商科大学院(ISB)でMBA取得。

2012年、住職向けのお寺経営塾「未来の住職塾」を開講し、以来9年間で700名以上の宗派や地域を超えた宗教者の卒業生を輩出。著書に『お坊さんが教えるこころが整う掃除の本』(ディスカヴァー・トゥエンティワン)ほか。

グッド・アンセスター　わたしたちは「よき祖先」になれるか

2021年 9 月30日　初版発行
2024年10月20日　2 刷発行

著者　ローマン・クルツナリック
訳者　松本紹圭
発行者　山浦真一
発行所　あすなろ書房
〒162-0041 東京都新宿区早稲田鶴巻町551-4
電話 03-3203-3350(代表)
印刷所　佐久印刷所
製本所　ナショナル製本

 ISBN978-4-7515-3070-2　Printed in Japan